# LA VOIX
# DES TÉNÈBRES

*COLLECTION TERREUR*
*dirigée par Patrice Duvic*

*Iain Banks*
*LE SEIGNEUR DES GUÊPES*

*William P. Blatty*
*EXORCISTE 3*

*Robert Bloch*
*PSYCHOSE*
*PSYCHOSE 2*
*LORI*

*Ramsey Campbell*
*ENVOÛTEMENT*
*LA SECTE SANS NOM*

*Martin Cruz-Smith*
*LE VOL NOIR*

*John Farris*
*LE FILS DE LA NUIT ÉTERNELLE*
*L'ANGE DES TÉNÈBRES*

*Raymond Feist*
*FAËRIE*

*Ray Garton*
*EXTASE SANGLANTE*

*Linda C. Gray*
*MEDIUM*

*Thomas Harris*
*DRAGON ROUGE*

*James Herbert*
*LES RATS*
*LE REPAIRE DES RATS*
*LE SURVIVANT*
*FOG*

*Stephen King*
*SALEM*

*Dean R. Koontz*
*LE MASQUE DE L'OUBLI*
*MIROIRS DE SANG*
*LA VOIX DES TÉNÈBRES*
*LES YEUX DES TÉNÈBRES*
*UNE PORTE SUR L'HIVER*
*LA PESTE GRISE*
*LA MORT À LA TRAÎNE*

*Stephen Laws*
*TRAIN FANTÔME*

*Michael McDowell*
*LES BRUMES DE BABYLONE*

*Graham Masterton*
*LE DÉMON DES MORTS*
*LE PORTRAIT DU MAL*
*LE JOUR « J » DU JUGEMENT*
*MANITOU*
*LA VENGEANCE DU MANITOU*

*Anne Rice*
*LESTAT LE VAMPIRE*
*ENTRETIEN AVEC UN VAMPIRE*

*Peter Straub*
*GHOST STORY*
*JULIA*
*KOKO*

*Sheri S. Tepper*
*OSSEMENTS*

*Thomas Tessier*
*L'ANTRE DU CAUCHEMAR*

*Jack Vance*
*MÉCHANT GARÇON*

*Chet Williamson*
*LA FORÊT MAUDITE*

*Bari Wood-Jack Geasland*
*FAUX-SEMBLANTS*

DEAN R. KOONTZ

# LA VOIX DES TÉNÈBRES

*Traduit de l'anglais par Isabelle Glasberg*

PRESSES POCKET

*Titre original*

THE VOICE OF THE NIGHT



ISBN 2-266-02565-1

# PREMIÈRE PARTIE

# 1

— T'AS déjà tué quelque chose ? demanda Roy.

Colin fronça les sourcils. « Comment ça ? »

Les deux garçons étaient sur une haute colline au nord-est de la ville. En bas, il y avait l'océan.

— N'importe quoi, dit Roy. Ça t'est déjà arrivé de tuer quelque chose ?

— Je ne comprends pas ce que tu veux dire, répondit Colin.

Là-bas sur l'eau tachetée de soleil, un grand navire faisait route vers le nord, en direction de la lointaine San Francisco. Sur le rivage plus proche se dressait une plate-forme de forage pétrolier. Sur la plage déserte une volée d'oiseaux parcourait implacablement le sable humide en quête de leur déjeuner.

— Tu as bien dû déjà tuer quelque chose, répondit Roy d'un ton impatient. Des insectes, par exemple ?

Colin haussa les épaules. « Evidemment. Des moustiques. Des fourmis. Des mouches. Et alors ? »

— Ça t'a plu ?

— Comment ça ?

— De les tuer.

Colin le dévisagea, et hocha finalement la tête. « Roy, tu es parfois drôlement étrange. »

Roy sourit.

— Tu aimes tuer des insectes ? demanda Colin, mal à l'aise.

— Quelquefois.

— Pourquoi ?

— Parce que c'est vraiment l'éclate.

Tout ce que Roy trouvait drôle, tout ce qui le faisait vibrer, il le qualifiait d' « éclate ».

— Et qu'est-ce qui te plaît là-dedans ? demanda Colin.

— Ils sont réduits en bouillie.

— Ouais.

— T'as jamais arraché les pattes d'une mante religieuse pour la regarder essayer de marcher ?

— T'es bizarre. Vraiment bizarre.

Roy se tourna vers la mer déchaînée, et se tint debout, mains sur les hanches, d'un air de défi, comme s'il voulait se mesurer à la marée montante. C'était une attitude naturelle pour lui : c'était un lutteur-né.

Colin avait quatorze ans, le même âge que Roy, et il ne se mesurait jamais à rien ni à personne. Il se laissait porter par le courant de la vie, et allait là où elle l'emmenait, sans opposer la moindre résistance. Il savait depuis longtemps que la résistance engendrait la souffrance.

Colin s'assit sur la crête de la colline, dans l'herbe sèche. Il leva les yeux vers Roy, plein d'admiration.

Sans se détourner de la mer, Roy dit : « T'as déjà tué plus gros que des insectes ? »

— Non.

— Moi si.

— Ah ouais ?

— Plein de fois.

— Qu'est-ce que t'as tué ?

— Des souris.

— Hé ! fit Colin, se souvenant tout à coup, mon père a tué une chauve-souris un jour.

Roy baissa les yeux sur lui. « C'était quand ? »

— Il y a deux ans, là-bas à Los Angeles. A l'époque, maman et papa étaient encore ensemble. On avait une maison à Westwood.

— C'est là qu'il a tué la chauve-souris ?

— Ouais. Il devait y en avoir quelques-unes dans le grenier. L'une d'elles est entrée dans la chambre de mes parents. C'est arrivé en pleine nuit. Je me suis réveillé et j'ai entendu maman hurler.

— Elle était vraiment effrayée, hein ?

— Terrifiée.

— J'aurais bien voulu voir ça.

— Je suis descendu en courant dans le couloir pour voir ce qui se passait, et j'ai vu la chauve-souris qui tournoyait dans leur chambre.

— Elle était nue ?

Colin cligna des paupières. « Qui ? »

— Ta mère.

— Bien sûr que non.

— Je me disais que, peut-être, elle dormait à poil et que tu l'avais vue.

— Non, répliqua Colin. Il se sentit rougir.

— Est-ce qu'elle portait unc nuisette ?

— Je ne sais pas.

— Tu ne *sais* pas ?

— Je ne m'en souviens pas, répondit Colin d'un air gêné.

— Si c'était moi qui l'avais vue, je te garantis que je m'en souviendrais.

— Eh bien, je crois qu'elle portait une nuisette. Ouais. Maintenant je m'en rappelle.

En réalité, il ne parvenait pas à se rappeler si elle portait un pyjama ou un manteau de fourrure, et il ne comprenait pas en quoi ça préoccupait Roy.

— Tu pouvais voir à travers ? s'enquit Roy.

— Voir à travers quoi ?

— Bon Dieu, Colin ! Est-ce que tu pouvais voir à travers sa nuisette ?

— Et pourquoi l'aurais-je fait ?

— T'es débile ou quoi ?

— Pourquoi serais-je resté là, bouche bée, devant ma propre mère ?

— Parce qu'elle est formée, voilà pourquoi.

— Tu plaisantes !

— Elle a des supernichons.

— Roy, sois pas bête.

— Des jambes du tonnerre.

— Comment tu le sais ?

— Je l'ai vue en maillot de bain. Elle est bien roulée.
— Elle est quoi ?
— Sexy.
— Mais c'est ma *mère* !
— Et alors ?
— Des fois je te comprends pas, Roy.
— T'es indécrottable.
— *Moi ?* Putain !
— Indécrottable.
— Je croyais qu'on parlait de la chauve-souris.
— Alors, qu'est-ce qui s'est passé ?
— Mon père a pris un balai et l'a pourchassée dans les airs. Il a continué de frapper jusqu'à ce qu'elle arrête de couiner. (Colin frissonna.) C'était affreux.
— Du sang ?
— Hein ?
— Est-ce qu'il y avait beaucoup de sang ?
— Non.

Roy regarda à nouveau vers la mer. L'histoire de la chauve-souris ne semblait pas l'avoir impressionné.

Les cheveux de Roy ondulaient sous la brise tiède. Il avait cette chevelure épaisse et dorée et ce visage sain couvert de taches de rousseur que l'on voyait dans les spots publicitaires à la télévision. C'était un garçon robuste, fort pour son âge, un bel athlète.

Colin aurait voulu ressembler à Roy.

Un jour, quand je serai riche, se dit Colin, j'entrerai dans le cabinet d'un chirurgien esthétique avec peut-être un million de dollars en liquide et une photo de Roy. Je me ferai refaire entièrement. Totalement métamorphoser. Le chirurgien transformera mes cheveux châtains en une chevelure blonde comme les blés. Il dira : *Vous ne voulez plus de ce visage mince et blafard, n'est-ce pas ? Je vous comprends. Qui en voudrait ? On va le rendre beau.* Il s'occupera de mes oreilles, aussi. Elles ne seront plus aussi grandes, après. Et il m'arrangera mes yeux. Je n'aurai plus à porter ces gros verres épais. Et il dira : *Voulez-vous que j'ajoute quelques muscles à votre torse, à vos bras et vos jambes ? Pas de problème. Simple comme bonjour*. Et après, je ne ressemblerai plus seulement à Roy ; je serai aussi fort que Roy, et je serai capable de courir aussi vite que lui, et je n'aurai plus peur de rien, de rien du tout. Oui. En fait, il vaudra mieux que j'aille chez ce docteur avec *deux* millions.

Observant toujours le navire qui s'avançait sur l'océan, Roy dit : « J'ai tué des trucs plus gros, aussi. »

— Plus gros que des souris.

— Bien sûr.

— Comme quoi ?

— Un chat.

— T'as tué un chat ?

— C'est ce que je viens de dire, non ?

— Pourquoi t'as fait ça ?

— Je m'ennuyais.

— C'est pas une raison.

— Ça m'a occupé.

— Mon Dieu !

Roy se détourna de la mer.

— Quel menteur, fit Colin.

Roy se dressa face à Colin, et planta son regard dans le sien. « C'était l'éclate, vraiment la super éclate. »

— L'éclate ? C'est drôle ? En quoi c'est amusant de tuer un chat ?

— Et pourquoi ce ne *serait pas* amusant ?

Colin était sceptique. « Comment tu l'as tué ? »

— D'abord je l'ai mis dans une cage.

— Quel genre de cage ?

— Une vieille cage à oiseau, d'environ un mètre carré.

— Où avais-tu trouvé un truc pareil ?

— Elle était dans notre sous-sol. Ma mère a eu un perroquet il y a très longtemps. Quand il est mort, elle n'a pas racheté un autre oiseau, mais elle n'a pas jeté la cage non plus.

— C'était ton chat ?

— Non. Il appartenait à des gens en bas de la rue.

— Comment s'appelait-il ?

Roy haussa les épaules.

— S'il y avait vraiment eu un chat, tu te souviendrais de son nom.

— Fluffy. Il s'appclait Fluffy.

— Peut-être bien.

— C'est la vérité. Je l'ai mis dans la cage et je l'ai travaillé avec les aiguilles à tricoter de ma mère.

— Travaillé ?

— Je l'ai piqué à travers les barreaux. Bon Dieu, t'aurais dû l'entendre !

— Non merci.

— C'était une saleté de chat enragé. Il crachait, il poussait des cris aigus. Il a même essayé de me griffer.

— Alors tu l'as tué avec les aiguilles à tricoter.

— Non. Les aiguilles, ça l'a juste mis en colère.

— Je ne vois pas pourquoi.

— Après, je suis allé chercher à la cuisine une longue fourchette à viande à deux dents et je m'en suis servi pour le tuer.

— Où étaient tes parents pendant ce temps-là ?

— Ils travaillaient tous les deux. J'ai enterré le chat et j'ai nettoyé tout le sang avant leur retour.

Colin hocha la tête et soupira. « Quel tissu de conneries ! »

— Tu ne me crois pas ?

— Tu n'as jamais tué de chat.

— Pourquoi aurais-je inventé une histoire pareille ?

— Tu essaies de voir si tu arrives à me débecter. Tu essaies de m'écœurer.

Roy sourit. « Ça t'a rendu malade ? »

— Bien sûr que non.

— T'as l'air plutôt pâle.

— Tu pourras pas me rendre malade parce que je sais que ce n'est pas vrai. Il n'y avait pas de chat.

Les yeux de Roy étaient perçants et insistants. Colin se les imagina pénétrant comme les pointes d'une fourchette.

— Depuis combien de temps tu me connais ? demanda Roy.

— Depuis le lendemain du jour où Maman et moi nous sommes installés ici.

— Et ça fait combien de temps ?

— Tu le sais bien. Depuis le premier juin. Un mois.

— En tout ce temps-là, est-ce que je t'ai déjà menti ? Non. Parce que tu es mon ami. Je ne mentirais pas à un ami.

— Tu ne mens pas véritablement. Tu joues un jeu, plutôt.

— Je n'aime pas les jeux.

— Mais tu aimes beaucoup plaisanter.

— Je ne suis pas en train de plaisanter, pour l'instant.

— Bien sûr que si. Tu me fais marcher. Sitôt que j'aurais dit que je te crois pour le chat, tu vas te moquer de moi. Je ne me ferai pas avoir.

— Bon, j'ai essayé.

— Ah ! Tu vois, tu me faisais bien marcher !

— Si c'est ce que tu as envie de croire, ça m'est égal.

Roy s'éloigna. Il s'arrêta à cinquante mètres de Colin et se tint de nouveau face à la mer. Il contempla l'horizon embrumé comme s'il était hypnotisé. Aux yeux de Colin, passionné de science-fiction, Roy lui semblait être en communication télépathique avec une chose cachée au loin dans la profondeur des eaux sombres et houleuses.

— Roy ? Tu plaisantais pour le chat, n'est-ce pas ?

Roy se retourna, le dévisagea froidement quelques instants, puis sourit.

Colin sourit également. « Ouais. Je le savais. Tu essayais de me faire marcher. »

## 2

COLIN s'étira, ferma les yeux, et se dora quelques instants au soleil.

Il n'arrêtait pas de penser au chat. Il essayait d'évoquer des images agréables, mais chacune d'elles s'évanouissait pour laisser place à la vision d'un chat ensanglanté dans une cage à oiseaux. Ses yeux étaient ouverts, morts, et néanmoins attentifs. Il était persuadé que le chat attendait qu'il s'approche un peu trop, guettant l'occasion de lui allonger un coup de griffe acérée comme un rasoir.

Quelque chose heurta son pied.

Il se redressa d'un bond.

Roy le dévisagea. « Quelle heure est-il ? »

Colin cligna des yeux et regarda sa montre. « Presque une heure. »

— Allez. Debout.

— Où on va ?

— Ma mère travaille tous les après-midi à la boutique de cadeaux. On a la maison pour nous tous seuls.

— Qu'est-ce qu'on va faire chez toi ?

— Il y a un truc que je veux te montrer.

Colin se releva et épousseta le sable sur son jean. « Tu veux me montrer où tu as enterré le chat ? »

— Je pensais que tu n'y croyais pas.

— Non, c'est vrai.

— Alors laisse tomber. Je veux te montrer les trains.

— Quels trains ?

— Tu verras. C'est vraiment l'éclate.
— On fait la course jusqu'en ville ? demanda Colin.
— Bien sûr.
— Go ! hurla Colin.

Comme toujours, Roy arriva le premier à sa bicyclette. Il était déjà à cinquante mètres, pédalant à toute vitesse dans le vent, avant même que Colin ait posé son pied sur la pédale.

Des voitures, des camionnettes, des caravanes et de lourds mobil-homes se disputaient la route à deux voies. Colin et Roy roulaient sur le bas-côté parsemé de taches d'huile.

La plupart du temps, il y avait très peu de circulation sur Seaview Road. Tout le monde, à l'exception des riverains, empruntait l'autoroute qui contournait Santa Leona.

Pendant la saison touristique, la ville était bondée, grouillant de vacanciers qui conduisaient trop vite et imprudemment. On les aurait crus poursuivis par des démons. Ils avaient tous une telle frénésie, une telle hâte de se détendre, se délasser, se relaxer.

Colin descendit la dernière côte en roue libre jusqu'aux faubourgs de Santa Leona. Le vent lui fouettait le visage, lui ébouriffait les cheveux, éloignant de lui les gaz d'échappement des automobiles.

Il ne put réprimer un sourire. Il ne s'était pas senti aussi heureux depuis longtemps, très longtemps.

Il avait de nombreuses raisons de se réjouir. Il lui restait encore deux mois d'un superbe été californien, deux mois de liberté avant la rentrée des classes. Et depuis le départ de son père, il ne redoutait plus de retourner chez lui tous les soirs.

Il était toujours perturbé par le divorce de ses parents. Mais un mariage brisé valait mieux que les disputes violentes et âpres, devenues depuis plusieurs années un rituel nocturne.

Parfois, dans ses rêves, Colin entendait encore les vociférations accusatrices, le langage banal et ordurier qu'employait sa mère dans le feu dc l'action, et puis l'inévitable bruit de coups qui précédait les pleurs. Quelle que fût la chaleur de sa chambre, il était toujours glacé en se réveillant de ses cauchemars — gelé et frissonnant, et pourtant trempé de sueur.

Il ne se sentait pas très proche de sa mère, mais la vie avec elle était nettement plus agréable qu'elle l'eût été auprès de son père. Sa mère ne partageait ni même ne comprenait ses sujets d'intérêt — la science-fiction, les bandes dessinées de terreur, les histoires de vampires et de loups-garous, les films de monstres — mais elle ne lui interdisait jamais de s'y consacrer, au contraire de son père.

Toutefois, le changement le plus important de ces derniers mois, celui qui lui avait apporté le plus de bonheur, n'avait rien à voir avec ses parents. Ce changement, c'était Roy Borden. Pour la première fois de sa vie, Colin avait un ami.

Il était trop timide pour lier facilement connaissance. Il attendait que les autres gosses viennent vers lui, bien qu'il se rendît compte qu'ils n'étaient guère susceptibles de s'intéresser à un garçon fluet, gauche, myope et studieux, qui s'intégrait mal, et n'aimait ni le sport ni regarder longuement la télévision.

Roy Borden était sûr de lui, sociable, et populaire. Colin l'admirait et l'enviait. Presque tous les garçons de la ville auraient été fiers d'être le meilleur ami de Roy. Pour une raison que Colin ne saisissait pas, Roy l'avait choisi. Sortir avec quelqu'un comme Roy, se confier à quelqu'un comme Roy, et avoir sa confiance — étaient des expériences nouvelles pour Colin. Il avait l'impression d'être un pauvre hère miraculeusement entré dans les bonnes grâces d'un prince.

Colin craignait que cela ne s'arrête aussi brutalement que cela avait commencé.

A cette pensée, son cœur se mit à battre la breloque. En un instant, sa bouche se dessécha.

Avant de rencontrer Roy, il n'avait jamais connu que la solitude ; aussi, c'était supportable. Maintenant qu'il avait fait l'expérience de la camaraderie, un retour à l'isolement serait de toute manière douloureux, accablant.

Colin arriva en bas de la grande côte.

Quelques mètres plus loin, Roy tourna au coin à droite.

Tout à coup, Colin pensa que son ami pourrait essayer de le semer, disparaître dans une ruelle, et qu'il ne le reverrait plus jamais. C'était une idée saugrenue, mais il ne parvenait pas à la chasser de son esprit.

Il se pencha sur son guidon. *Attends-moi, Roy. Je t'en supplie, attends-moi !* Il pédalait frénétiquement pour le rattraper.

Arrivé à l'angle, il fut soulagé de constater que son ami ne s'était pas volatilisé. En fait, Roy avait ralenti ; il jeta un coup d'œil derrière lui. Colin lui fit signe. Ils n'étaient éloignés que d'une trentaine de mètres. Ils ne faisaient plus vraiment la course, car tous deux savaient qui serait le vainqueur.

Roy tourna à gauche dans une étroite rue résidentielle bordée de dattiers. Colin le suivit dans les ombres plumeuses projetées par les feuilles de palmiers s'agitant sous la brise.

La conversation qu'il avait eue avec Roy sur la colline résonnait maintenant dans la tête de Colin :

*T'as tué un chat ?*

*C'est ce que je viens de dire, non ?*

*Pourquoi t'as fait ça ?*

*Je m'ennuyais.*

Au moins une douzaine de fois au cours de la semaine passée, Colin avait eu la sensation que Roy le mettait à l'épreuve. Il était persuadé que la macabre histoire n'était que le dernier test en date, mais il ne parvenait pas à imaginer ce que Roy aurait voulu qu'il dise ou fasse. Avait-il réussi ou échoué ?

Bien qu'il ignorât quelles réponses on attendait de lui, il savait instinctivement *pourquoi* on le testait. Roy détenait un merveilleux (ou peut-être terrible) secret qu'il était avide de partager, mais il voulait être certain que Colin en était digne.

Roy n'avait jamais parlé d'un secret, pas un seul mot, mais c'était dans ses yeux. Colin pouvait en apercevoir le contour indistinct, mais pas les détails, et il se demandait de quoi il pouvait s'agir.

# 3

A deux blocs de chez lui, Roy Borden tourna à gauche dans une autre rue, loin de la maison des Borden, et l'espace de quelques secondes, Colin eut à nouveau l'impression que le garçon plus âgé essayait de le semer. Mais Roy stoppa dans une allée et gara sa bicyclette. Colin s'arrêta à ses côtés.

La maison, coquette, était blanche avec des volets bleu foncé. Une Honda Accord d'il y a deux ans se trouvait dans le garage ouvert, et un homme, penché sous le capot, réparait quelque chose. Il se tenait à dix mètres de Colin et Roy, et ne se rendit pas immédiatement compte qu'il avait de la visite.

— Qu'est-ce qu'on fait là ? demanda Colin.

— Je veux te présenter Coach Molinoff, répondit Roy.

— Qui ça ?

— C'est l'entraîneur de l'équipe junior universitaire de football. Je veux que tu le rencontres.

— Pourquoi ?

— Tu verras.

Roy se dirigea vers l'homme qui travaillait sous le capot de la Honda.

Colin le suivit à contrecœur. Il n'était pas très doué pour faire connaissance des gens. Il ne savait jamais quoi dire ou comment se comporter. Il était sûr qu'il faisait toujours une très mauvaise impression au premier abord, et il redoutait les scènes comme celle-là.

Coach Molinoff leva les yeux du moteur de la Honda en entendant les garçons approcher. Il était grand, large d'épaules, avec des cheveux blond roux et des yeux gris-bleu. Il sourit en apercevant Roy.

— Salut Roy. Quoi de neuf ?

— Coach, je te présente Colin Jacobs. Il est nouveau dans la ville. Il vient de L.A. Il va aller à l'école à Central à l'automne. Même classe que moi.

Molinoff tendit une grande main calleuse. « Vraiment ravi de te rencontrer. »

Colin accepta gauchement cet accueil, sa propre main disparaissant dans la poigne bourrue de Molinoff. Les doigts de l'entraîneur étaient légèrement graisseux.

S'adressant à Roy, Molinoff dit : « Alors mon vieux, comment ça se passe pour toi, cet été ? »

— Pour l'instant, ça va bien. Mais je me contente de tuer le temps, en attendant l'entraînement de pré-saison qui débute fin août.

— On va avoir une année formidable.

— Je le sais.

— Tu te débrouilles aussi bien que l'année dernière, et Coach Penneman pourrait bien te donner une place dans les jeux de la fac un peu plus tard dans la saison.

— Tu crois vraiment ?

— Ne me regarde pas avec ces yeux ronds. Tu es le meilleur joueur de l'équipe junior de l'université, et tu le sais. La fausse modestie n'a rien d'une vertu, mon vieux.

Roy et l'entraîneur se mirent à discuter de la stratégie en football, et Colin se borna à écouter, incapable d'apporter quoi que ce soit à la conversation. Il ne s'était jamais intéressé au sport. Si on l'interrogeait sur l'athlétisme, quelle que fût la discipline, il répondait toujours que le sport l'ennuyait et qu'il lui préférait les sensations fortes des livres et des films qui le stimulaient. En réalité, alors que les romans et les films lui procuraient un plaisir infini, il souhaitait parfois pouvoir également partager cette forme de camaraderie qui semblait régner parmi les athlètes. Pour un garçon comme lui, qui le voyait de l'extérieur, le monde du sport était mystérieux et enchanteur ; toutefois, il ne passait pas l'essentiel de son temps à en rêver, car il se rendait parfaitement compte que la nature lui avait donné moins que les capacités indispensables pour envisager une carrière sportive. Avec sa vue de myope, ses jambes grêles et ses bras maigres, il ne serait jamais davantage impliqué dans le sport qu'il ne l'était en ce moment même : un auditeur, un spectateur, jamais un acteur.

Pendant quelques minutes, Molinoff et Roy parlèrent football, puis Roy dit : « Coach, et pour les managers de l'équipe ? »

— Eh bien ? demanda Molinoff.

— Bon, l'an dernier, tu avais Bob Freemont et Jim Safinelli. Mais les parents de Jim sont partis vivre à Seattle, et Bob va être l'un des managers de l'équipe universitaire la saison prochaine. Donc tu as besoin de deux autres mecs.

— Tu penses à quelqu'un ?

— Ouais. Si on donnait une chance à Colin ?

Surpris, Colin cligna des yeux.

L'entraîneur le jaugea du regard. « Tu sais ce qui est en jeu, Colin ? »

— On te donne un maillot de l'équipe, expliqua Roy à Colin. Tu es assis sur le banc avec les joueurs à chaque match. Et tu voyages avec nous dans le bus de l'équipe pour chaque match en dehors de la ville.

— Roy ne décrit que les aspects attrayants du tableau, ajouta l'entraîneur. Ce ne sont que les avantages du manager. Tu auras des tâches, aussi. Comme ramasser et empaqueter les uniformes pour la blanchisserie. Et t'occuper de l'approvisionnement des serviettes de toilette. Il faudra que tu apprennes comment bien masser les épaules et la nuque des joueurs. Tu iras faire des courses pour moi. Et plein d'autres choses. Tu devras assumer un certain nombre de responsabilités. Tu crois que tu en es capable ?

Soudain, pour la première fois de sa vie, Colin parvint à s'imaginer à l'intérieur plutôt qu'à l'extérieur, évoluant dans les bons cercles, se mêlant à quelques-uns des gosses les plus populaires de l'école. Au fond de lui-même, il savait que le manager d'une équipe était un garçon de course amélioré, mais il chassait toutes les pensées négatives. Ce qui était important, *incroyable,* c'était qu'il allait faire partie d'un monde qui avait été jusqu'à présent hors de sa portée. Il allait être accepté par les joueurs ; au moins dans une certaine mesure, il serait l'un des leurs. L'un des leurs ! Sa représentation mentale de la vie en tant que manager d'équipe était éblouissante, extrêmement attirante, car il avait été un exclu toute sa vie. Il n'arrivait pas à croire complètement que ceci lui arrivait pour de bon.

— Alors ? demanda Coach Molinoff. Est-ce que tu crois que tu feras un bon manager d'équipe ?

— Il sera parfait, dit Roy.

— J'ai vraiment envie d'essayer, répondit Colin. Il avait la bouche sèche.

Molinoff dévisagea Colin, ses yeux gris-bleu évaluant, pesant, jugeant. Puis il jeta un regard à Roy et dit : « Je suppose que tu ne recommanderais pas un type qui est un vrai nullard. »

— Colin fera très bien l'affaire. On peut vraiment lui faire confiance.

Molinoff regarda à nouveau Colin, et finit par acquiescer. « OK. Tu es un manager d'équipe, fiston. Viens avec Roy pour le premier entraînement. Le vingt août. Et prépare-toi à bosser ! »

— Oui monsieur. Merci, monsieur.

Tandis que Roy et lui se dirigeaient vers leurs vélos au bout de l'allée, Colin se sentit plus grand et plus fort que seulement quelques minutes auparavant. Il souriait.

— Ça va te plaire de voyager dans le bus de l'équipe, dit Roy. On va bien rigoler.

Comme Colin enfourchait sa bicyclette, il dit : « Roy, je... euh... je crois que tu es vraiment le meilleur copain qu'un type peut souhaiter. »

— Hé ! Je l'ai fait autant pour moi que pour toi. Ces voyages pour aller jouer en dehors de la ville peuvent être parfois barbants. Mais avec toi et moi ensemble dans le bus, on ne s'ennuiera pas une seconde. Allez viens, maintenant. Allons chez moi. Je veux te montrer ces trains. (Il s'éloigna en pédalant.)

Suivant Roy sur la chaussée ombragée et tachetée de soleil, exalté et légèrement étourdi, Colin se demanda si le job de manager d'équipe était ce pour quoi Roy l'avait mis à l'épreuve. Etait-ce là le secret qu'avait gardé Roy durant toute cette semaine ? Colin y réfléchit quelques instants, mais en arrivant devant la maison des Borden, il décida que Roy dissimulait autre chose, une chose importante, que Colin ne s'était pas encore montré digne d'entendre.

# 4

ILS entrèrent dans la maison des Borden par la porte de la cuisine.

— Maman ? appela Roy. Papa ?

— Tu avais dit qu'ils n'étaient pas là.

— Simple vérification. J'aime mieux en être sûr. S'ils nous attrapaient...

— Nous attrapaient à quoi ?

— Je ne suis pas censé tripoter les trains.

— Roy, je ne veux pas d'ennuis avec tes parents.

— T'inquiète pas. Attends ici. (Roy se précipita dans le salon.) Y'a quelqu'un ?

Ce n'était que la troisième fois que Colin venait ici, et comme toujours, il fut stupéfait de voir à quel point tout était propre. La cuisine étincelait. Le sol était vigoureusement frotté et ciré. Les plans de travail luisaient comme des miroirs. Pas de vaisselle sale en attente ; pas de miettes oubliées pour déparer la table ; et pas l'ombre d'une tache sur l'évier. Les ustensiles n'étaient pas accrochés à un râtelier sur le mur ; toute la batterie de cuisine, les cuillères et les louches étaient dissimulées dans des tiroirs et des placards bien époussetés. Apparemment, Mrs Borden n'aimait guère les bibelots, car il n'y avait pas la moindre assiette, plaque ou morceau de canevas avec un proverbe sur les murs, pas de râtelier à épices, de calendrier, nulle trace de désordre — rien qui indiquât que c'était un endroit où des êtres réels cuisinaient pour de vrai. On aurait dit que Mrs Borden passait son temps à accomplir une série de minutieuses tâches ménagères — d'abord gratter, puis frotter, récurer, laver, rincer, astiquer et polir — tout comme l'ébéniste ponçait un morceau de bois, en commençant avec du gros papier de verre pour arriver progressivement au grain le plus fin.

La cuisine de la mère de Colin n'était pas *sale*. Loin de là. Ils avaient une femme de ménage qui venait deux fois par semaine pour s'occuper de l'entretien. Mais leur maison n'avait pas cet air-là.

D'après Roy, Mrs Borden refusait de prendre une femme de ménage. Elle pensait que nulle autre qu'elle n'aurait de qualités assez grandes. Elle ne se contentait pas d'une maison bien tenue ; elle la voulait stérilisée.

Roy revint dans la cuisine. « Il n'y a personne. On va jouer un moment avec les trains. »

— Où sont-ils ?

— Dans le garage.

— Ils sont à qui ?

— A mon pater.

— Et tu n'es pas censé y toucher ?

— Qu'il aille se faire foutre. Il en saura rien.

— Je ne veux pas que tes parents soient furieux contre moi.

— Bon Dieu, Colin, comment pourraient-ils le découvrir ?

— C'est ça le secret ?

Roy avait fait mine de tourner les talons. Il se retourna. « Quel secret ? »

— Tu en as un. Tu crèves d'envie de me le dire.

— Comment tu le sais ?

— Je le vois... à ton comportement. Tu m'as mis à l'épreuve pour voir si tu pouvais me le confier.

Roy hocha la tête. « T'es vachement malin. »

Colin, gêné, haussa les épaules.

— Si, c'est vrai. Tu viens de lire dans mes pensées.

— Donc tu m'as bel et bien mis à l'épreuve.

— Ouais.

— Ces fadaises à propos du chat...

— ... étaient vraies.

— Bah voyons !

— Tu ferais bien de le croire.
— Tu es encore en train de me tester.
— C'est possible.
— Alors, il y *a* un secret ?
— Oui, énorme.
— Les trains ?
— Non. Ça, ce n'est qu'une minuscule partie.
— Alors c'est quoi, le reste ?
Roy sourit.
Quelque chose dans ce sourire, quelque chose d'étrange dans ces yeux bleus et brillants donna envie à Colin de s'éloigner de l'autre garçon. Mais il ne bougea pas.
— Je vais tout te raconter, dit Roy. Mais seulement quand je serai prêt.
— Ce sera quand ?
— Bientôt.
— Tu peux me faire confiance.
— Seulement quand je serai prêt. Allez viens, maintenant. Les trains, ça va te plaire.
Ils traversèrent la cuisine et franchirent une porte blanche. Derrière, deux petites marches, le garage — et le chemin de fer en modèle réduit.
— Wouah !
— Est-ce que ce n'est pas l'éclate ?
— Où est-ce que ton père gare la voiture ?
— Toujours dans l'allée. Y'a pas de place ici.
— Quand a-t-il eu tout ce machin ?
— Il a commencé à en faire collection quand il était gosse. Il en rajoutait chaque année. Ça vaut plus de quinze mille dollars.
— Quinze mille ! Qui irait payer une somme pareille pour un lot de trains miniatures ?
— Des gens qui auraient dû vivre en des temps meilleurs.
Colin cligna des yeux. « Hein ? »
— C'est ce que dit mon père. Il pense que ceux qui aiment les trains électriques étaient faits pour un monde meilleur, plus propre, plus organisé que celui dans lequel nous vivons.
— Qu'est-ce que c'est censé signifier ?

— Si je le savais! Mais c'est ce qu'il dit. Il peut divaguer pendant une heure en racontant à quel point le monde était meilleur à l'époque où il y avait des trains à la place des avions. Ce qu'il peut être chiant!

Les trains étaient installés sur une plate-forme à mi-hauteur qui occupait presque entièrement le garage à trois voitures. Sur trois côtés, il y avait juste assez de place pour passer. Le quatrième côté, représentant le pupitre de commande du chef de gare, comportait deux tabourets, un établi étroit, et un petit meuble pour les outils.

Un monde miniature brillamment conçu, incroyablement minutieux, avait été construit sur cette plate-forme. On voyait des montagnes et des vallées, des fleuves, des rivières et des lacs, des prairies parsemées de minuscules fleurs des champs, des forêts où des cerfs peureux risquaient un coup d'œil à travers les ombres entre les arbres, des villages de cartes postales, des fermes, des postes avancés, des petits personnages réalistes occupés à une multitude de travaux quotidiens, des modèles réduits de voitures, camions, bus, motos, bicyclettes, des maisons coquettes avec leurs palissades, quatre gares rendues de manière exquise — une de style victorien, une suisse, une italienne et une espagnole — des magasins, des églises et des écoles. Des voies étroites de chemin de fer couraient partout — le long des rivières, à travers les villes, les vallées, contournant le flanc des montagnes, passant sur les ponts-levis et les ponts de chevalet, entrant et sortant des gares, montant, descendant, allant et venant en gracieux méandres, en lignes droites, en virages brusques, en fer à cheval et en montagnes russes.

Colin fit lentement le tour de la maquette, l'examinant avec une crainte non dissimulée. L'illusion ne fut en rien altérée en y regardant de plus près. Même à trois centimètres de distance, les forêts de pins semblaient *réelles;* chaque arbre était réalisé avec une superbe habileté. Pas un détail ne manquait aux maisons, pas même une gouttière, des fenêtres maniables pour certaines d'entre elles, des allées constituées de pierres individuelles, et des antennes de télévision fixées par une fine corde de tente. Les automobiles n'étaient pas de simples voitures miniatures. Elles étaient artistiquement conçues, minuscules mais précises, répliques de véhicules grandeur nature ; et à l'exception de celles garées dans les rues et les allées, toutes arboraient un conducteur, parfois aussi des passagers, et éventuellement un chien ou un chat sur la banquette arrière.

— Et ton père, qu'est-ce qu'il a construit dans tout ça ?

— Tout, sauf les trains et quelques-unes des petites voitures.

— C'est fantastique.

Colin avait énormément lu sur de nombreux sujets, mais peu sur la psychologie. Néanmoins, tout en continuant de s'émerveiller sur ce monde en miniature, il se rendit compte que l'attention intransigeante accordée aux détails était la manifestation du même acharnement fanatique sur la netteté et l'ordre, si évident dans la lutte continuelle que livrait Mrs Borden pour garder la maison aussi propre que la salle d'opération d'un hôpital.

— Il faut une semaine entière pour faire une seule de ces petites maisons, quelquefois plus si c'est vraiment un truc spécial. Il passe des mois et des mois sur chacune de ces gares.

— Depuis quand l'a-t-il terminée ?

— Ce n'est pas terminé. Ça ne le sera jamais — tant qu'il vivra.

— Mais il ne peut plus l'agrandir. Il n'y a plus de place pour ça.

— Pas l'agrandir, mais l'embellir. (Sa voix prit une intonation différente, dure, glaciale ; les dents extrêmement serrées, il souriait toujours.) Mon vieux n'arrête pas de perfectionner l'agencement. Tout ce qu'il sait faire en rentrant du boulot, c'est bricoler ce putain de truc. Je crois même pas qu'il prenne encore le temps de baiser ma mère.

Ce genre de propos embarrassait Colin, et il ne répondit pas. Il se trouvait considérablement moins sophistiqué que Roy, et faisait tout son possible pour s'améliorer de toutes les façons possibles ; cependant, il ne parvenait tout simplement pas à être à l'aise avec des grossièretés et des obscénités. La rougeur subite et la sécheresse de sa langue et de sa gorge étaient incontrôlables. Il se sentit naïf et stupide.

— Il se planque ici tous les soirs, ajouta Roy, toujours sur ce ton glacial. Il lui arrive même de bouffer là. Il est aussi cinglé qu'elle.

Il se demanda si les parents de Roy étaient réellement des cinglés. Evidemment, ce n'était pas un couple de fous furieux ; ils n'étaient pas fous à lier. Pas au point de rester assis dans un coin à parler tout seul et à gober des mouches. Sans doute juste un peu timbrés. Un tout petit peu fêlés. Peut-être que ça allait s'aggraver au fil du temps, et qu'ils deviendraient progressivement de plus en plus fous, pour que d'ici dix ou quinze ans, ils en arrivent pour de bon à gober des mouches. Il fallait qu'il y songe.

Colin décida que si lui et Roy devenaient amis pour la vie, il n'irait traîner chez Roy que pendant les dix années à venir. Ensuite, il entretiendrait son amitié avec Roy, mais éviterait Mr et Mrs Borden, si bien que le jour où ils seraient finalement devenus complètement dérangés, ils ne puissent plus lui mettre le grappin dessus et le forcer à manger des mouches, ou, pire encore, le découper à la hache.

Il savait tout des tueurs psychopathes. Il avait vu des films sur eux. *Psychose. La meurtrière diabolique. Qu'est-il arrivé à Baby Jane ?* Et deux douzaines d'autres, aussi. Peut-être une centaine. Il avait appris de ces films que les fous avaient une prédilection pour les crimes salissants. Ils utilisaient des couteaux, des faux, des machettes et des haches. On ne voyait jamais l'un d'entre eux recourir à des moyens dépourvus d'effusion de sang, comme le poison, le gaz ou l'étouffement avec un oreiller.

Roy s'assit sur un tabouret devant le pupitre de commande. « Viens par là, Colin. Tu verras mieux d'ici que de n'importe où ailleurs. »

— Je crois qu'il vaut mieux pas qu'on tripote ça si ton père ne veut pas.

— Bon sang, tu vas te calmer, oui ?

Eprouvant une étrange sensation de répugnance mêlée

d'anticipation gourmande, Colin s'assit sur le deuxième tabouret.

Roy tourna délicatement un cadran sur le tableau face à lui. Il était relié à un rhéostat, et les lumières du garage au-dessus de leur tête baissèrent lentement.

— C'est comme au théâtre, dit Colin.

— Non. C'est davantage comme... je suis Dieu.

Colin se mit à rire. « Ouais. Parce que tu peux faire le jour ou la nuit quand tu le désires. »

— Et bien plus que ça.

— Montre-moi.

— Dans une minute. Je ne veux pas de l'obscurité complète. Pas la nuit noire. On ne peut rien distinguer. Je vais faire le début de la soirée. Le crépuscule.

Puis Roy bascula quatre interrupteurs, et des lumières s'allumèrent sur tout ce monde en miniature. Dans chaque village, des réverbères inondaient de flaques opalescentes les trottoirs à leurs pieds. Dans la plupart des maisons, une lueur jaune, chaude et accueillante, donnait vie aux fenêtres. Quelques maisons avaient même des porches éclairés et de petits lampadaires au bout de leurs allées, comme si des invités étaient attendus. Les églises projetaient les couleurs de leurs vitraux sur le sol autour d'elles. A quelques carrefours importants, les feux passaient graduellement du rouge au vert, du vert à l'orange, pour revenir au vert. Dans un hameau, une grande tente de cinéma palpitait d'une vingtaine de luminions.

— Fantastique ! s'écria Colin.

Les yeux rivés sur la maquette, l'expression et la posture de Roy étaient particulières. Ses yeux n'étaient plus que d'étroites fentes, et ses lèvres paraissaient excessivement serrées. Les épaules haussées, il semblait manifestement tendu.

— Par la suite, le vieux installera des phares sur les automobiles. Et il est en train de concevoir un système de pompe et de drainage qui permettra à l'eau de s'écouler le long des rivières. Il y aura même une cascade.

— Ton vieux a l'air d'un mec intéressant.

Roy ne répondit pas. Il regardait fixement le monde miniature devant lui.

Là-bas, à l'angle gauche de la plate-forme, quatre trains attendaient les instructions sur les voies de garage du dépôt. Deux étaient des trains de marchandise, et les deux autres réservés aux voyageurs.

Roy actionna un second interrupteur, et l'un des trains s'anima. Il se mit à vrombir doucement ; les lumières clignotèrent dans les wagons.

Colin se pencha en avant.

Roy bascula des commutateurs, et le train sortit du dépôt dans un halètement. Comme il se dirigeait vers la ville la plus proche, des signaux lumineux rouges jetèrent des éclairs à l'intersection d'une rue et de la voie ferrée ; les barrières rayées noires et blanches d'un passage à niveau s'abaissèrent sur la chaussée. Le train prit de la vitesse, siffla bruyamment en traversant un village, gravit une pente douce, disparut dans un tunnel, réapparut à flanc de montagne, accéléra, franchit un pont, reprit encore de la vitesse, entra dans une ligne droite, vraiment en marche maintenant, négocia un large virage dans un fracas épouvantable, les roues crissantes, prit un tournant plus serré dans une dangereuse inclinaison, et se mit à rouler vite, de plus en plus vite.

— Ne le fais pas dérailler, pour l'amour du ciel, dit Colin nerveusement.

— C'est exactement ce que je vais faire.

— Alors ton père saura que nous sommes venus.

— Non. T'inquiète pas pour ça.

Le train traversa en flèche et sans ralentir la gare suisse, oscilla dans un mouvement de lacet et frôla la catastrophe en franchissant une montagne russe, gronda dans un tunnel, et entra dans une ligne droite, gagnant encore de la vitesse en l'espace d'une seconde.

— Mais si le train est cassé, ton papa...

— Je le casserai pas. Du calme.

Un pont-levis commença à se relever juste sur la trajectoire du train.

Colin grinça des dents.

Atteignant la rivière, le train fonça sous le pont remonté et quitta la voie. La locomotive miniature et deux wagons s'enchevêtrèrent, et toutes les autres voitures déraillèrent dans une brève pluie d'étincelles.

— Mon Dieu ! fit Colin.

Roy glissa de son tabouret pour se rendre sur le lieu de l'accident. Il se pencha et examina attentivement l'épave.

Colin le rejoignit. « Est-ce qu'il est fichu ? »

Roy ne répondit pas. Il regardait à travers les minuscules fenêtres du train.

— Qu'est-ce que tu cherches ? demanda Colin.

— Des corps.

— Quoi ?

— Des cadavres.

Colin scruta l'intérieur de l'un des wagons accidentés. Il n'y avait personne dedans — enfin, pas de figurines. Il se tourna vers Roy. « Je ne comprends pas. »

Roy ne leva pas les yeux du train. « Tu comprends pas quoi ? »

— Je ne vois pas de « cadavres ».

Allant lentement d'une voiture à l'autre, étudiant le contenu de chacune d'elles, et presque en transe, Roy dit : « Si c'était un *vrai* train, rempli de gens, qui avait déraillé, les voyageurs auraient été éjectés de leurs sièges. Ils se seraient fracassé le crâne contre les fenêtres et les rambardes. Ils auraient atterri par terre dans un amas enchevêtré. Il y aurait eu des bras cassés, des jambes fracturées, des dents écrasées, des visages tailladés, des yeux crevés, du sang partout... Tu les entendrais hurler à deux kilomètres. Certains seraient morts, aussi.

— Alors ?

— Alors j'essaie d'imaginer à quoi ça ressemblerait là-dedans si c'était pour de vrai.

— Pourquoi ?

— Ça m'intéresse.

— Qu'est-ce qui t'intéresse ?

— L'idée.

— L'idée d'un véritable déraillement ?

— Ouais.

— Est-ce que ce n'est pas un peu macabre ?

Roy finit par lever les yeux. Son regard était morne et froid. « Tu as dit " macabre " ? »

— Eh bien, répondit Colin, mal à l'aise, je veux dire... trouver du plaisir dans la douleur des autres...

— Tu trouves ça anormal ?

Colin haussa les épaules. Il n'avait pas envie de discuter.

— Dans d'autres endroits du monde, expliqua Roy, les gens vont assister à des corridas, et tout au fond d'eux-mêmes, la plupart espèrent voir un matador se faire tuer d'un coup de corne. Ils viennent *toujours* pour voir souffrir le taureau. Ils adorent ça. Et il y en a un paquet qui va aux courses automobiles uniquement pour les accidents mortels.

— C'est différent.

Roy ricana. « Ah oui, vraiment ? Et en quoi ? »

Colin se creusa la tête, essayant de trouver les mots pour exprimer ce qu'il savait intuitivement être la vérité. « Eh bien... d'abord, quand il pénètre dans l'arène, le matador sait qu'il risque d'être blessé. Mais les gens qui rentrent en train chez eux... qui ne s'attendent à rien... ne cherchent pas les ennuis... et alors ça leur arrive... C'est une tragédie. »

Roy se mit à rire.

— Tu sais ce qu' « hypocrite » veut dire ?

— Bien sûr.

— Eh bien, Colin, je déteste dire ça parce que tu es mon ami, mon ami *véritable*. Je t'aime beaucoup. Mais en ce qui concerne ce truc, tu es un hypocrite. Tu trouves que je suis macabre parce que l'idée du déraillement d'un train m'intéresse, alors que toi tu passes les trois quarts de tes loisirs à aller voir des films d'horreur au cinéma ou à les regarder à la télévision, à lire des histoires de zombies, de loups-garous, de vampires et autres monstres.

— Quel rapport ?

— Ces histoires sont *pleines* de meurtres ! La mort, les crimes. Elles ne parlent pratiquement que de ça. Les gens s'y font mordre, griffer, mettre en pièces, et découper à la hache. Et t'adores ça !

Colin tressaillit en entendant parler de haches.

Roy se rapprocha de lui. Son haleine sentait le chewing-gum aux fruits.

— C'est pour ça que je t'aime bien, Colin. On est pareils. On a des choses en commun. C'est pour ça que je voulais t'obtenir le job de manager d'équipe. Pour qu'on puisse être ensemble pendant la saison de foot. Toi et moi, on est bien plus malins que les autres. A l'école, on a tous les deux A de moyenne sans même se casser la tête. Quand on nous a donné des test de QI, on a dit à chacun de nous qu'il était un génie, ou presque. Nous approfondissons les choses mieux que la plupart des gosses, et même qu'un tas d'adultes. On est spéciaux. Des mecs très spéciaux.

Roy posa la main sur l'épaule de Colin et planta son regard dans le sien ; il semblait non pas simplement le regarder, mais vouloir aussi voir profondément en lui, et finalement à travers lui. Colin ne put détourner les yeux.

— Nous nous intéressons tous deux aux choses qui comptent, dit Roy. La souffrance et la mort. C'est ce qui nous intrigue, toi et moi. La majorité des gens pense que la mort est la fin de la vie, mais nous savons que c'est différent, n'est-ce pas ? La mort n'est pas la fin. C'est le noyau. Le noyau de la vie. Tout le reste tourne autour. La mort est ce qu'il y a de plus important dans la vie, de plus intéressant, mystérieux, ce qu'il y a de plus *excitant*.

Colin se racla nerveusement la gorge. « Je ne suis pas sûr de comprendre ce que tu racontes. »

— Si tu n'as pas peur de la mort, alors tu ne peux plus avoir peur de rien. Quand tu apprends à surmonter cette crainte suprême, tu surmontes en même temps toutes les petites. Tu ne crois pas ?

— Je... je suppose que oui.

Roy parlait en aparté pour accentuer ses propos, avec une ferveur, une intensité surprenantes. « Si je ne crains pas la mort, alors personne ne pourra me faire du mal. Personne. Ni mon père ni ma mère. Personne. Aussi longtemps que je vivrais. »

Colin ne savait que dire.

— Est-ce que tu es effrayé par la mort ? demanda Roy.

— Oui.

— Tu dois apprendre à ne plus l'être.

Colin acquiesça. La bouche sèche, son cœur battait la breloque, et il avait vaguement le vertige.
— Tu connais la première chose à faire pour en finir avec ta peur de mourir ?
— Non.
— Se familiariser avec elle.
— Comment ?
— En tuant des trucs.
— Je ne peux pas faire ça.
— Bien sûr que si.
— Je suis un gosse pacifique.
— Au fond de nous, on est tous des assassins.
— Pas moi.
— Merde.
— A toi aussi.
— Je me connais. Et je te connais.
— Tu me connais mieux que *moi ?*
— Ouais.
Roy sourit. Ils se dévisagèrent.
Le garage était aussi silencieux qu'un paisible tombeau égyptien.
Colin finit par dire : « Tu veux dire... en tuant un chat ? »
— Pour commencer.
— Pour commencer ? Et puis après ?
La main de Roy se serra sur l'épaule de Colin. « Ensuite on passera à quelque chose de plus gros. »
Colin réalisa subitement ce qui arrivait, et il se détendit. « Tu as encore failli m'avoir ! »
— Failli ?
— Je sais ce que tu essaies de faire.
— Ah oui ?
— Tu me mets à l'épreuve une fois de plus.
— Vraiment ?
— Tu es en train de me faire marcher. Pour voir si je vais me ridiculiser.
— C'est faux.
— Si j'avais accepté de tuer un chat pour te prouver quelque chose, tu aurais éclaté de rire.
— Chiche.
— Pas question. J'ai compris ton petit jeu.

Roy lui lâcha l'épaule. « Ce n'est pas un jeu. »

— Tu n'as pas à me tester. Tu peux te fier à moi.

— Jusqu'à un certain point.

— Tu peux me faire totalement confiance, dit Colin sérieusement. Putain, t'es le meilleur ami que j'aie jamais eu. Je n'irais pas te décevoir. Je ferai un bon manager d'équipe. Tu ne regretteras pas de m'avoir recommandé à l'entraîneur. Pour ça, tu peux me croire. Tu peux me faire confiance en tout. Alors, c'est quoi le grand secret ?

— Pas encore.

— Quand ?

— Le jour où tu seras prêt.

— Ce sera quand ?

— Quand je l'aurai décidé.

— Mince !

# 5

La mère de Colin rentra du travail à cinq heures et demie.

Il attendait dans la salle de séjour un peu fraîche. Les meubles étaient dans des teintes brunes, et les murs tapissés de toile de jute. Des stores en bois recouvraient les fenêtres. L'éclairage était indirect, tamisé et agréable. C'était une pièce reposante. Assis sur le grand canapé, il lisait le dernier numéro de sa bande dessinée préférée, *L'incroyable Hulk*.

Elle lui sourit et lui ébouriffa les cheveux. « T'as passé une bonne journée, Skipper ? »

— Ça a été, répondit Colin, sachant qu'elle n'avait pas vraiment envie d'entendre les détails et lui couperait gentiment la parole arrivée à la moitié de son histoire. « Et toi ? » demanda-t-il.

— Je suis vannée. Veux-tu être un amour et me préparer une vodka-martini comme je l'aime ?

— Bien sûr.

— Avec un zeste de citron.

— Je n'oublierai pas.

— Je le sais bien.

Il se leva et alla dans la salle à manger, où se trouvait un bar bien approvisionné en alcools. Il ne supportait pas le goût des boissons très alcoolisées, mais il lui prépara rapidement son cocktail, avec la dextérité d'un professionnel ; il l'avait fait des centaines de fois.

Lorsqu'il revint dans le living, elle était assise dans un

immense fauteuil brun chocolat, les jambes repliées sous elle, la tête en arrière et les yeux clos. Comme elle ne l'avait pas entendu arriver, il s'arrêta sur le pas de la porte et l'observa quelques instants.

Elle se prénommait Louise, mais tout le monde l'appelait Weezy, sorte de surnom de gamine, mais qui lui allait bien car elle avait l'air d'une collégienne. Ses bras nus étaient fins et bronzés. Ses cheveux, longs, noirs et brillants ; ils encadraient un visage que Colin trouva soudain joli, vraiment beau, même si certains pouvaient juger la bouche trop grande. Tout en la regardant, il s'aperçut que trente-trois ans ce n'était pas réellement vieux, ainsi qu'il l'avait toujours pensé.

Pour la première fois de sa vie, Colin regardait vraiment son corps : poitrine pleine, taille fine, hanches rondes, longues jambes. Roy avait raison ; elle était super bien faite.

Pourquoi ne l'avais-je jamais remarqué ?

Il trouva immédiatement la réponse : parce qu'elle est ma propre *mère,* pour l'amour du ciel !

Le rouge lui monta au visage. Il se demanda s'il était en train de devenir une espèce de pervers, et se força à détacher les yeux de son pull moulant.

Il se racla la gorge et se dirigea vers elle.

Elle ouvrit les yeux, releva la tête, prit le martini et le but à petites gorgées. « Mmm. C'est parfait. Tu es un amour. »

Il s'assit sur le canapé.

Au bout d'un moment, elle dit : « Quand j'ai pris cette affaire avec Paula, je n'ai pas réalisé que le patron d'un commerce devait travailler plus dur que les employés. »

— Il y a eu du monde à la galerie aujourd'hui ?

— On a eu plus d'allées et venues que dans une gare routière. A cette époque de l'année, on s'attend à de nombreux flâneurs, des touristes qui n'ont pas vraiment l'intention d'acheter quoi que ce soit. Ils s'imaginent que parce qu'ils passent leurs vacances à Santa Leona, ils ont droit à quelques heures gratuites du temps de chaque boutiquier.

— Tu as vendu beaucoup de tableaux ?

— Curieusement, oui, quelques-uns. En fait, ça a été notre meilleure journée.

— C'est super.

— Evidemment, c'est juste un jour. Compte tenu de ce que Paula et moi avons payé pour la galerie, il va nous falloir de nombreuses journées comme celle-là pour garder la tête hors de l'eau.

Colin ne vit rien d'autre à ajouter.

Elle sirota son martini. Sa gorge ondula légèrement comme elle avalait. Elle paraissait si gracieuse et délicate.

— Skipper, peux-tu te préparer à manger ce soir ?

— Tu ne dînes pas à la maison ?

— Il y a encore beaucoup de monde au magasin. Je ne peux pas laisser Paula seule. Je suis juste rentrée à la maison pour faire un brin de toilette. Et même si cette pensée me fait horreur, je vais reprendre le collier dans vingt minutes.

— Tu n'as dîné qu'une seule fois à la maison la semaine dernière.

— Je sais, Skipper, et j'en suis désolée. Mais je fais tout mon possible pour nous construire un avenir, pour moi *et* pour toi. Tu comprends cela, n'est-ce pas ?

— Oui, je suppose.

— C'est un monde difficile, mon chéri.

— De toute façon, j'ai pas faim. Je peux attendre jusqu'à ton retour, après la fermeture de la galerie.

— Ecoute, chéri, je ne vais pas rentrer directement à la maison. Mark Thornberg m'a demandé de souper avec lui.

— Qui est Mark Thornberg ?

— Un artiste. Nous avons démarré une exposition de ses toiles hier. En fait, environ un tiers de ce que nous vendons est constitué par sa production. Je veux le persuader de nous laisser être ses uniques agents.

— Où va-t-il t'emmener ?

— Nous irons au Little Italy, je pense.

— Wouah, c'est un endroit super ! s'exclama Colin, penché en avant sur le canapé. « Je peux venir ? Je ne dérangerai pas. Tu n'auras même pas besoin de revenir me chercher ici. Je peux prendre mon vélo et te retrouver là-bas. »

Elle fronça les sourcils et évita son regard. « Je regrette, Skipper. Ce n'est absolument pas pour les enfants. Nous allons parler longuement affaires. »

— Ça m'est égal.

— A toi peut-être, mais pas à nous. Ecoute, pourquoi ne vas-tu pas au Charlie's Café manger un de ces gros cheese-burgers que tu aimes tant ? Avec un milk-shake super-épais, qu'on mange à la cuillère.

Il se renfonça au fond du canapé, tel un ballon s'étant rapidement dégonflé.

— Arrête de bouder, dit-elle. Ça ne te va pas. Bouder, c'est bien pour les petits bébés.

— Je ne boude pas. C'est d'accord.

— Charlie's Café ? suggéra-t-elle.

— Ouais. OK.

Elle termina son martini et ramassa son sac. « Je vais te donner de l'argent. »

— J'en ai.

— Je vais t'en donner quand même. Maintenant, je suis une femme d'affaires arrivée. J'ai les moyens.

Elle lui tendit un billet de dix dollars. « C'est trop », dit-il.

— Dépense le reste en bandes dessinées.

Elle se pencha, l'embrassa sur le front, et partit se rafraîchir et se changer.

Il resta quelques minutes assis en silence à regarder le billet. Puis il soupira, se leva, sortit son portefeuille et rangea l'argent.

# 6

Mr et Mrs Borden donnèrent à Roy la permission d'aller dîner avec Colin. Les garçons mangèrent au comptoir du Charlie's Café, humant avec délice l'arôme incomparable de la graisse et des oignons en train de frire. Colin régla l'addition.

Après dîner, ils allèrent au Pinball Pit, une arcade de jeux, l'un des principaux lieux de rencontre des jeunes de Santa Leona. C'était vendredi soir, et le Pit était rempli d'adolescents qui alimentaient en pièces de monnaie les flippers et une grande variété de jeux électroniques.

La moitié des utilisateurs connaissaient Roy. Ils l'appelèrent, et il répondit à leur salut. « Ho, Roy ! » « Ho, Pete ! » « Salut, Roy » « Qu'est-ce que tu racontes, Walt ? » « Roy ! » « Roy ! » « Ici, Roy ! » Ils voulaient le défier aux jeux, lui raconter des histoires, ou simplement discuter. Il s'arrêta ici ou là pendant quelques instants, mais il ne voulut jouer qu'avec Colin.

Ils disputèrent une partie sur un flipper à deux concurrents décoré de peintures représentant des filles avec des seins énormes et des longues jambes, vêtues de minuscules bikinis. Roy avait choisi cette machine plutôt que celle avec des pirates, des monstres, ou des cosmonautes ; et Colin essaya de ne pas rougir.

Habituellement, Colin détestait les endroits à frissons bon marché comme le Pit, et il les évitait. Les rares fois où il s'y était risqué, il avait trouvé le vacarme infernal. Les bruits des ordinateurs qui marquaient les scores et des robots adversaires — bip-bip-bip, pong-pong-pong, boum-bada-boum, woup-woup-wouououp — mêlés aux rires, aux cris joyeux des filles et aux quasi-hurlements des conversations. Assailli par le tapage continuel, il devenait claustrophobe. Il se sentait toujours comme un étranger, un être d'un univers lointain, pris au piège sur une planète primitive, prisonnier d'une foule d'indigènes repoussants, barbares et hostiles, qui poussaient des cris perçants et inarticulés.

Mais ce soir-là, c'était différent. Il savourait chaque minute, et il savait pourquoi. Grâce à Roy, il n'était plus un visiteur apeuré débarquant de l'espace ; il faisait maintenant partie des indigènes.

Avec son épaisse chevelure blonde, ses yeux bleus, ses muscles et sa tranquille assurance, Roy attirait les filles. Trois d'entre elles — Kathy, Laurie, et Janet — se rassemblèrent autour de lui pour le regarder jouer. Toutes étaient plus qu'agréables à regarder : adolescentes élancées, vives et bronzées, en shorts et bustiers, elles avaient les cheveux brillants, un teint de Californienne, une poitrine naissante et des jambes sveltes.

Roy préférait manifestement Laurie, tandis que Kathy et Janet montraient davantage qu'un intérêt passager pour Colin. Il ne pensait pas leur plaire pour lui-même. En fait, il était persuadé du contraire. Il ne se faisait aucune illusion. Avant que des filles comme elles se pâment devant des garçons comme lui, le soleil se lèverait à l'ouest, les nourrissons auraient de la barbe, et un homme honnête serait élu président. Elles lui tournaient autour parce qu'il était l'ami de Roy, ou parce qu'elles étaient jalouses de Laurie, et voulaient rendre Roy jaloux. Mais, quelles que fussent leurs raisons, elles portaient leur attention sur Colin, lui posant des questions, le faisant parler, riant de ses plaisanteries et l'acclamant lorsqu'il gagnait un jeu. Jusqu'à présent, les filles n'avaient jamais perdu leur temps avec lui. Peu lui importait leurs mobiles ; il se délectait de toutes ces attentions et priait pour que cela ne s'arrête jamais. Il savait qu'il rougissait vivement, mais le bizarre éclairage orange de l'arcade le camouflait.

Quarante minutes après être entrés au Pit, ils s'en

allèrent sous un concert d'adieux : « Au revoir, Roy ; t'en fais pas, Roy ; à bientôt Roy. » Roy semblait vouloir être débarrassé d'eux tous, y compris de Kathy, Laurie et Janet. Colin, lui, partit à regret.

Dehors, il faisait doux. Une brise légère apportait une vague odeur d'iode.

La nuit n'était pas encore tout à fait tombée. Une brume crépusculaire teintée de jaune planait sur Santa Leona, identique à celle que Roy avait créée tout à l'heure pour le monde miniature dans le garage des Borden.

Leurs vélos étaient attachés par une chaîne à un abri dans le parking derrière le Pit.

Comme il se penchait pour déverrouiller le cadenas, Roy demanda : « Ça t'a plu, le Pit ? »

— Ouais.

— C'est bien ce que je pensais.

— Tu y vas souvent ?

— Non. Rarement.

— Je croyais que t'étais un habitué.

Roy se releva et tira sa bicyclette des arceaux. « J'y vais presque jamais. »

— Tout le monde te connaissait.

— Je connais les vrais habitués. Je n'en fais pas partie. Je ne suis pas un fan des jeux. En tout cas, pas des jeux aussi faciles que ceux du Pit.

Colin termina de détacher son vélo. « Si tu n'aimes pas ça, pourquoi y sommes-nous allés ? »

— Je savais que ça t'amuserait.

Colin fronça les sourcils. « Mais je n'ai pas envie de faire des choses qui t'ennuient. »

— Je ne me suis pas ennuyé. Ça ne m'a pas dérangé de faire un jeu ni même plusieurs. Et ça m'a vraiment pas gêné du tout d'avoir l'occasion de mater Laurie. Elle a un petit corps super, tu trouves pas ?

— Oui, je suppose.

— *Tu supposes !*

— Oui, évidemment... Elle a un beau corps.

— J'aimerais bien m'installer quelques mois entre ses jolies jambes.

— Tu semblais impatient de la quitter.

— Au bout d'un quart d'heure, j'en ai marre de bavarder avec elle.

— Alors comment pourrais-tu la supporter pendant quelques mois ?

— On parlerait pas, répliqua Roy, et il sourit d'un air mauvais.

— Oh.

— Kathy, Janet, Laurie... toutes ces filles ne sont que des allumeuses.

— Qu'est-ce que tu veux dire ?

— Elles les écartent jamais.

— Elles écartent pas quoi ?

— Leurs cuisses ! Elles écartent jamais leurs cuisses ! Pas une fois, pour personne !

— Oh.

— Laurie m'excite, mais si je pose pour de bon la main sur ses nénés, elle va se mettre à hurler si fort que le toit s'écroulera.

Colin rougissait et transpirait. « Bon, mais après tout, elle n'a que quatorze ans, n'est-ce pas ? »

— Elle est bien assez vieille.

Colin n'était pas content de la tournure qu'avait pris la conversation. Il essaya de la faire dévier. « En tout cas, ce que je voulais dire, c'est qu'à partir de maintenant, on ne fera plus rien qui t'ennuie. »

Roy posa la main sur son épaule et la pressa doucement. « Ecoute, Colin, je suis ton ami, ou pas ? »

— Bien sûr que si.

— Un bon ami devrait vouloir te tenir compagnie même quand toi tu fais des choses qui te plaisent, mais qui, lui, ne l'intéressent pas trop. Je veux dire, je ne peux pas espérer faire toujours exactement ce qui *me* plaît, et je ne peux pas m'attendre à ce que toi et moi, on ait toujours envie de faire les mêmes choses.

— On a les mêmes goûts, répondit Colin. Les mêmes centres d'intérêt.

Il craignait que Roy ne réalise subitement à quel point ils étaient différents, qu'il s'en aille et ne le revoie jamais.

— Tu adores les films d'horreur. Ces trucs-là m'emmerdent.

— Bon, à part cette chose-là...

— Nous avons d'autres désaccords. Mais l'essentiel c'est que si tu es mon copain, tu feras des trucs avec moi que *j'*aurai envie de faire, mais que *toi,* tu n'aimes pas du tout. Alors ça marche dans les deux sens.

— Non, ce n'est pas vrai, parce qu'il se trouve que j'aime tout ce que tu proposes.

— Jusqu'à présent. Mais le moment viendra où tu refuseras de faire une chose qui m'importe, mais que tu feras par amitié pour moi.

— Je ne vois pas quoi.

— Attends. Tu verras. Tôt ou tard, mon pote, le moment viendra.

La lumière écarlate de l'enseigne au néon du Pit se réfractait dans les yeux de Roy, leur donnant un aspect étrange et quelque peu effrayant. Colin se dit qu'ils ressemblaient aux yeux des vampires dans les films : vitreux, rouges, furieux, deux fenêtres sur une âme corrompue par l'assouvissement réitéré de désirs contre nature. (Mais là encore, Colin pensait la même chose chaque fois qu'il voyait les yeux de Mr Arkin, et Mr Arkin n'était que le propriétaire de l'épicerie du coin ; en matière de désir contre nature, Mr Arkin avait simplement le goût de l'alcool, et ses yeux rouges n'étaient rien de plus que le signe évident d'une gueule de bois quasi permanente.)

— Mais quand même, dit Colin, je déteste la pensée que je t'ennuie avec...

— Je ne m'ennuyais pas ! Tu vas te calmer ? Ça me dérange pas d'aller au Pit si c'est ce que tu veux. Souviens-toi simplement de ce que je t'ai dit à propos de ces filles. Elles vont pas te lâcher pendant un moment. De temps en temps, elles vont « accidentellement » frotter contre toi leurs petits culs moulés ou peut-être « accidentellement » leurs nichons te frôleront le bras en passant. Mais tu t'amuseras jamais vraiment avec elles. Leur conception d'une grande, très grande soirée, c'est de se glisser furtivement hors du parking, de se cacher dans l'obscurité et de dérober des baisers.

C'était aussi la conception de Colin d'une grande, grande soirée. En fait, c'était son idée du paradis sur terre, mais il s'abstint de le dire à Roy.

Poussant leurs vélos, ils traversèrent le parking en direction de l'allée.

Avant que Roy n'ait pu enfourcher sa bicyclette et s'éloigner en pédalant, Colin eut l'aplomb de lui dire : « Pourquoi moi ? »

— Hein ?

— Pourquoi veux-tu être ami avec moi ?

— Et pourquoi ne le serais-je pas ?

— Je veux dire, avec une nullité comme moi.

— Qui a dit que tu étais une nullité ?

— Moi.

— Qu'est-ce que ça signifie de parler ainsi de soi-même ?

— En tout cas, je me pose la question depuis un mois.

— Quelle question ? Tu dis n'importe quoi.

— Je me demande pourquoi tu voulais te lier d'amitié avec quelqu'un comme moi.

— Qu'est-ce que tu veux dire ? En quoi es-tu différent ? Tu as la lèpre, ou quelque chose dans le genre ?

Colin regrettait d'avoir abordé ce sujet, mais maintenant que c'était fait, il continua sur sa lancée. « Eh bien, tu sais, quelqu'un qui n'est généralement pas très populaire et, tu sais, pas sportif, tu sais, pas bon à grand-chose, et... enfin, tu sais. »

— Arrête de dire « tu sais ». Je déteste ça. L'une des raisons pour laquelle je veux que nous soyons amis est que tu peux discourir. La plupart des gosses d'ici jacassent toute la journée et n'utilisent jamais plus d'une vingtaine de mots. Dont deux sont « tu sais ». Mais toi tu as effectivement un vocabulaire décent. C'est rafraîchissant.

Colin cligna des paupières. « Tu veux qu'on soit amis à cause de mon vocabulaire ? »

— Je veux qu'on soit copains parce que tu es aussi intelligent que moi. La plupart des mecs me rasent.

— Mais tu pourrais te lier avec n'importe quel type en ville, n'importe quel garçon de ton âge, ou même d'un ou deux ans de plus que toi. Presque tous les mecs du Pit...

— Ce sont des cons.

— Sois sérieux. Il y a quelques-uns des mecs les plus populaires de la ville.

— Des cons, je te dis.
— Pas tous.
— Crois-moi, Colin, *tous*. La moitié d'entre eux ne savent se payer du bon temps qu'en fumant de la drogue, en prenant des pilules, ou en se saoulant pour ensuite se dégueuler dessus. Le reste veut être soit John Travolta soit Donny Osmond. Beurk !
— Mais ils t'aiment bien.
— Tout le monde m'aime bien. J'ai tout fait pour.
— J'aimerais bien savoir comment faire pour que tout le monde m'aime, moi.
— C'est facile. Il te suffit de savoir comment les manipuler.
— OK. Comment ?
— Reste avec moi suffisamment longtemps, et t'apprendras.

Au lieu de s'éloigner du Pit, ils descendirent l'allée côte à côte en poussant leurs vélos. Tous deux savaient qu'il y en avait encore long à ajouter.

Ils passèrent devant un buisson de lauriers-roses. Les fleurs paraissaient légèrement phosphorescentes dans les ténèbres grandissantes, et Colin en inspira une profonde bouffée.

Les baies de lauriers-roses contenaient l'une des substances les plus mortelles connues de l'homme. Colin avait vu un vieux film dans lequel un fou assassinait une douzaine de personnes avec un poison extrait de la plante. Il n'arrivait pas à se rappeler le titre. C'était un film complètement idiot, encore pire que *Godzilla contre King Kong,* autrement dit, l'une des œuvres les plus épouvantables de toute l'histoire cinématographique.

Après avoir parcouru près d'un bloc, Colin demanda : « Tu as déjà pris de la drogue ? »
— Une fois.
— C'était quoi ?
— Du hasch. Dans une pipe à eau.
— Ça t'a plu ?
— Une fois ça m'a suffit. Et toi ?
— Non. La drogue, ça me fait peur.
— Tu sais pourquoi ?
— On peut en mourir.

— La mort ne m'effraie pas.
— Ah bon ?
— Pas beaucoup.
— Si, ça me fait terriblement peur.
— Non, insista Roy. Tu es comme moi, exactement pareil. Tu as peur, parce que si tu te droguais, tu ne te contrôlerais plus. Tu ne peux pas supporter l'idée de perdre le contrôle de toi-même.
— Oui, c'est sûr, en partie.

Roy baissa la voix, comme s'il craignait que quelqu'un l'entende, et il parla très vite, avalant les mots dans son empressement à les faire sortir. « Tu dois rester sur tes gardes, sur le qui-vive, en alerte. Toujours regarder par-dessus ton épaule. Toujours te protéger. Il y a des gens qui profiteront de toi dès qu'ils s'apercevront que tu n'es pas en pleine possession de tes moyens. Le monde est rempli de gens comme ça. Presque chaque personne que tu rencontres est ainsi. Nous sommes des animaux dans une jungle, et devons être prêts à nous battre si nous voulons survivre. » Roy poussait son vélo la tête tendue en avant, les épaules voûtées, les muscles du cou crispés, comme s'il s'attendait à ce que quelqu'un lui assène un coup derrière la tête. Même à la lumière crépusculaire ambrée et pourpre qui déclinait rapidement, on voyait les soudaines gouttes de sueur perler sur son front et sa lèvre supérieure, telles des pierres scintillant obscurément. « Tu ne peux faire confiance à presque personne, pratiquement personne. Même les gens censés bien t'aimer peuvent se retourner contre toi plus vite que tu ne penses. Même les amis. Ceux qui te racontent qu'ils t'adorent sont les pires, les plus dangereux, ceux à qui on peut le moins se fier de tous. » A présent, sa respiration était plus lourde, il parlait plus vite. « Les gens qui te disent qu'ils t'aiment se jetteront sur toi à la première occasion. Tu ne dois jamais oublier qu'ils attendent simplement une opportunité de t'avoir. L'amour, c'est une supercherie. Une couverture. Une manière de te prendre au dépourvu. Ne cesse jamais d'être vigilant. Jamais. » Il lança un regard à Colin, et dans ses yeux brillait une lueur d'égarement.
— Tu crois que je me retournerais contre toi, que

j'irais raconter des mensonges sur toi, te moucharder auprès de tes parents, des trucs comme ça ?

— Tu le ferais ?

— Evidemment pas.

— Pas même si tu avais le couteau sous la gorge, et que le seul moyen de t'en sortir était de me dénoncer ?

— Pas même dans ce cas-là.

— Et si j'enfreignais une loi, une loi vraiment importante, que les flics étaient à mes trousses, et qu'ils venaient chez toi avec plein de questions ?

— Je ne te dénoncerais pas.

— Je l'espère.

— Tu peux me faire confiance.

— J'espère bien. Je l'espère vraiment.

— C'est inutile. Tu devrais le *savoir.*

— Je dois être prudent.

— Dois-je me méfier de toi ?

Roy ne répondit pas.

— Dois-je me méfier de toi ? répéta Colin.

— Peut-être. Ouais, peut-être que tu devrais. Quand je disais que nous n'étions tous que des animaux, une horde d'animaux égoïstes, je parlais de moi, aussi.

Il y avait une telle expression d'égarement dans le regard de Roy, une telle connaissance de la souffrance, que Colin dut détourner les yeux.

Il ignorait ce qui avait déclenché la diatribe de Roy, mais il ne désirait pas en débattre plus avant. Il craignait que cela ne le conduise à une dispute et que Roy ne veuille plus jamais le revoir ; et il souhaitait désespérément être l'ami de Roy jusqu'à la fin de ses jours. S'il gâchait cette relation, il n'aurait plus jamais la possibilité d'être le meilleur copain d'un type aussi formidable que Roy. Il en était convaincu. S'il abîmait cela, il lui faudrait redevenir un solitaire ; mais maintenant qu'il avait appris ce que c'était d'être accepté, connu la camaraderie et le fait de s'impliquer, il ne croyait pas pouvoir revenir en arrière.

Ils marchèrent en silence quelques instants. Ils traversèrent une rue adjacente pleine d'animation sous une voûte de chênes et pénétrèrent dans un autre bloc de l'allée.

La prodigieuse tension qui avait donné à Roy l'apparence d'un serpent en colère se mit à suinter hors de lui, au grand soulagement de Colin. Roy releva la tête, abaissa ses épaules et cessa de respirer comme un cheval après une course de mille six cents mètres.

Colin s'y connaissait un peu en courses de chevaux. Son père l'y avait emmené une demi-douzaine de fois, espérant l'impressionner avec les montants des sommes pariées et la virilité moite du monde du sport. Au lieu de cela, Colin, charmé par la grâce des chevaux, les avait comparés à des danseurs. Cela avait déplu à son père, qui par la suite alla tout seul aux courses.

Roy et lui arrivèrent à un angle, tournèrent à gauche, sortirent de l'allée et poussèrent leurs vélos le long d'un trottoir bordé de lierre.

Des maisons à l'aspect de stuc longeaient la rue de part et d'autre, abritées sous une variété de palmiers, de lauriers-roses, de plantes vertes, de dracenas, de schefferas, de rosiers, de cactus, de houx, de fougères et de buissons de poinsettia — vilaines demeures embellies par la luxuriance naturelle de la Californie.

Roy parla enfin : « Colin, tu te rappelles quand je t'ai expliqué qu'on doit parfois faire ce que son copain a envie, même si lui-même n'aime peut-être pas vraiment ça ? »

— Je m'en souviens.

— C'est l'un des véritables tests de l'amitié.

— Je suppose.

— Pour l'amour du ciel, ne peux-tu pas au moins une fois de temps en temps avoir une opinion ferme ? Tu ne réponds jamais un oui ou un non catégorique. Tu es toujours à « supposer ».

Piqué au vif, Colin répliqua : « Très bien. Je pense que c'est un véritable test d'amitié. Je suis d'accord avec toi. »

— Bon, et si je disais que je voulais tuer quelque chose, histoire de m'amuser, et te demandais de m'aider ?

— Un chat, par exemple ?

— J'ai déjà tué un chat.

— Ouais. C'était dans tous les journaux.

— Je l'ai fait ! Dans une cage. Comme je te l'ai raconté.

— Je n'arrive pas à le croire.

— Pourquoi mentirais-je ?

— D'accord, d'accord. On ne va pas reprendre toute cette discussion. Admettons que j'ai gobé ton histoire - de A à Z. Tu as tué un chat dans une cage à oiseau. Alors on passe à quoi... Un chien ?

— Si j'avais envie de tuer un chien, est-ce que tu m'aiderais ?

— Et pourquoi ?

— Ça risque d'être l'éclate.

— Seigneur !

— M'aiderais-tu à le tuer ?

— Où le prendrais-tu ? Tu crois que la société les donne à ceux qui veulent les torturer ?

— Je me contenterais de voler le premier cabot que je trouve.

— L'animal domestique de quelqu'un ?

— Evidemment.

— Comment tu le tuerais ?

— Je lui tirerais dessus. Je lui ferais sauter la tête.

— Et les voisins n'entendraient rien ?

— On l'emmènerait d'abord dans les collines.

— Et tu espères qu'il va prendre la pose et sourire pendant qu'on le flinguera ?

— On l'attachera et on tirera une douzaine de fois.

— Où comptes-tu trouver le revolver ?

— Et ta mère ?

— Tu t'imagines que ma mère fait du trafic d'armes dans sa cuisine, ou un truc dans ce goût-là ?

— Est-ce qu'elle ne possède pas un pistolet ?

— Si, bien sûr. Elle en a un million. Plus un tank, un bazooka et un missile nucléaire.

— Réponds simplement à ma question.

— Pourquoi aurait-elle une arme ?

— Une femme sexy qui habite seule a généralement un revolver pour se protéger.

— Mais elle n'habite pas seule. Et moi, tu m'oublies ?

— Si un violeur cinglé voulait mettre ses pattes sur ta mère, il ne ferait de toi qu'une bouchée.

— Je suis plus costaud que j'en ai l'air.

— Sois sérieux. Ta mère a-t-elle un pistolet ?

Colin refusait d'admettre qu'il y avait une arme dans la maison. Il avait dans l'idée que s'il mentait, il allait s'épargner beaucoup d'ennuis. Mais il finit par répondre : « Ouais, elle en a un. »

— T'en es sûr ?

— Oui. Mais je ne crois pas qu'il soit chargé. Elle ne pourrait jamais tuer personne. Mon père adore les armes ; *donc,* ma mère les déteste. Tout comme moi. Je ne vais pas lui emprunter son revolver pour faire un truc aussi dingue que de tuer le chien de tes voisins.

— Bon, alors on pourrait le descendre d'une autre manière.

— Qu'est-ce qu'on ferait ? On le mordrait ?

Un oiseau de nuit chanta dans les branches au-dessus d'eux.

La brise marine était plus fraîche que dix minutes auparavant.

Colin était fatigué de pousser sa bicyclette, mais il sentait intuitivement que Roy avait encore beaucoup de choses à dire, et qu'il désirait les exprimer tranquillement, ce qu'il ne pouvait faire en pédalant.

— On pourrait attacher le chien et le tuer avec une fourche.

— Mon Dieu !

— *Ça,* ce serait l'éclate !

— Tu me donnes envie de vomir.

— Est-ce que tu m'aiderais ?

— Tu n'as pas besoin de mon aide.

— Mais ça prouverait que tu n'es pas juste un ami des beaux jours.

Au bout d'un long moment, Colin répondit : « Je suppose que si c'était réellement important pour toi, s'il fallait que tu le fasses, sinon tu mourrais, je pourrais être présent. »

— Qu'est-ce que tu veux dire par « être présent » ?

— Eh bien... Je suppose que je pourrais regarder.

— Et si j'avais envie que tu fasses davantage que de regarder ?

— Quoi par exemple ?

— Si je te demandais de prendre la fourche et de lui donner toi-même plusieurs coups ?
— Parfois, tu peux être vraiment bizarre, Roy.
— Est-ce que tu pourrais lui donner des coups avec la fourche ?
— Non.
— Je te parierais que si.
— Je ne pourrais jamais tuer qui que ce soit.
— Mais tu pourrais regarder ?
— Bon, si ça te prouve une bonne fois pour toutes que je suis ton ami et que tu peux me faire confiance...
Ils pénétrèrent dans le rond de lumière diffusé par un réverbère, et Roy s'arrêta. Il souriait. « Tu t'améliores de jour en jour. »
— Hein ?
— Tu progresses gentiment.
— Ah oui ?
— Hier, tu disais que tu ne pourrais même pas regarder quelqu'un tuer un chien. Aujourd'hui, tu dis que tu pourrais y assister, mais pas y participer. Demain ou après-demain, tu m'annonceras que tu pourrais bien ramasser cette fourche et réduire en bouillie ce fichu cabot.
— Non. Jamais.
— Et d'ici une semaine, tu finiras par admettre que ç'a t'a *plu* de tuer.
— Non. Tu te trompes. C'est stupide.
— J'ai raison. Tu es exactement pareil que moi.
— Et tu n'es pas un assassin.
— Si.
— C'est complètement faux.
— Tu ne me connais pas.
— Tu es Roy Borden.
— Je parle de ce que j'ai en moi. Tu l'ignores, mais tu vas l'apprendre.
— Au fond de toi, tu n'es pas un tueur de chat et de chien.
— J'ai tué des trucs plus gros qu'un chat.
— Comme quoi ?
— Des gens.

— Et ensuite je suppose que tu es passé à des machins encore plus énormes — comme des éléphants.

— Pas des éléphants. Juste des gens.

— Je présume qu'avec un éléphant, il y a des problèmes pour se débarrasser du cadavre.

— Des gens, c'est tout.

Un autre oiseau de nuit poussa un cri du haut de son perchoir dans un arbre voisin, et au loin, deux chiens solitaires se mirent à hurler.

— C'est ridicule, dit Colin.

— Non, c'est la vérité.

— Tu es en train d'essayer de me dire que tu as *tué* des êtres humains ?

— Deux fois.

— Et pourquoi pas cent fois ?

— Parce qu'il n'y en a eu que deux.

— Bientôt tu iras raconter que tu es une véritable créature de Mars, avec huit jambes et six yeux, déguisée en humain.

— Je suis né à Santa Leona, répliqua sobrement Roy. Nous avons toujours vécu ici, toute ma vie. Je ne suis jamais allé sur Mars.

— Roy, ça devient ennuyeux.

— Oh, mais c'est tout, *sauf* ennuyeux. Avant la fin de l'été, toi et moi, tous les deux, on va tuer quelqu'un.

Colin fit semblant d'y réfléchir. « Le président des Etats-Unis, peut-être ? »

— Simplement quelqu'un ici, à Santa Leona. Ce sera vraiment l'éclate.

— Roy, tu ferais aussi bien de laisser tomber. Je ne crois pas un mot de tout ça, et n'y croirai jamais.

— Si, tu y croiras. Par la suite.

— Non, ce n'est qu'un conte de fées, un jeu, une épreuve quelconque que tu me fais passer. Et j'aimerais bien que tu m'expliques *pourquoi* je suis testé.

Roy ne répondit rien.

— Bon, autant que je sache, reprit Colin, j'ai réussi l'épreuve, quelle qu'elle soit. Je t'ai prouvé que je ne me laissais pas avoir. Je ne vais pas gober ton histoire débile. Tu comprends ?

Roy sourit et hocha la tête. Il jeta un coup d'œil à sa

montre. « Hé, qu'est-ce que tu veux faire maintenant ? T'as envie d'aller jusqu'au Fairmont voir un film ? »

Colin fut déconcerté par le changement subit de sujet et la transformation brutale de l'attitude de Roy. « Qu'est-ce que le Fairmont ? »

— Le drive-in du Fairmont, évidemment. Si on file sur Ranch Road, pour ensuite revenir à travers les collines, on va déboucher sur le talus au-dessus du Fairmont. On pourra s'asseoir là et regarder le film pour pas un rond.

— Mais on peut avoir le son ?

— Non, mais t'as pas besoin d'entendre pour le genre de films qu'ils passent au Fairmont.

— Bon Dieu, mais qu'est-ce qu'ils jouent — des films muets ?

Roy était stupéfait. « Tu veux dire que tu vis ici depuis un mois et que tu connais pas le Fairmont ? »

— Tu me donnes l'impression d'être un attardé.

— Sans blague, tu ne le sais pas ?

— Tu as dit que c'était un drive-in.

— C'est plus que ça. Oh là là, tu te prépares une de ces surprises !

— Je n'aime pas les surprises.

— Allez viens, on y va.

Roy enfourcha sa bicyclette et s'éloigna.

Colin descendit du trottoir et s'engagea sur la chaussée, le suivant de réverbère en réverbère, passant alternativement des zones d'ombre aux taches de lumière, pédalant de toutes ses forces pour ne pas se laisser distancer.

Arrivés à Ranch Road, et ayant pris la direction du sud-est, laissant la ville loin derrière, il n'y eut plus de lampadaires et ils allumèrent leurs phares. A l'ouest, les derniers rayons du soleil avaient disparu de la lisière des nuages haut dans le ciel : la nuit était descendue. Des chaînes de collines aux pentes douces, sans arbres, noires comme poix, s'élevaient de part et d'autre, se dessinant contre un ciel anthracite. Quelques voitures les dépassèrent, mais la plupart du temps, ils eurent la route pour eux seuls.

Colin n'était pas en bons termes avec l'obscurité. Il

n'avait jamais perdu sa peur enfantine d'être seul dans le noir, une faiblesse qui consternait parfois sa mère, et ne manquait jamais de mettre son père hors de lui. Il dormait toujours la lumière allumée. Et en ce moment même, il ne quittait pas Roy des yeux, redoutant sincèrement de se trouver en grand danger s'il restait en arrière ; quelque chose d'hideux, d'inhumain, caché dans les ombres impénétrables du bas-côté, allait s'avancer vers lui, l'empoigner avec d'horribles griffes grandes comme des faucilles, l'arracher à sa selle et le dévorer vivant dans un énorme bruit de craquement d'os et de giclement de sang. Ou pire. Il était un passionné des films et des romans de terreur, non parce que, truffés d'agitation et de sensations fortes, ils traitaient de mythes pittoresques, mais parce que, selon sa manière de penser, ils exploraient une réalité sobre que la majorité des adultes refusait de prendre au sérieux. Les loups-garous, vampires, zombies, cadavres en décomposition qui ne pouvaient reposer en paix dans leurs cercueils, tout comme une centaine d'autres créatures des enfers, existaient bel et bien. Intellectuellement, il parvenait à les chasser en tant que simples monstres issus de ses fantasmes, hôtes de son imagination, mais dans son cœur il connaissait la vérité. Ils étaient là. Les morts-vivants. Tapis. Dans l'attente. Cachés. Affamés. La nuit était une cave, vaste et humide, demeure de ceux qui rampaient, se glissaient, se traînaient. La nuit avait des yeux et des oreilles. Une horrible voix grinçante. En écoutant attentivement, en faisant taire vos doutes et en gardant l'esprit ouvert, vous pouviez entendre la terrible voix des ténèbres. Elle chuchotait à propos des tombes, de la putréfaction des chairs, des démons, des fantômes et des monstres des marais. Elle vous parlait des choses indicibles.

Il faut absolument que j'arrête cela, se dit-il. Pourquoi me fais-je subir ça tout le temps ? Mon Dieu.

Il se souleva légèrement sur la selle de son vélo pour acquérir davantage de puissance de levier et cala ses jambes grêles fortement sur les pédales, déterminé à rester aux côtés de Roy.

Ses bras avaient la chair de poule.

# 7

ILS quittèrent Ranch Road pour bifurquer sur un chemin de terre à peine visible au clair de lune. Roy était devant. Au-delà de la crête de la colline, la piste devenait un étroit sentier. Trois cents mètres plus loin, il tournait vers le nord, et ils continuèrent en direction de l'ouest, poussant leurs bicyclettes à travers les hautes herbes et la terre sablonneuse.

Moins d'une minute après être sortis du sentier, la lumière du vélo de Roy s'éteignit.

Colin s'arrêta immédiatement, le cœur bondissant follement comme un lapin terrifié dans une cage. « Roy ? Où es-tu ? Qu'est-ce qui ne va pas ? Qu'est-il arrivé, Roy ? »

Roy déboucha de l'obscurité dans le pâle faisceau de lumière diffusé par le vélo de Colin. « Il nous reste encore deux collines à franchir avant d'arriver au drive-in. Ça ne rime à rien de se battre plus longtemps comme ça avec les vélos. On va les laisser là et on les reprendra en revenant. »

— Et si quelqu'un les vole ?

— Qui ?

— Est-ce que je sais ? Mais si quelqu'un les pique ?

— Un réseau international de voleurs à bicyclettes avec des ramifications clandestines dans chaque ville ? (Roy secoua la tête, ne cherchant nullement à dissimuler son exaspération.) Tu t'inquiètes davantage pour des conneries que n'importe qui.

— Si quelqu'un les volait, il faudrait qu'on rentre à

pied à la maison — sur huit ou neuf kilomètres, peut-être plus.

— Pour l'amour du ciel, Colin, personne ne sait que les vélos sont là ! Personne ne va les voir, et encore moins les voler !

— Bon, et si on revient, et qu'on ne les retrouve pas dans le noir ?

Roy grimaça, et il n'eut pas seulement l'air dégoûté, mais aussi démoniaque. C'était un effet de la lumière ; la lueur du feu avant n'illuminait que les aspects anguleux de ses traits, laissant dans l'ombre presque tout son visage, si bien qu'il paraissait déformé, moins qu'humain.

— Je connais cet endroit, répliqua Roy avec impatience. Je viens ici tout le temps. Fais-moi confiance. Tu viens maintenant ? On est en train de rater le film.

Il se détourna et s'éloigna.

Colin hésita avant de réaliser que s'il n'abandonnait pas son vélo, Roy le laisserait là. Il ne voulait pas se retrouver seul au milieu de nulle part. Il coucha la bicyclette sur le côté et éteignit le phare.

L'obscurité l'enveloppait. Il prit subitement pleinement conscience d'un millier de chants surnaturels : l'incessant coassement des crapauds. Des crapauds, simplement ? Peut-être une chose bien plus dangereuse que cela. Les nombreuses et étranges voix des ténèbres s'élevaient en un concert de cris perçants.

La peur l'envahit, comme de la bile se répandant d'un boyau transpercé. Les muscles de sa gorge se nouèrent. Il avait des difficultés à déglutir. Si Roy lui avait parlé, il n'aurait pu lui répondre. En dépit du vent frais, il se mit à transpirer.

Tu n'es plus un enfant, se dit-il. Cesse de te comporter comme un bébé.

Il mourrait d'envie de se pencher et de rallumer le phare, mais ne voulait pas que Roy découvre sa peur du noir. Il désirait être comme Roy, et Roy n'avait peur de rien.

Heureusement, Colin n'était pas complètement aveugle. La lampe du vélo n'était pas terriblement puissante, mais ses yeux s'habituèrent rapidement à son absence. Un clair de lune laiteux s'étendait sur le terrain ondulé. Il aperçut Roy qui franchissait à petits bonds le versant de la colline devant lui.

Colin tenta de faire un mouvement ; en vain. Ses jambes semblaient peser cent kilos chacune.

Quelque chose siffla.

Colin inclina la tête. Ecouta.

A nouveau le sifflement. Plus fort. Plus près.

Quelque chose bruissa dans l'herbe à proximité de ses pieds, et Colin déguerpit. Ce n'était sans doute qu'un inoffensif crapaud, mais cela lui donna la motivation nécessaire pour bouger.

Il rattrapa Roy, et quelques minutes plus tard, ils atteignirent le versant arrière surplombant le Fairmont. Ils descendirent à mi-chemin de la colline et s'assirent par terre, côte à côte dans l'obscurité.

A leurs pieds, les voitures garées dans la cuvette du drive-in étaient orientées vers l'ouest. L'écran de cinéma leur faisait face, et au-delà s'étendait l'artère principale de Santa Leona.

Sur l'écran géant, un homme et une femme marchaient sur une plage au soleil couchant. Bien qu'il n'y eut pas de haut-parleur sur la colline, et donc pas de son, Colin constata d'après les gros plans que les acteurs parlaient avec animation, et il aurait bien voulu pouvoir lire sur leurs lèvres.

Au bout d'un moment, Colin dit : « Je commence à croire que c'était une idée stupide — faire tout ce chemin pour regarder un film qu'on ne peut même pas entendre. »

— T'as pas besoin de son pour celui-là.

— Si on entend rien, comment peut-on suivre l'histoire ?

— Les gens ne vont pas au Fairmont pour l'histoire. Tout ce qu'ils veulent, c'est voir des nichons et des culs.

Colin regarda Roy, bouche bée. « De quoi tu parles ? »

— Le Fairmont est bien situé. Aucune maison à proximité. Tu ne peux pas voir l'écran depuis la route. Alors ils passent du porno soft.

— Ils passent quoi ?

— Des pornos soft. Tu sais pas ce que c'est ?

— Non.

— T'as beaucoup de choses à apprendre, mon petit pote. Heureusement, t'as un bon professeur. C'est-à-dire, moi. C'est de la pornographie. Des films cochons.

— Tu-tu veux dire qu'on va voir des gens... *en train de le faire ?*

Roy ricana. Ses dents et ses yeux attrapèrent la clarté de la lune. « C'est ce qu'on verrait si c'était du hard, dit-il. Mais ce n'est que du soft. »

— Oh ! (Colin n'avait pas la moindre idée de ce dont Roy parlait.)

— Par conséquent tout ce que nous allons voir, expliqua Roy, c'est des gens nus qui *font semblant* de le faire.

— Ils sont... vraiment nus ?

— Evidemment.

— Pas complètement nus ?

— Complètement.

— Pas les filles.

— Surtout les filles. Regarde le film, ballot.

Colin se tourna vers l'écran, et eut peur de ce qu'il risquait de voir.

Le couple sur la plage s'embrassait. Puis l'homme recula, la femme sourit, et elle se caressa, l'excitant, elle mit la main dans son dos, puis dégrafa le haut du bikini qu'elle portait et le laissa glisser lentement le long de ses bras, et soudain ses seins nus apparurent, gros, fermes et dressés, s'agitant délicieusement, et l'homme les toucha...

— Ouais, prends-la. Prends-la bien, dit Roy.

... et l'homme lui caressa les seins, les étreignit, la femme ferma les yeux et sembla soupirer, et l'homme lui saisit doucement les mamelons gonflés.

Colin n'avait jamais été aussi gêné de sa vie.

— Quel châssis elle a ! s'exclama Roy plein d'enthousiasme.

Colin aurait voulu être ailleurs. N'importe où. Même là où étaient les bicyclettes, seul, dans le noir.

— Tu trouves pas qu'elle a un super châssis ?

Colin avait envie de se glisser dans un trou et de se cacher.

— Tu aimes ce châssis ?

Colin ne parvenait pas à parler.

— T'aimerais les lui mordiller ?

Il aurait voulu que Roy se taise.

Sur l'écran, l'homme se pencha et mordilla les seins de la femme.

— T'aimerais t'enfouir dans ceux-là ?

Bien que le film choquât et embarrassât Colin, ses yeux ne pouvaient s'en détacher.

— Colin ? Hé, Colin !

— Hein ?

— Qu'en penses-tu ?

— De quoi ?

— Son châssis.

Sur l'écran, l'homme et la femme couraient sur le sable vers un endroit recouvert d'herbe où s'allonger. Ses seins rebondissaient et ballottaient.

— Colin ? Tu as perdu ta langue ?

— Pourquoi veux-tu que j'en parle ?

— C'est plus marrant. Là-haut, on n'a pas le son, alors eux, on peut pas les entendre en parler.

Le couple s'était étendu sur l'herbe, et l'homme lui embrassait à nouveau la poitrine.

— T'aime ses tétons ?

— Seigneur, Roy !

— Alors ?

— Je suppose.

— *Tu supposes ?*

— Oui, bien sûr. Ils sont beaux.

— Quel genre de type n'aimerait pas ce châssis ?

Colin ne répondit pas.

— Peut-être qu'un pédé ne l'aimerait pas, dit Roy.

— Moi je les aime, répondit Colin d'une petite voix.

— Qu'est-ce que t'aimes ?

— Est-ce que tu as oublié de quoi on parlait ?

— Je veux t'entendre le dire.

— Je l'ai déjà dit. Je les aime.

— Qu'est-ce que tu aimes ? s'obstina Roy.

Sur l'écran : des mamelons dressés.

— Qu'est-ce que tu as ? demanda Colin.
— *Moi ?* Je n'ai rien.
— T'es bizarre, Roy.
— C'est toi qui as peur de le dire.
— Dire quoi ?
— Comment tu les appelles ?
— Seigneur !
— Comment tu les appelles ?
— D'accord, d'accord. Si ça peut te faire taire, je vais le dire.
— Alors dis-le.
— J'aime son châssis. Voilà. T'es content, maintenant ?
Colin rougissait comme une pivoine. Il se félicitait de l'obscurité.
— Donne-moi un autre mot.
— Hein ?
— Un autre mot que « châssis ».
— Tu me ficheras la paix ?
Sur l'écran : des seins mouillés de salive.
Roy lui prit le bras et le serra, lui faisant un peu mal. « Un autre mot. »
— Tu l'as déjà dit. T'as l'air de tous les connaître.
— Et tu dois les apprendre.
— En quoi c'est si bien de dire des gros mots ?
— Est-ce que le petit Colin a peur que sa maman l'entende et qu'elle lui lave la bouche avec du savon ?
— Ne sois pas ridicule, répliqua Colin, luttant pour garder sa dignité.
— Alors si t'as pas peur de maman, donne-moi un autre mot. Regarde-moi cet écran et dis-moi ce que t'aimes.
Colin se racla nerveusement la gorge. « Eh bien... sa poitrine me plaît. »
— Sa poitrine ? Seigneur, Colin ! La poitrine, c'est ce qu'on trouve chez un poulet !
— Bon, mais ça s'appelle pareil chez une femme, se défendit Colin.
— Pour les médecins, peut-être.
— Pour tout le monde.

Roy accentua sa pression sur le bras de Colin, et lui enfonça ses ongles pointus dans la chair.

— Merde, lâche-moi ! Tu me fais mal.

Il tenta de se dégager mais n'y parvint pas. Roy était très fort.

Le visage de Roy n'apparaissait que partiellement à la clarté glacée de la lune, mais Colin n'aima pas le peu qu'il put en voir. Ses yeux étaient grands ouverts, perçants, fiévreux. Colin s'imagina qu'ils radiaient de la chaleur. Ses lèvres étaient rentrées en un sourire forcé, comme s'il allait montrer les dents, tel un chien prêt à l'attaque.

A cause de quelque chose d'extraordinaire dans ces yeux, surnaturel et puissant, mais indéfinissable, et en raison de l'intensité avec laquelle il s'exprimait, Colin réalisa que Roy attachait une importance capitale à cette bizarre conversation. Il ne s'agissait pas seulement de tourmenter Colin, mais de le provoquer. C'était une partie de bras de fer, et d'une manière que Colin ne saisissait pas, l'issue en déterminerait leur avenir commun. Il pressentait également, sans véritablement comprendre pourquoi, que s'il ne gagnait pas ce combat, il le regretterait amèrement.

Roy serra plus fort. « Aïe ! Putain. Lâche-moi. »

— Donne-moi un autre mot.

— Quel intérêt ?

— Donne-moi un autre mot.

— Roy, tu me fais mal.

— Donne-moi un autre mot et je te lâcherai.

— Je croyais que t'étais mon ami.

— Je suis le meilleur ami que tu auras jamais.

— Si tu étais mon meilleur ami tu ne me ferais pas mal, répliqua Colin, les dents serrées.

— Si tu étais *mon* ami, tu dirais le mot. Merde, qu'est-ce que ça te coûte de le prononcer ?

— Et toi, qu'est-ce que ça te coûte si je le dis pas ?

— Je croyais que tu avais dit que je pouvais avoir confiance en toi, que tu ferais tout ce que je voudrais, comme un ami digne de ce nom. Et tu ne veux même pas discuter avec moi de ce film à la con.

— OK, OK, répondit Colin. Et il se sentit effectivement un peu coupable, car ce que lui demandait Roy était vraiment une toute petite chose.

— Dis-moi « nichons ».

— Nichons, dit Colin d'une voix étouffée.

— Dis-moi « tétons ».

— Tétons.

— Dis « nénés ».

— Nénés.

— Dis-moi que tu aimes ses nichons.

— J'aime ses nichons.

Roy le lâcha. « C'était si difficile ? »

Colin se massa doucement le bras.

— Hé ! fit Colin, ça te plairait pas de porter ses nichons comme protège-oreilles ?

— T'es grossier.

Roy se mit à rire. « Merci. »

— Je crois que tu m'as fait saigner.

— Arrête de fairc le bébé. J'ai juste serré un peu. Waouah ! Regarde l'écran !

L'homme avait à moitié baissé le maillot de la fille. Il lui caressa ses fesses nues, qui étaient très blanches comparées à son dos et ses cuisses bronzées, si blanches qu'on aurait dit les deux moitiés rebondies d'une noisette claire entourée d'une coquille marron clair.

— Je pourrais manger des kilos de ce cul-là au petit déjeuner ! s'exclama Roy.

L'homme sur l'écran était nu également. Il s'allongea sur le dos et la femme se mit à califourchon sur lui.

— Ils vont pas nous montrer le meilleur moment, reprit Roy. Pas au Fairmont. On la verra pas se faire baiser.

La caméra resta fixée sur sa poitrine rebondissante et sur son magnifique visage, contracté par une extase feinte.

— Est-ce que ça te fait bander ? demanda Roy.

— Hein ?

— Ça te donne une érection ?

— T'es bizarre.

— T'as peur de ce mot-là aussi ?

— Je n'ai peur d'aucun mot.

— Alors dis-le.

— Seigneur !
— Dis-le.
— Erection.
— T'en as une ?
Colin était presque malade de confusion.
— T'es en érection, mon petit pote ?
— Ouais.
— Tu sais comment ça s'appelle ?
— Marvin.
Roy se mit à rire. « C'est marrant. Vite fait. Ça me plaît, ça. »
L'approbation de l'autre garçon était un palliatif. La peur de Colin ne s'était que faiblement atténuée.
— Sais-tu vraiment comment ça s'appelle ?
— Un pénis.
— C'est aussi sale que « poitrine ».
Colin ne répondit pas.
— Dis-moi « bite ».
Colin le lui dit.
— Très bien. Parfait. Avant la fin de ce film, tu connaîtras tous les mots, et tu te sentiras à l'aise avec eux, comme moi. Reste avec moi, petit, et je ferai ton éducation. Hé, regarde ! Regarde ce qu'il est en train de lui faire ! Regarde, Colin ! Quelle éclate ! Regarde !
Colin eut l'impression d'être sur un skateboard lancé à toute vitesse sur une longue descente à pic, et d'en avoir perdu tout contrôle. Mais il regarda.

# 8

ILS revinrent à Santa Leona à onze heures moins le quart et s'arrêtèrent à une station-service sur Broadway. L'endroit était fermé pour la nuit, l'unique lumière étant celle du distributeur de boissons.

Roy chercha de la monnaie dans sa poche. « Qu'est-ce que tu veux ? C'est moi qui offre. »

— J'ai de l'argent.

— Tu as payé le dîner.

— Bon... d'accord. Un jus de raisin.

Ils restèrent un moment silencieux, le temps de vider leurs verres.

— C'est une super nuit, n'est-ce pas ? dit finalement Roy.

— Ouais.

— Tu t'es amusé ?

— Bien sûr.

— Moi, je me paye sacrément du bon temps, et tu sais pourquoi ?

— Pourquoi ?

— Parce que t'es là.

— Ouais, répliqua Colin, ne manquant jamais de se dévaloriser, je suis toujours le boute-en-train de la compagnie.

— Je le pense vraiment. Un mec ne pourrait pas trouver meilleur copain que toi.

Cette fois-ci, la rougeur de Colin fut due autant à la fierté qu'à l'embarras.

— En fait, continua Roy, tu es mon seul ami, et le seul dont j'ai besoin.

— Tu as des tas de copains.

— Ce ne sont que des connaissances. Il y a une grande différence entre les amis et les connaissances. Jusqu'à ce que tu arrives dans la ville, je n'avais pas vraiment d'amis.

Colin ignorait si Roy disait la vérité ou s'il se moquait de lui. Il n'avait pas l'expérience pour en juger, personne ne lui ayant jamais parlé comme Roy venait de le faire.

Roy reposa sa bouteille de coca à moitié vide et sortit un canif de sa poche. « Je crois que le moment est venu. »

— De quoi ?

Debout à la lumière douce de la machine à boissons, Roy ouvrit le couteau, posa la pointe sur la partie charnue de sa paume, et appuya suffisamment fort pour se faire saigner : une seule grosse goutte, telle une perle cramoisie. Il pressa la plaie minuscule jusqu'à ce que le sang coule le long de sa main.

Colin était sidéré. « Pourquoi t'as fait ça ? »

— Tends ta main.

— Tu es fou ?

— On va le faire exactement comme les Indiens.

— Faire quoi ?

— On va être frères de sang.

— Nous sommes déjà amis.

— Etre frères de sang, c'est beaucoup mieux.

— Ah ouais ? Pourquoi ?

— Lorsque nos sang se seront mélangés, nous ne serons plus qu'une seule et même personne. A l'avenir, tous les amis que je me ferai deviendront automatiquement les tiens. Et inversement. On restera toujours ensemble, jamais séparés. Les ennemis de l'un seront les ennemis de l'autre, et nous serons donc deux fois plus forts et deux fois plus intelligents que n'importe qui. On ne se battra jamais seul. Ce sera toi et moi contre le putain de monde entier. Et le monde a intérêt à faire gaffe.

— Tout ça à cause d'une satanée poignée de main ?

— L'important est ce que symbolise la poignée de main. Elle représente l'amitié, l'amour et la confiance.

Colin ne pouvait détacher son regard du filet écarlate qui dégoulinait le long de sa paume et de son poignet.

— Donne-moi ta main.

Colin était en émoi à l'idée d'échanger son sang avec Roy, mais il était assez délicat. « Ce couteau n'a pas l'air propre. »

— Mais si.

— Tu peux attraper un empoisonnement du sang à cause d'une coupure sale.

— Si c'était le cas, est-ce que je me serais coupé le premier ?

Colin hésita.

— Bon Dieu, dit Roy, le trou ne sera pas plus grand qu'une piqûre d'épingle. Maintenant, donne-moi ta main.

Colin tendit à regret sa main droite, paume vers le haut. Il tremblait.

Roy la saisit avec fermeté et mit la pointe de la lame sur sa peau.

— Ça va piquer pendant juste une seconde.

Colin n'osait parler de peur que sa voix ne chevrote.

La douleur fut soudaine, vive, mais brève. Colin se mordit la lèvre, résolu à ne pas crier.

Roy replia le couteau et le rangea.

De ses doigts tremblants, Colin pressa la plaie jusqu'à ce qu'elle saignât abondamment.

Roy glissa sa main ensanglantée dans celle de Colin. Son étreinte était ferme.

Colin la lui serra de toutes ses forces. Leur chair humide produisit un gargouillis à peine audible.

Ils se tenaient devant la station-service déserte, dans l'air frais de la nuit chargé de relents d'essence, à se regarder dans les yeux, à respirer le souffle de l'autre, et ils se sentaient forts, hors du commun et farouches.

— Mon frère, dit Roy.

— Mon frère.

— Pour toujours.

— Pour toujours.

Colin se concentra intensément sur la piqûre d'épingle dans sa main, essayant de percevoir le moment précis où le sang de Roy se mettrait à couler dans ses propres veines.

# 9

APRÈS cette cérémonie improvisée, Roy essuya sa main poisseuse sur son jean et ramassa son restant de Pepsi. « Qu'est-ce que tu veux faire après ? »

— Il est onze heures passées, répondit Colin.

— Et d'ici une heure, tu te transformes en citrouille ?

— Je ferais mieux de rentrer.

— Il est tôt.

— Si ma mère arrive et que je ne suis pas là, elle va s'inquiéter.

— D'après ce que tu m'as dit, elle ne semble pas être le genre de mère à se faire trop de bile pour son gosse.

— Je veux pas avoir des ennuis.

— Je croyais qu'elle était allée dîner avec ce Thornberg.

— C'était aux environs de neuf heures. Elle risque de ne pas tarder à revenir.

— Ce que tu peux être naïf !

Colin le regarda d'un air circonspect : « Qu'est-ce que tu insinues ? »

— Elle ne rentrera pas avant plusieurs heures.

— Comment tu le sais ?

— A l'heure qu'il est, ils ont dîné et bu un cognac, et ce vieux Thornberg est en train de la coucher dans son propre lit.

— Tu racontes n'importe quoi, répliqua Colin, mal à l'aise. Puis il se remémora comment était sa mère en sortant : fraîche et pimpante, ravissante dans une robe courte et moulante.

Roy lui lança une œillade égrillarde. « Tu prends ta mère pour une sainte ? »

— Bien sûr que non.

— Alors est-elle subitement devenue nonne, ou quelque chose dans ce goût-là ?

— Seigneur !

— Vois les choses en face, mon pote, ta mère baise comme tout le monde.

— Je ne veux pas parler de ça.

— En tout cas, moi, j'aimerais bien la baiser !

— Ferme-la !

— C'est qu'il est susceptible !

— On est frères de sang ou pas ?

Roy vida son coca. « Quel rapport ? »

— Si tu es mon frère, mon sang, tu dois montrer du respect pour ma mère, exactement comme si c'était la tienne.

Roy posa sa bouteille vide sur l'étagère à côté du distributeur. Il se racla la gorge et cracha par terre. « Putain, je respecte même pas ma propre mère. La salope. C'est une vraie salope. Et pourquoi traiterais-je ta vieille comme une sorte de déesse quand toi, tu n'as pas le moindre respect pour elle ? »

— Qui a dit que je ne la respectais pas ?

— Moi, je le dis.

— Tu te crois capable de lire dans les pensées ?

— Tu ne m'as pas dit que ta mère passait toujours plus de temps avec ses copines qu'avec toi ? Est-ce qu'elle était jamais là quand tu avais besoin d'elle ?

— Tout le monde a des amis.

— En avais-tu avant de me rencontrer ?

Colin haussa les épaules. « J'ai toujours eu mes hobbies. »

— Et ne m'as-tu pas dit qu'à l'époque où elle était mariée à ton pater, elle le quittait une fois par mois...

— Pas aussi souvent.

— ... elle se tirait pendant quelques jours, et même pour une semaine ou plus ?

— C'était parce qu'il la battait.

— Est-ce qu'elle t'emmenait quand elle partait ?
Colin termina son jus de raisin.
— Est-ce qu'elle t'emmenait ? répéta Roy.
— Généralement pas.
— Elle te laissait là avec *lui*.
— C'est mon père, après tout.
— Il m'a l'air dangereux.
— Moi il ne me touchait jamais. Seulement elle.
— Mais il aurait pu te faire mal.
— Ce n'est pas le cas.
— Elle ne pouvait vraiment pas savoir ce qu'il allait faire quand elle te laissait seul avec lui.
— Ça se passait bien. C'est tout ce qui compte.
— Et maintenant, elle consacre tout son temps à cette galerie d'art, continua Roy. Elle travaille tous les jours et presque tous les soirs.
— Elle est en train de nous construire un avenir, à clle et à moi.
Roy prit une expression revêche. « C'est ça son excuse ? C'est ce qu'elle te raconte ? »
— Je suppose que c'est la vérité.
— Comme c'est touchant ! Se construire un avenir. Pauvre Weezy Jacobs, qui travaille si dur ! Ça me fend le cœur, Colin. Si, si, c'est vrai. Merde. Et fréquemment, elle sort avec un type comme Thornberg...
— Ce sont les affaires.
— ... et elle n'a *toujours* pas de temps à t'accorder.
— Et alors ?
— Alors tu devrais arrêter de dire que tu dois rentrer chez toi. La terre entière se fout complètement que tu sois à la maison ou non. Tout le monde s'en moque. Allez viens, on va s'amuser.
Colin posa sa bouteille vide sur l'étagère. « Qu'est-ce qu'on fait ? »
— Attends voir... Je sais. La maison des Kingman. Ça va te plaire. Tu y es déjà allé ?
— Qu'est-ce que la maison des Kingman ?
— C'est l'une des plus vieilles demeures de la ville.
— Je ne m'intéresse pas trop à ce genre de symboles.
— C'est cette grande maison tout au bout de Hawk Drive.

— L'endroit sinistre en haut de la colline ?
— Ouais. Personne n'habite plus là-bas depuis vingt ans.
— Qu'y a-t-il de si intéressant dans une maison abandonnée ?
Roy se rapprocha et caqueta comme un démon, le visage tordu en une expression grotesque, roulant des yeux, et chuchota sur un ton dramatique : « Elle est *hantée !* »
— C'est une blague ?
— C'est pas une blague. Il paraît qu'elle est hantée.
— Qui est-ce qui raconte ça ?
— Tout le monde. (Roy roula de nouveau des yeux, essayant d'imiter Boris Karloff.) Les gens ont vu des choses extrêmement étranges dans la maison des Kingman.
— Quoi par exemple ?
— Pas maintenant, répondit Roy, reprenant sa voix normale. Je te raconterai toute l'histoire lorsque nous y serons.
Comme Roy reprenait sa bicyclette, Colin lui dit : « Attends une minute. Je pense que t'es sérieux. Tu veux dire que cette maison est réellement hantée ? »
— Ça dépend si tu crois ou non à ce genre de choses.
— Les gens ont vu des fantômes là-bas ?
— Ils disent qu'ils ont vu et entendu toutes sortes de trucs complètement dingues depuis que la famille Kingman est morte là-dedans.
— Morte ?
— Ils ont été assassinés.
— Toute la famille ?
— Tous les sept.
— Ça s'est passé quand ?
— Il y a vingt ans.
— Qui les a tués ?
— Le père.
— Mr Kingman ?
— Une nuit, il est devenu fou et il les a tous découpés pendant leur sommeil.
Colin déglutit péniblement. « Découpés ? »
— A la hache.

Encore des haches ! pensa Colin.

Pendant quelques instants, son estomac sembla ne plus faire partie de lui, telle une entité séparée vivant en lui, qui glissait, se décrochait, se tordait, humide, et essayait de ramper hors de son corps.

— Je te raconterai tout quand nous y serons, répéta Roy. Allez, viens.

— Attends une minute, dit nerveusement Colin, cherchant à gagner du temps. Mes lunettes sont sales.

Il ôta ses lunettes, sortit un mouchoir de sa poche, et essuya soigneusement les verres épais. Il pouvait encore parfaitement distinguer Roy, mais au-delà d'un mètre cinquante, tout était flou.

— Dépêche-toi, Colin.

— On devrait peut-être attendre demain.

— Ça va te prendre autant de temps pour nettoyer tes putains de lunettes ?

— Non, mais en plein jour, on la verra mieux.

— Pour moi, c'est plus marrant de regarder une maison hantée la nuit.

— Mais la nuit, on ne voit pas grand-chose.

Roy l'observa quelques instants en silence. « T'as la frousse ? »

— De quoi ?

— Des fantômes.

— Bien sûr que non.

— Pourtant on dirait.

— Eh bien... ça paraît vraiment absurde d'aller fouiner dans un endroit pareil, dans le noir, en pleine nuit, tu sais.

— Non. Je ne sais pas.

— Je ne parle pas des fantômes. Je veux dire que l'un de nous risque de se faire mal si on va traîner dans une vieille maison délabrée au beau milieu de la nuit.

— Si, t'as la trouille.

— Tu parles !

— Prouve-moi le contraire.

— Pourquoi je devrais te le prouver ?

— Tu veux que ton frère de sang pense que t'es un poltron ?

Colin se tut. Il remuait continuellement.

— Allez, viens, ordonna Roy.

Roy enfourcha sa bicyclette et s'éloigna de la station-service déserte, se dirigeant vers Broadway au nord. Il ne se retourna pas.

Colin se tenait près du distributeur de boissons. Seul. Il n'aimait pas être seul. Surtout la nuit.

Roy était déjà loin et pédalait toujours.

— Et merde ! dit Colin. Il hurla : « Attends-moi » et grimpa sur son vélo.

## 10

ILS poussèrent leurs vélos sur la dernière montée qui menait à la maison délabrée tapie au-dessus d'eux. L'émoi de Colin grandissait à chaque pas.

Elle a réellement l'air hantée, se dit-il.

La maison des Kingman se trouvait dans l'enceinte de Santa Leona, mais elle était pourtant séparée du reste de la ville, comme si on avait eu peur de construire à proximité.

En haut d'une colline, elle dominait sur deux-trois hectares. La moitié au moins de ces terres, jadis bien entretenues, avec des jardins à la française, étaient retournées depuis fort longtemps à l'état de friche. La branche nord de Hawk Drive se terminait en cul-de-sac dans un large virage face à la propriété des Kingman ; comme les réverbères n'allaient pas jusqu'au bout de la rue, la vieille demeure et son terrain envahi de mauvaises herbes étaient enveloppés par l'obscurité la plus noire, et se découpait à la seule clarté de la lune. Sur les deux tiers inférieurs de la colline, de part et d'autre de la route, des villas de plain-pied et modernes, de style californien, étaient précairement accrochées aux versants, attendant avec une surprenante patience un glissement de terrain ou la prochaine onde de choc de la faille de San Andreas. Seule, la maison occupait le versant supérieur du coteau, semblant attendre un événement beaucoup plus terrifiant, et tellement plus malveillant qu'un tremblement de terre.

Elle était exposée face au centre-ville, qui s'étendait en dessous, et à la mer, invisible la nuit, excepté en négatif telle une vaste étendue d'obscurité. Ruine immense aux multiples coins et recoins, succédané de style victorien, elle comportait beaucoup trop de cheminées fantaisie et de pignons, et encore deux fois plus de fioritures prétentieuses autour de l'avant-toit, des fenêtres et des balustrades, comme l'exigeait l'authentique style victorien. Les orages avaient fendu les bardeaux du toit. Certains des ornements étaient cassés, et même tombés à deux ou trois endroits. Là où subsistaient des volets, ils pendaient fréquemment à l'oblique, reliés à une unique fixation. La peinture blanche s'était désagrégée. Les planches gris argenté, décolorées par le soleil et le continuel vent marin, étaient tachées d'eau. Les marches du porche étaient affaissées, et des brèches apparaissaient dans la rampe. La moitié des fenêtres avaient été condamnées au hasard, et les autres, dépourvues de protection, avaient volé en éclats. La clarté de la lune révéla des tessons de verre, telles des dents transparentes mordant dans la noirceur déserte, là où le sol avait été pavé. Pourtant, en dépit de son délabrement, Kingman Place n'avait pas l'apparence d'une ruine ; elle ne suscitait pas la tristesse dans le cœur de ceux qui la regardaient, ainsi qu'il en était de demeures autrefois empreintes de grandeur et aujourd'hui décrépites ; d'une certaine façon, elle semblait dynamique, vivante et même effroyablement vivante. Si on avait pu dire d'une maison qu'elle offrait une attitude humaine, un aspect émotionnel, alors celle-ci était en colère, très en colère. *Furieuse.*

Ils garèrent leurs vélos près du portail. C'était une énorme grille en fer forgé rouillé, avec un motif en forme de soleil au milieu.

— Drôle d'endroit, hein ? fit Roy.

— Ouais.

— Allons-y.

— A l'intérieur ?

— Evidemment.

— On n'a pas de torche.

— Bon, on va au moins monter sur le perron.

— Pourquoi ? demanda Colin d'une voix tremblante.
— Pour regarder par les fenêtres.
Roy franchit le portail ouvert, s'avança sur le chemin dallé de pierres brisées, et traversa l'entrelacs de hautes herbes en direction de la maison.
Colin fit quelques pas derrière lui, puis s'arrêta et dit : « Attends, Roy, attends une seconde. »
Roy se retourna. « Qu'est-ce qu'il y a ? »
— T'es déjà venu ici ?
— Bien sûr.
— T'es entré dedans ?
— Une fois.
— Tu as vu des fantômes ?
— Non. J'y crois pas.
— Mais t'as dit que les gens avaient vu des trucs là-dedans.
— Des gens. Pas moi.
— T'as dit qu'elle était hantée.
— Je t'ai expliqué que des gens avaient dit qu'elle était hantée. Ils déconnent à plein tube. Mais je savais que l'endroit te plairait, vu que t'es un grand fan de films d'épouvante et de tous ces machins-là.
Roy se remit en route.
Après encore quelques pas, Colin dit : « Attends. »
Roy se retourna et ricana. « T'as la frousse ? »
— Non.
— Ha !
— J'ai juste quelques questions.
— Alors grouille-toi de les poser.
— T'as dit que beaucoup de gens avaient été assassinés ici.
— Sept. Six meurtres, et un suicide.
— Raconte-moi.
Au cours des vingt dernières années, la très authentique tragédie des meurtres des Kingman s'était transformée en un conte très enjolivé, une horrible légende de Santa Leona, évoquée la plupart du temps à Halloween, composée de mythe et de vérité, avec parfois davantage de mythe que de vérité selon le narrateur. Mais les éléments de base étaient simples, et Roy s'en tint aux faits durant son récit.

Les Kingman avaient été riches. Robert Kingman était l'enfant unique de Judith et Big Jim Kingman ; mais la mère de Robert mourut d'une hémorragie en le mettant au monde. A l'époque, Big Jim était déjà un homme riche, et il le devint de plus en plus au fil des années. Il se retrouva millionnaire grâce à l'immobilier en Californie, l'agriculture, le pétrole, et les droits sur l'eau. Tout comme son fils, Big Jim était grand et très large de carrure, et il aimait à se vanter que nul autre à l'ouest du Mississippi ne pouvait manger plus de steak, boire plus de whisky ou gagner davantage d'argent que lui. Peu avant son vingt-deuxième anniversaire, Robert hérita de la totalité des biens le jour où Big Jim, ayant bu trop de whisky, périt étouffé par un gros morceau de filet mignon qu'il n'avait pas suffisamment mâché. Il avait perdu ce concours de nourriture contre un homme à qui il restait encore à gagner un million de dollars en fournitures de tuyauteries, mais qui put au moins se targuer d'avoir survécu au festin. Robert n'avait pas développé l'attitude compétitive de son père vis-à-vis de la nourriture et de la boisson, mais il avait acquis le sens des affaires du vieil homme, et en dépit de son très jeune âge, il réalisa encore plus de profit avec les fonds qui lui furent laissés.

Quand il eut vingt-cinq ans, Robert épousa une femme nommée Alana Lee, construisit la maison victorienne sur Hawk Hill, uniquement pour elle, et commença à engendrer une nouvelle génération de Kingman. Alana n'était pas issue d'une famille fortunée, mais elle avait la réputation d'être la plus belle fille du comté, dotée du caractère le plus doux de tout l'Etat. Les enfants naquirent vite, cinq en huit années — trois garçons et deux filles. C'était la famille la plus respectée de la ville, enviée, mais aussi aimée et admirée. Les Kingman étaient pratiquants, bienveillants, charitables, savaient parler aux gens humbles malgré leur rang élevé, et s'impliquaient dans leur communauté. De toute évidence, Robert aimait Alana, et chacun pouvait voir qu'elle l'adorait ; et les enfants rendaient l'affection que leur prodiguaient leurs parents.

Une nuit d'août, quelques jours avant leur douzième

anniversaire de mariage, Robert broya en secret deux douzaines de cachets de somnifères qu'un médecin avait prescrits à Alana pour ses insomnies périodiques, et versa la poudre dans les boissons et la nourriture que partageait sa famille en guise de collation avant l'heure du coucher, ainsi que dans les divers aliments consommés par la bonne, la cuisinière et le maître d'hôtel logés chez lui. Il ne mangea et ne but rien de ce qu'il avait contaminé. Dès que sa femme, ses enfants et ses domestiques furent profondément endormis, il alla dans le garage chercher une hache qui servait à couper du bois pour les neuf cheminées du manoir. Il épargna la bonne, la cuisinière et le maître d'hôtel, mais personne d'autre. Il tua d'abord Alana, puis ses deux fillettes, et ensuite ses trois fils. Chaque membre de la famille fut expédié dans l'autre monde de la même manière affreusement brutale et sanglante : de deux coups de hache secs et puissants, un vertical et un horizontal, en forme de croix, sur le dos ou la poitrine, en fonction de la position où chacun dormait au moment de l'attaque. Quand ceci fut fait, Robert rendit une seconde visite à ses victimes et les décapita tous grossièrement. Il transporta leurs têtes ruisselantes au rez-de-chaussée et les aligna sur le long manteau de la cheminée du salon. C'était un tableau abominablement macabre : six visages sans vie, éclaboussés de sang, qui l'observaient tels les jurés ou les juges de la cour des Enfers. Sous le regard de ses défunts bien-aimés, Robert Kingman écrivit un petit mot à l'attention de ceux qui le découvriraient le lendemain matin, lui et sa besogne de maniaque : « Mon père disait toujours que j'étais venu au monde dans une rivière de sang, celui de ma mère mourante. Et maintenant je vais bientôt m'en repartir sur une semblable rivière. » Après avoir écrit ce singulier adieu, il chargea un revolver de calibre 38, mit le canon dans sa bouche, se tourna vers les visages de sa famille frappés par la mort, et se fit sauter la cervelle.

Comme Roy finissait son récit, Colin fut parcouru d'un frisson tout le long de son corps. Il se recroquevilla sur lui-même et se mit à trembler violemment.

« La cuisinière s'éveilla la première, continua Roy.

Elle trouva du sang partout dans le couloir et dans l'escalier, suivit les traces jusque dans le salon, et vit les têtes sur le manteau de la cheminée. Elle sortit de la maison en courant et dévala la colline, hurlant à pleins poumons. Elle parcourut près d'un kilomètre avant que quelqu'un ne l'arrête. Il paraît qu'elle en avait pratiquement perdu la raison. »

La nuit semblait s'être assombrie depuis que Roy avait commencé son histoire. La lune apparut plus petite, plus éloignée que tout à l'heure.

Au loin sur la route, un gros camion changea de vitesse et accéléra. On aurait dit le cri d'un animal préhistorique.

La bouche de Colin était sèche comme de la cendre. Il fit venir suffisamment de salive pour parler, mais sa voix était fluette. « Pour l'amour du ciel, *pourquoi ?* Pourquoi les a-t-il tués ? »

Roy haussa les épaules. « Sans raison. »

— Il y en avait forcément une.

— Si c'est le cas, personne ne l'a jamais éclaircie.

— Il avait peut-être fait de mauvais placements et perdu tout son argent.

— Non. Il a laissé une fortune.

— Peut-être que sa femme allait le quitter.

— Tous ses amis ont dit qu'elle était très heureuse en ménage.

L'aboiement d'un chien.

Le sifflement d'un train.

Le murmure du vent dans les arbres.

Le mouvement furtif des choses invisibles.

La nuit parlait tout autour de lui.

— Une tumeur au cerveau, dit Colin.

— C'est ce qu'ont pensé beaucoup de gens.

— Je parie que c'est ça. Que Kingman avait une tumeur au cerveau, ou un truc comme ça, qui le faisait se comporter comme un dingue.

— A l'époque, ce fut la théorie la plus courante. Mais l'autopsie ne révéla aucun signe de maladie mentale.

Colin fronça les sourcils. « On dirait que tu as épluché chacun des faits relatifs à l'affaire. »

— Je les connais presque aussi bien que si ça m'était arrivé à moi.

— Mais comment es-tu au courant des résultats de l'autopsie ?

— Je l'ai lu.

— Où ça ?

— La bibliothèque possède tous les anciens numéros du *News Register* de Santa Leona sur microfilms.

— Tu as fait des recherches là-dessus ?

— Ouais. C'est exactement le genre de choses qui m'intéresse. Tu te rappelles ? La mort. Je suis fasciné par la mort. Dès que j'ai appris l'histoire des Kingman, j'ai voulu en savoir plus. Beaucoup plus. J'ai eu envie d'en connaître le moindre détail. Tu comprends ? Est-ce que ça n'aurait pas été génial d'être dans cette maison cette nuit-là, la nuit où ça s'est passé, comme ça, juste pour regarder, caché dans un coin, simplement, cette nuit-*là*, caché à le regarder faire, à le regarder le faire à tous les autres et puis à lui-même ? Tu te rends compte ! Du sang partout. T'as jamais vu autant de ce putain de sang de ta vie ! Du sang sur les murs, coagulant et imbibant les draps et les couvertures, des mares de sang sur le sol, du sang dans l'escalier, et des éclaboussures de sang sur les meubles... Et ces six têtes sur le manteau de la cheminée ! Seigneur, quelle éclate ! Quelle éclate super !

— Te voilà de nouveau étrange, dit Colin.

— Tu aurais aimé être là ?

— Non merci. Et toi non plus d'ailleurs.

— Oh si putain, moi j'aurais aimé y être !

— Si t'avais vu tout ce sang, t'aurais gerbé.

— Pas moi.

— T'essaie de me dégoûter.

— Tu te gourres.

Roy se dirigea vers la maison.

— Attends une minute, dit Colin.

Cette fois-ci, Roy ne se retourna pas. Il grimpa les marches affaissées et arriva sous le porche.

Plutôt que de rester seul, Colin le rejoignit. « Parle-moi des fantômes. »

— Certaines nuits, il y a des lueurs étranges dans la maison. Et les gens qui vivent un peu plus bas sur la colline racontent qu'ils entendent parfois les enfants Kingman hurler de terreur et appeler au secours.

— Ils entendent les *gosses morts ?*

— Ils gémissent et disent des choses féroces.

Colin réalisa subitement qu'il était adossé à l'une des fenêtres brisées du premier étage. Il s'en éloigna.

Roy continua d'un air sombre : « Certaines personnes racontent qu'elles ont vu des revenants qui rougeoyaient dans les ténèbres, des trucs dingues, des enfants sans tête qui apparaissaient sur ce porche, et couraient dans tous les sens comme s'ils étaient poursuivis par quelqu'un... ou quelque chose. »

— Wouah !

Roy se mit à rire. « Ce qu'ils ont probablement vu, c'est une bande de gamins qui voulaient faire une farce à tout le monde. »

— Peut-être que non.

— Alors quoi ?

— Ils ont peut-être vu exactement ce qu'ils ont dit.

— Mais tu crois aux fantômes pour de vrai.

— Je garde l'esprit ouvert.

— Ah oui ? Alors tu ferais bien de faire plus attention au genre de conneries qui tombent dedans, ou tu finiras la tête comme une passoire !

— Ce que tu es intelligent.

— Tout le monde le dit.

— Et modeste.

— C'est ce que tout le monde dit aussi.

— Seigneur !

Roy alla vers la fenêtre brisée et scruta l'intérieur.

— Qu'est-ce que tu vois ? demanda Colin.

— Viens voir.

Colin s'approcha de lui et écarquilla les yeux.

Une odeur de renfermé extrêmement désagréable leur parvenait à travers les vitres cassées.

— C'est le salon, dit Roy.

— Je ne vois rien.

— C'est dans cette pièce qu'il avait aligné leurs têtes sur la cheminée.

— Quelle cheminée ? Il fait noir comme dans un four là-dedans.

— Dans deux minutes, tes yeux se seront habitués.
Quelque chose remua dans le salon. Il y eut un léger bruissement, un vacarme soudain, et le bruit de quelque chose se précipitant vers la fenêtre.
Colin fit un bond en arrière. Il trébucha sur son propre pied et tomba avec fracas.
Roy le regarda et éclata de rire.
— Roy, il y a quelque chose à l'intérieur !
— Des rats.
— Hein ?
— De simples rats.
— Il y a des rats dans la maison ?
— Evidemment, dans un vieil endroit pourri comme ça. Ou alors c'était un chat égaré. Les deux probablement, un chat qui poursuivait un rat. Je peux te garantir une chose : ce n'était ni un revenant ni un goule. Tu vas te calmer, bon Dieu !
Roy se remit devant la fenêtre et se pencha, aux aguets, écoutant, observant.
Davantage blessé dans son amour-propre que dans sa chair, Colin se releva rapidement et lestement, mais ne retourna pas à la fenêtre. Il se tint près de la balustrade branlante et se tourna vers la ville à l'ouest, puis vers le sud, le long de Hawk Drive.
Au bout d'un moment, il demanda : « Pourquoi n'ont-ils pas rasé cet endroit ? Pourquoi n'y ont-ils pas construit de nouvelles maisons ? Le terrain doit avoir de la valeur. »
Sans détacher son regard de la fenêtre, Roy répondit : « Toute la fortune des Kingman, y compris les terres, est allée à l'Etat. »
— Pourquoi ?
— Il ne restait aucun parent vivant dans la famille, personne pour hériter.
— Qu'est-ce que va en faire l'Etat ?
— En vingt ans, ils ont trouvé moyen de rien faire, absolument rien, que dalle. Pendant quelque temps, il a été question de vendre le terrain et la maison aux enchères. Ensuite, ils ont dit qu'ils allaient en faire un parc miniature. On entend encore parler du parc une fois de temps en temps, mais rien n'est jamais fait. Mainte-

nant, s'il te plaît, veux-tu bien la fermer une minute ? J'ai l'impression que mes yeux finissent par s'habituer. Je dois me concentrer.

— Pourquoi ? Qu'y a-t-il de si important là-dedans ?

— J'essaie de distinguer la cheminée.

— T'es déjà venu ici. Tu l'as déjà vue, répliqua Colin.

— J'essaie de faire comme si c'était *cette nuit-là*. La nuit où Kingman est devenu fou furieux. J'essaie de m'imaginer comment ça devait être. Le bruit de la hache... J'arrive presque à l'entendre... *tchouououk, tchouououk*... et peut-être deux ou trois petits cris... ses pas qui descendent l'escalier... des pas lourds... le sang... tout ce sang...

La voix de Roy se perdit progressivement, comme s'il s'était hypnotisé lui-même.

Colin alla tout au bout du porche. Sous ses pieds, les planches grincèrent. Il s'appuya contre la balustrade branlante et se haussa afin de pouvoir observer le côté de la maison. Il ne put qu'apercevoir le jardin à l'abandon dans les ombres grises et noires à la clarté argentée de la lune : les herbes qui montaient jusqu'aux genoux ; les haies broussailleuses ; les orangers et les citronniers déracinés par le poids de leurs propres rameaux non taillés ; des rosiers informes, aux fleurs claires, blanches ou jaunes, qui ressemblaient à des bouffées de fumée dans l'obscurité ; et une centaine d'autres plantes, tressées et enchevêtrées dans une entité unique à la lueur indistincte des ténèbres.

Il avait la sensation d'être observé depuis les profondeurs du jardin. Par quelque chose de moins qu'humain.

Ne fais pas l'enfant, se dit-il. Il n'y a rien là-bas. Ce n'est pas un film d'épouvante. C'est la *réalité*.

Il essaya de tenir bon, mais l'éventualité qu'on l'épiait devint une certitude, en tout cas dans son esprit. Il savait que s'il restait là plus longtemps, une créature aux griffes énormes allait sûrement le capturer et l'entraîner dans les épais bosquets, où la bête le dévorerait à loisir. Il se détourna du jardin et retourna voir Roy.

— Tu es prêt à partir ? demanda Colin.

— J'arrive à distinguer toute la pièce.

— Dans le noir ?

— Je peux presque tout voir.
— Ah bon ?
— Je vois la cheminée.
— Ah bon ?
— Là où il a aligné les têtes.

Comme mû par un aimant plus fort que sa volonté, Colin se rapprocha de Roy, se pencha en avant, et scruta l'intérieur de la maison Kingman. Il y faisait extrêmement sombre, mais il voyait un peu plus que tout à l'heure : des formes étranges, sans doute un amas de meubles cassés et autres décombres ; des ombres semblant se déplacer, ce qui, bien sûr, n'était qu'une illusion ; et la tablette de marbre blanc au-dessus de l'immense cheminée, autel sur lequel Kingman avait offert le sacrifice de sa famille.

Colin sentit tout à coup qu'il devait immédiatement fuir cette maison, et ne jamais y revenir.

Il le savait d'instinct, de ce même instinct infaillible que possèdent les animaux. Et, tout comme un animal, ses cheveux se dressèrent sur sa nuque, et il siffla doucement, involontairement, en montrant les dents.

— *Tchououk !* fit Roy.

# 11

MINUIT.

Ils redescendirent à vélo Hawk Drive jusqu'à Broadway, puis suivirent Broadway pour déboucher sur Palisades Lane. Ils s'arrêtèrent devant l'escalier en bois qui menait à la plage publique. De l'autre côté de la rue étroite, d'élégantes vieilles maisons espagnoles donnaient sur la mer. La nuit était calme, la ville dépourvue de circulation. On n'entendait pour seul bruit que le martèlement régulier du ressac à quinze mètres en dessous d'eux. A partir de là, leur route se séparait : la maison de Roy se trouvait à plusieurs blocs au nord, et celle de Colin vers le sud.

— A quelle heure on se voit ? demanda Roy.

— On se voit pas. Je veux dire, je pourrai pas, répondit Colin, l'air désolé. Mon père arrive de Los Angeles pour m'emmener à la pêche avec sa bande de copains.

— Tu aimes pêcher ?

— Je déteste ça.

— Tu peux pas y couper ?

— Pas question. Il passe deux samedis par mois avec moi, et il en fait tout un truc à chaque fois. Je ne sais pas pourquoi, mais je suppose que ça compte pour lui. Si j'essaie de me défiler, il en fera tout un plat.

— Mais à l'époque où tu vivais avec lui, est-ce qu'il te consacrait, ne serait-ce que deux jours par mois ?

— Non.

— Alors dis-lui de prendre sa rame et de se la foutre au cul. Dis-lui que t'iras pas.

Colin hocha négativement la tête. « Non, c'est impossible, Roy. Je ne peux pas, c'est tout. Il croirait que ma mère m'a incité à le faire, et après ça ferait vraiment du grabuge entre eux. »

— Qu'est-ce que ça peut te faire ?

— Je suis entre les deux.

— Alors on se retrouve demain soir.

— C'est râpé aussi. Je serai pas rentré avant dix heures.

— Je crois vraiment que tu devrais lui dire de se la carrer au cul.

— On se verra dimanche. Passe vers onze heures. On aura une heure pour se baigner avant de déjeuner.

— D'accord.

— Après on pourra faire ce qu'on veut.

— Ouais, ce sera sympa.

— Bon... alors à dimanche.

— Attends une minute.

— Hein ?

— Bientôt, si je peux nous arranger ça, tu veux qu'on se paie une partie ?

— Une partie de quoi ?

— Une partie de jambes en l'air.

— Oh !

— Tu veux ?

Colin était gêné. « Où ? Enfin, avec qui ? »

— Tu te rappelles des filles qu'on a vues ce soir ?

— Au Pinball Pit ?

— Non. Ce sont des gamines. Des allumeuses. Je te l'ai déjà dit. Je parle de vraies femmes, comme celles de ce film.

— Et alors ?

— Je crois savoir où je peux nous trouver un aussi joli petit lot, une fille exactement dans le genre de celles-là.

— T'es saoul ou quoi ?

— Je suis sérieux.

— Et moi je suis Colin.

— Elle a un très beau visage.

— Qui ?

— La fille qu'on doit pouvoir avoir.
— Seigneur !
— Et de très gros nichons.
— Vraiment gros ?
— Vraiment.
— Aussi gros que Raquel Welch ?
— Encore plus gros.
— Gros comme des montgolfières ?
— Je raconte pas de bobards. Et elle a une paire de jambes *superbes*.
— Tant mieux. Les filles cul-de-jatte ne m'ont jamais vraiment branché.
— T'arrêtes tes conneries ? Je t'ai dit que je racontais pas d'histoires. Elle est super.
— Tu parles !
— Si, vraiment.
— Quel âge a-t-elle ?
— Vingt-cinq ou vingt-six.
— D'abord, il faudra que tu portes une fausse moustache. Ensuite, tu pourras monter sur mes épaules, et on se mettra dans un seul costume, un seul pour nous deux, comme ça elle ne se rendra pas compte que nous ne sommes que deux gamins. Elle croira qu'on est un grand et beau mec brun.
Roy se renfrogna. « Je parle sérieusement. »
— T'as beau continuer à répéter ça, tu ne me parais pas très sérieux.
— Elle s'appelle Sarah.
— Une belle fille de vingt-cinq ans ne s'intéressera ni à toi ni à moi.
— Peut-être pas tout de suite.
— Ni jamais.
— Il lui faudra juste un peu de persuasion.
— De persuasion ?
— A nous deux, on devrait pouvoir la tenir.
Colin le regarda, bouche bée.
— T'as envie d'essayer ? demanda Roy.
— Est-ce que tu parles de... *viol ?*
— Et quand bien même ?
— Tu veux finir en prison ?

— Elle est super. Elle vaut la peine qu'on prenne le risque.

— Personne ne vaut la peine qu'on aille en prison.

— Tu l'as pas vue.

— En plus, c'est mal.

— On dirait un prédicateur.

— C'est horrible de faire ça.

— Pas si c'est bon.

— Ce sera pas bon pour elle, en tout cas.

— Elle sera amoureuse de moi dès que j'en aurai fini avec elle.

Rougissant violemment, Colin dit : « T'es bizarre. »

— Attends de voir Sarah.

— Je ne veux pas la voir.

— T'auras envie d'elle dès que tu l'auras vue.

— Tout ça, c'est du baratin.

— Penses-y.

Une camionnette de couleur crème passa sur Palisades Lane. Un paysage de désert, composé de crânes ricanants, était peint sur le côté.

Ils entendirent du rock qui hurlait et le rire haut et mélodieux d'une jeune fille.

— Penses-y, répéta Roy.

— C'est inutile.

— Une belle paire de nichons.

— Seigneur !

— Réfléchis.

— C'est comme cette histoire de chat. T'irais pas tuer un chat, pas plus que t'irais violer qui que ce soit.

— Si j'étais sûr de pouvoir m'en tirer à bon compte, je te garantis que je me paierais une ou deux parties de jambes en l'air avec cette Sarah, ça tu peux me croire, mon pote.

— Je te crois pas.

— Si on se met à deux, on *peut* s'en sortir. C'est facile. Vraiment facile. Est-ce qu'au moins, tu veux bien y réfléchir pendant deux jours ?

— Laisse tomber, Roy. Je sais que tu es en train de me mener en bateau.

— Je plaisante pas.

Colin soupira, hocha la tête, et regarda sa montre.

« J'ai pas de temps à perdre à écouter ces foutaises. Il est tard. »

— Réfléchis.

— Putain !

Roy sourit. L'étrange lumière métallique lui jouait des tours, faisant ressembler ses dents à des crocs ; la froide lueur du réverbère à vapeur de mercure donnait une teinte bleutée à ses dents, noircissant et accentuant les interstices entre chacune d'elles, les faisant paraître pointues et acérées. Aux yeux de Colin tout au moins, Roy semblait grimé pour un bal costumé, comme s'il portait ce genre d'affreux dentier en cire qu'on achetait dans les magasins de farces et attrapes.

— Il faut que je rentre chez moi, dit Colin. A dimanche, onze heures ?

— D'accord.

— N'oublie pas ton maillot.

— Amuse-toi bien à ta partie de pêche.

— Y'a pas de danger !

Colin enfourcha son vélo, cala ses pieds sur les pédales, et fonça vers le sud sur Palisades Lane. Tandis que le vent sifflait au-dessus de lui, que le fracas implacable du ressac retentissait sur sa droite, et que sa peur d'être seul dans l'obscurité le reprenait, il entendit Roy crier dans son dos :

— *Réfléchis !*

## 12

LORSQUE Colin arriva chez lui à minuit et demi, sa mère n'était pas encore revenue de son rendez-vous avec Mark Thornberg. Sa voiture n'était pas dans le garage. La maison lui parut sombre et sinistre.

Il ne voulait pas rentrer tout seul à l'intérieur. Il fixa les fenêtres aveugles, l'obscurité palpitante derrière les vitres, et s'imagina que quelque chose l'attendait à l'intérieur, quelque créature de cauchemar s'apprêtant à le dévorer vivant.

Arrête, arrête, arrête ! se dit-il avec colère. Personne ne t'attend. Personne. Ne sois pas si stupide. Grandis ! Tu veux ressembler à Roy, alors fais exactement ce qu'il ferait s'il était là. Entre directement dans la maison, tout comme Roy. Vas-y. Maintenant. Allez !

Il sortit la clé d'un séquoia derrière l'allée. Ses mains tremblaient. Il fourra la clé dans la serrure, hésita, puis trouva suffisamment de courage pour ouvrir la porte. Il avança la main pour allumer la lumière mais ne franchit pas le seuil.

La pièce de devant était déserte.

Pas de monstres.

Il alla jusqu'au coin de la maison, contourna un massif d'arbustes, et urina. Il ne voulait pas avoir à utiliser la salle de bains une fois à l'intérieur. Quelque chose pouvait l'y attendre, derrière la porte, derrière le rideau de douche, et même peut-être dans la penderie, quelque chose de noir et de prompt, avec des yeux fous, plein de dents, et des griffes acérées.

Il faut que je m'arrête de penser comme ça, se dit-il. C'est complètement débile. Faut que j'arrête. Les grandes personnes n'ont pas peur du noir. Si je n'arrive pas bientôt à surmonter cette crainte, je finirai à l'asile. Seigneur !

Il remit la clé dans le séquoia et pénétra dans la maison. Il essaya de crâner comme Roy l'aurait fait ; cependant, telle une marionnette géante, il lui fallait des ficelles de courage pour se maintenir dans la posture du héros, et il ne put trouver en lui qu'un mince fil de vaillance. Il referma la porte et s'y adossa. Sans faire le moindre mouvement, il retint sa respiration, l'oreille aux aguets.

Tic-tac. Une horloge ancienne.

Une plainte. Celle du vent contre les vitres.

Rien d'autre.

Il verrouilla la porte derrière lui.

Marqua un temps.

Ecouta.

Silence.

Tout à coup, il traversa précipitamment le living-room, évitant les meubles, parcourut en trombe le couloir du rez-de-chaussée, y éteignit brusquement la lumière, ne constata rien d'anormal, grimpa l'escalier quatre à quatre, alluma le couloir du second étage, courut dans sa chambre, y alluma également l'électricité, se sentit un tout petit peu mieux en constatant qu'il était toujours seul, tira d'un coup sec la porte du placard, vit qu'il n'y avait ni vampires ni loups-garous tapis parmi les vêtements, referma la porte de la chambre, tourna la clé, se barricada avec une chaise à dossier droit, tira les rideaux sur les deux fenêtres pour qu'on ne puisse pas le voir, et il s'effondra sur le matelas, le souffle court. Inutile de regarder sous le lit : il était construit sur une estrade, à même le sol.

Il serait en sécurité jusqu'au lendemain matin — sauf si, évidemment, quelqu'un enfonçait la porte en dépit de la chaise calée sous la poignée.

*Arrête !*

Il se releva, se déshabilla, enfila un pyjama bleu, mit le réveil sur six heures et demie pour être prêt quand son père arriverait, se glissa sous le drap et fit bouffer son oreiller. Après avoir ôté ses lunettes, la pièce devint floue dans les coins, mais ayant mis le territoire en sûreté, il n'avait pas à être vigilant à cent pour cent. Il s'allongea sur le dos, et resta un bon moment à l'écoute.

Clac ! Craaac... Un léger gémissement, un bref cliquetis, un grincement à peine audible. Les bruits habituels d'une maison. Des bruits normaux. Rien de plus.

Même quand sa mère était là, Colin dormait la lampe de chevet allumée. Mais ce soir, à moins qu'elle ne revienne avant qu'il s'endorme, il laisserait *toutes* les lampes brûler. La pièce était autant éclairée qu'une salle d'opération prête pour une intervention chirurgicale.

La vue des objets qu'il possédait lui procura quelque réconfort. Cinq cents livres de poche garnissaient deux immenses rayonnages. Les murs étaient décorés de posters : Bela Lugosi dans *Dracula;* Christopher Lee dans *Le cauchemar de Dracula;* le monstre dans *La créature du lac noir;* Lon Chaney, Jr en homme-loup ; le monstre de *Alien* de Ridley Scott ; et le poster représentant la route hantée dans les ténèbres des *Rencontres du troisième type.* Ses maquettes de monstres, des kits qu'il avait montés lui-même, étaient disposés sur une table à côté de son bureau. Un goule en plastique marchait pour l'éternité d'un pas titubant dans un cimetière peint à la main. La créature de Frankenstein, ses bras en plastique tendus, arborait un visage figé en un rictus de haine intense. En tout, il y avait une douzaine de maquettes. Les longues heures passées à les construire lui avaient permis de réprimer sa peur du noir et la conscience qu'il avait de sa voix menaçante ; car tout le temps qu'il avait tenu entre ses mains ces figurines en plastique, symboles du mal, il avait eu la sensation de les contrôler, de les dominer, et, curieusement, il s'était senti supérieur aux créatures mêmes qu'elles représentaient.

*Clac !*

*Craaaac...*

Au bout d'un moment, il s'accoutuma aux bruits de la

maison et cessa presque de les entendre. Au lieu de cela, il écoutait la voix des ténèbres, celle que nul ne semblait pouvoir entendre. Elle était là du crépuscule à l'aube, présence constante et malfaisante, phénomène surnaturel, la voix des défunts qui voulaient sortir de leurs sépultures, la voix du Diable. Elle jacassait avec démence, caquetait, riait tout bas, respirait péniblement, sifflait, murmurait des histoires de sang et de mort. Sur un timbre sépulcral, elle parlait des cryptes humides et sans air, des morts qui marchaient encore, des chairs envahies par les vers. Pour presque toute l'humanité, c'était une voix subliminale qui ne s'adressait qu'au subconscient ; mais Colin, lui, en avait pleinement conscience. Un chuchotement ininterrompu. Parfois un cri. Parfois même un hurlement.

Une heure.

Où diable était sa mère ?

*Tap-tap-tap !*

Quelque chose à la fenêtre.

*Tap. Tap-tap. Tap-tap-tap-tap. Tap.*

Ce n'était qu'un gros papillon de nuit qui butait contre la vitre. C'était ça. Forcément. Un simple papillon.

Une heure et demie.

Il avait passé presque toutes ses soirées seul. Ça lui était égal de dîner en solitaire. Elle devait travailler dur, et avait parfaitement le droit de sortir avec des hommes maintenant qu'elle était redevenue célibataire. Mais fallait-il qu'elle le laisse tout seul chaque soir à l'heure du coucher ?

*Tap-tap.*

Encore le papillon.

*Tap-tap-tap.*

Il tenta d'oublier le papillon et de penser à Roy. Quel sacré mec, Roy. Quel ami génial. Vraiment un copain formidable. Des frères de sang. Il sentait encore la piqûre superficielle sur la paume de sa main ; ça l'élançait légèrement. Roy était de son côté, prêt à l'aider, aujourd'hui et pour toujours, à jamais, en tout cas jusqu'à ce que la mort les sépare. Voilà ce que cela signifiait d'être frères de sang. Roy allait le protéger.

Il pensa à son meilleur ami, superposa les visions de

monstres aux images de Roy Borden, fit taire la voix des ténèbres avec le souvenir de celle de Roy, et peu avant deux heures, il sombra dans le sommeil. Mais c'était des cauchemars.

## 13

LE réveil sonna à six heures et demie.

Il se leva et ouvrit les rideaux. Une ou deux minutes durant, il se chauffa au pâle soleil matinal, qui n'avait pas de voix et ne constituait aucune menace.

Vingt minutes plus tard, il était douché et habillé.

Il s'avança dans le couloir jusqu'à la chambre de sa mère et trouva la porte entrouverte. Il frappa doucement, mais n'obtint pas de réponse. Il la poussa de quelques centimètres et la vit. Elle était endormie, sur le ventre, le visage tourné vers lui, les articulations de sa main gauche pressées contre sa bouche molle. Ses paupières tressaillaient comme si elle était en train de rêver, avec une respiration légère et rythmée. Pendant la nuit, le drap était descendu jusqu'à mi-corps. Elle semblait nue sous les fines couvertures. Son dos était dénudé, et il aperçut juste le vague contour de son sein gauche, évocation suggestive d'une rondeur aplatie contre le matelas. Il regarda fixement la chair lisse, espérant qu'elle allait se retourner dans son sommeil et révéler la sphère tout entière, blanche et douce.

— C'est ta propre *mère !*

*Mais elle est formée.*

— Ferme la porte.

*Peut-être qu'elle va se retourner.*

— Tu ne veux pas la voir.

*Tu parles que je veux pas ! Retourne-toi !*

— Ferme la porte.

*Je veux voir ses seins.*
— C'est dégoûtant.
*Ses tétons.*
— Seigneur !
*Qu'est-ce que j'aimerais les toucher !*
— T'es dingue !
*Me glisser furtivement et les toucher sans la réveiller.*
— T'es en train de devenir un pervers. Un véritable salaud de pervers. Tu devrais avoir honte.

Rougissant, il referma la porte sans bruit. Il avait les mains glacées et moites.

Il descendit et prit son petit déjeuner : deux biscuits et un verre de jus d'orange.

Bien qu'il essayât de chasser cela de son esprit, le dos nu de Weezy et le contour rebondi de son sein l'obnubilaient.

— Qu'est-ce qui m'arrive ? dit-il à haute voix.

# 14

SON père arriva en Cadillac blanche à 7 h 5, et Colin l'attendait sur le trottoir devant la maison.

L'homme lui donna une tape sur l'épaule. « Comment vas-tu, fiston ? »

— Ça va.

— Prêt à en attraper des gros ?

— Je suppose.

— Ça va mordre aujourd'hui.

— Ah bon ?

— Ça, on peut le dire.

— Chez qui ?

— Chez ceux qui savent.

— Les poissons ?

Son père le dévisagea. « Comment ? »

— Qui sont ceux qui savent ?

— Charlie et Irv.

— C'est qui ?

— Les gars à qui le charter appartient.

— Oh !

Colin avait parfois du mal à croire que Frank Jacobs était réellement son père. Ils ne se ressemblaient absolument pas. Frank était grand, élancé, robuste, un mètre quatre-vingt-cinq pour quatre-vingt-dix kilos, avec de grands bras et de larges mains calleuses. Excellent pêcheur, chasseur aux nombreux trophées, et archer extrêmement habile, c'était aussi un joueur de poker, un fêtard, un grand buveur mais pas un alcoolique, un extraverti, un macho. Colin admirait certains des traits de caractère de son père ; néanmoins, il tolérait à peine bon nombre de ses défauts, et quelques-uns éveillaient en lui la colère, la peur, voire la haine. D'abord, Frank refusait systématiquement d'admettre ses erreurs, même quand il en avait la preuve sous le nez. Lorsqu'il se rendait compte, à ces rares occasions, qu'il ne pouvait pas faire autrement que de les reconnaître, il se mettait à bouder comme un enfant gâté, comme s'il était totalement injuste de le tenir pour responsable des résultats de ses propres erreurs. Il ne lisait jamais d'autres livres ou magazines que ceux destinés aux sportifs, et pourtant il avait une opinion inébranlable sur tout, depuis le conflit israélo-arabe jusqu'à l'American Ballet ; et il s'entêtait à défendre haut et fort ses vues mal informées sans jamais réaliser qu'il se ridiculisait. Le pire étant qu'il s'énervait à la moindre provocation et ne retrouvait son calme qu'au prix d'un effort immense. Lorsqu'il était très en colère, il se comportait comme un fou furieux : il vociférait des accusations paranoïaques, il criait, cognait, cassait des objets. Plus d'une fois, il s'était bagarré à coups de poing. Et il battait sa femme.

De plus, il conduisait trop vite et imprudemment. Durant les quarante minutes de trajet vers le sud en direction de Ventura, Colin resta assis droit et raide, poings serrés le long du corps, redoutant de regarder la route, et redoutant en même temps de *ne pas* la regarder. Il fut tout étonné d'arriver sain et sauf à la marina.

Le bateau s'appelait le *Erica Lynn.* Il était grand, blanc et bien entretenu, mais il y régnait une odeur désagréable que seul Colin sembla remarquer — mélange de relents d'essence et de puanteur de poisson mort.

Le groupe du charter se composait de Colin, son père, et neuf de ses amis. Tous grands, bronzés et vigoureux, comme Frank, et se prénommant Jack, Rex, Pete et Mike, etc.

Dès que le *Erica Lynn* largua les amarres et manœuvra pour sortir du port et se diriger vers le large, un petit déjeuner fut servi sur le pont arrière de la cabine du pilote, constitué de plusieurs bouteilles thermos remplies de Bloody Mary, de deux sortes de poisson fumé, de rondelles d'oignons nouveaux, de tranches de melon et de petits pains.

Sitôt que le bateau eut quitté le quai, Colin fut pris comme à l'accoutumée d'un léger mal de mer, et il ne mangea rien. Il savait par expérience qu'il irait mieux d'ici une heure, mais tant qu'il n'avait pas retrouvé le pied marin, il s'abstenait de prendre le moindre risque avec la nourriture. Il regrettait même d'avoir absorbé les deux biscuits et le jus d'orange, bien que cela remontât à une heure auparavant.

A midi, les hommes mangèrent des saucisses et vidèrent d'un trait une cannette de bière. Colin grignota un petit pain avec un Pepsi, et essaya de ne pas rester dans leurs jambes.

C'est alors que tous comprirent que Charlie et Irv s'étaient trompés. Le poisson ne mordait pas.

Ils avaient commencé la journée en quête de prises en eaux peu profondes, à seulement deux milles du littoral, mais les bancs de poissons paraissaient désertés, comme si chaque résident aquatique des environs s'en était allé en vacances. A dix heures et demie, ils avaient mis le cap sur des eaux plus profondes, et du plus gros gibier. Mais le poisson ne voulait rien savoir.

L'association de toute l'énergie déployée, de l'ennui, de la frustration et d'un excès d'alcool créa une ambiance explosive. Colin pressentit l'arrivée des ennuis bien avant que les hommes ne décident de se livrer à leurs jeux dangereux, violents et sanglants.

Après déjeuner, ils commencèrent à pêcher à la cuillère sur une trajectoire en zigzag — nord-ouest, sud, nord-ouest, sud — partant à dix milles du littoral et s'en éloignant progressivement. Ils maudirent l'absence de poisson et la présence de la chaleur. Ils ôtèrent chemises et pantalons pour enfiler les maillots de bain qu'ils avaient apportés ; le soleil brunissait leur peau déjà bronzée. Ils racontèrent des histoires salaces et parlèrent des femmes comme s'ils comparaient les mérites respectifs des voitures de sport. Petit à petit, ils se mirent à passer davantage de temps à boire qu'à surveiller leurs lignes, remplaçant les petits verres de whisky par de fraîches cannettes de Coors (1).

L'océan bleu cobalt était exceptionnellement calme. La houle semblait avoir été domptée par de l'huile, et oscillait doucement, presque paresseusement, sous le *Erica Lynn*.

Le moteur du bateau faisait un bruit monotone — tchou-tchou-tchou-tchou — qu'ils finissaient par *sentir* autant qu'entendre.

Le ciel d'été sans nuage était aussi bleu que la flamme du gaz.

Whisky et bière. Whisky et bière.

Colin souriait beaucoup, répondait quand on lui parlait, mais se contentait la plupart du temps d'essayer d'être invisible.

A cinq heures, les requins firent leur apparition, et à partir de là, la journée devint sinistre.

Dix minutes auparavant, Irv avait recommencé à attirer le poisson, déversant des seaux entiers d'appâts hachés et nauséabonds dans leur sillage, dans l'espoir d'en attraper des gros. Il avait déjà fait cela une douzaine de fois, sans aucun résultat ; mais même sous les regards perçants de ses clients désillusionnés, il persistait à croire en l'efficacité de ses méthodes.

De son poste sur le pont, Charlie fut le premier à localiser ce qui se passait. Il fit un appel dans le haut-parleur : « Requins à l'arrière, messieurs. Approximativement à cent cinquante mètres. »

Les hommes se pressèrent contre le parapet. Colin se glissa entre Mike et son père.

— A cent mètres, annonça Charlie.

Colin regarda de biais, se concentrant de toutes ses forces sur l'étendue liquide, mais ne put apercevoir les requins. Le soleil miroitait sur l'eau. Des millions et des millions de petites choses vivantes se tortillaient à la surface, mais ce n'était pour la plupart que des éclats de lumière dansant par endroits sur les vagues.

— Quatre-vingts mètres !

(1) Coors : marque de bière.

Un cri s'éleva, comme plusieurs hommes avaient repéré les requins au même moment.

Un instant plus tard, Colin aperçut un aileron. Puis un autre. Encore deux. Une douzaine au moins.

Soudain, une ligne tira au bout d'un des moulinets.

— Ça mord ! s'exclama Pete.

Rex bondit de son transat derrière la canne qui ployait et s'agitait par saccades. Comme Irv le faisait rasseoir, Rex glissa l'accessoire de pêche au gros hors de l'armature d'acier qui le maintenait.

— Merde, un requin, c'est jamais que du poisson, dit Jack avec dédain.

— Tu vas pas ramener un requin en trophée, même s'il est énorme, dit Pete.

— Je sais, répliqua Rex. Et je suis pas prêt non plus à bouffer ce putain de truc. Mais ce qui est sûr, c'est que je vais pas laisser échapper ce salaud !

Quelque chose mordit à l'hameçon de la deuxième ligne et l'emporta. Mike bondit de son siège.

Au début, ce fut l'un des moments les plus excitants que Colin ait vécus. Bien que ce ne fut pas la première fois qu'il montait sur un charter, il regardait avec un respect mêlé de crainte les hommes se débattre avec leurs prises. Ils criaient et juraient, encouragés par les autres. Les muscles de leurs gros bras étaient protubérants, les veines de leur cou et de leurs tempes faisaient saillie. Ils gémissaient, battaient l'eau et tenaient bon, tirant et dévidant, encore et encore. Ils ruisselaient de transpiration, et Irv leur tapotait le visage avec un chiffon blanc pour empêcher la sueur de leur tomber dans les yeux.

— Garde ta ligne tendue !

— Empêche-le de jeter l'hameçon !

— Donne-lui plus de fil.

— Epuise-le.

— Il l'est déjà.

— Fais gaffe qu'ils n'emmêlent pas les lignes.

— C'est déjà fait depuis un quart d'heure.

— Seigneur, Mike, une petite vieille aurait déjà réussi à l'attraper.

— Ma propre mère l'aurait attrapé.

— Ta mère est bâtie comme Arnold Schwarzenegger !
— Il est en train de briser l'onde !
— Tu l'as maintenant, Rex !
— Il est énorme ! Au moins un mètre quatre-vingts !
— Et l'autre. Là !
— Ne le lâche pas !
— Qu'est-ce qu'on va foutre avec deux requins ?
— Va falloir les relâcher.
— On les tuera d'abord, dit le père de Colin. On ne laisse jamais un requin repartir vivant. Pas vrai, Irv ?
— T'as raison, Frank.
— Irv, tu ferais mieux de prendre le revolver, dit le père de Colin.
Irv acquiesça et s'éloigna précipitamment.
— Quel revolver ? demanda Colin avec inquiétude. Les armes à feu le mettaient mal à l'aise.
— Ils gardent à bord un calibre 38 au cas où il faudrait tuer des requins, expliqua son père.
Irv revint avec le revolver. « Il est chargé. »
Frank le prit et se tint près du parapet.
Colin eut envie de se boucher les oreilles, mais il n'osa pas. Les hommes se moqueraient de lui, et son père serait fâché.
— Pour l'instant, je ne vois aucun animal, dit Frank.
La sueur perlait sur les corps musclés des pêcheurs. Chacune des cannes semblait ployée bien au-delà de son point de rupture, comme si elle ne tenait qu'à rien de plus qu'à la volonté indomptable de celui qui la tenait.
Tout à coup, Frank s'écria : « T'as presque le tien, Rex ! Je le vois. »
— C'est un affreux fils de pute, dit Pete.
— Il ressemble à Pete ! dit quelqu'un d'autre.
— Il est juste à la surface, dit Frank. Il n'a plus assez de fil pour replonger. Il a l'air à bout de forces.
— Il n'est pas le seul, répondit Rex. Bon Dieu, tu vas te décider à lui tirer dessus ?
— Amène-le un peu plus près.
— Merde, qu'est-ce que tu veux ? Que je le mette debout contre un mur avec un bandeau sur les yeux ?
Tout le monde se mit à rire.
Colin n'aperçut la créature lisse et grise en forme de

torpille qu'à cinq ou dix mètres de l'arrière. Elle nageait juste sous les vagues, aileron sombre dépassant dans les airs. Il resta immobile quelques instants ; puis il se mit à culbuter et à se tortiller furieusement, essayant de se libérer de l'hameçon.

— Seigneur ! s'exclama Rex. Il va me démettre les épaules.

Le poisson se débattit violemment, fut entraîné malgré lui, et roula de côté et d'autre, se contorsionnant sur l'hameçon, cherchant à déchiqueter sa propre mâchoire dans l'espoir de parvenir à se dégager, mais ne réussissant qu'à enfoncer davantage le dardillon de l'hameçon. La tête plate et malfaisante émergea de la houle, et Colin planta un instant son regard dans un œil brillant et étrange qui luisait d'un éclat interne et féroce, semblant irradier la fureur pure.

Frank Jacobs fit feu de son 38.

Colin vit le trou s'ouvrir de quelques centimètres derrière la tête du requin. Du sang et de la chair giclèrent dans l'eau.

Tous poussèrent des acclamations.

Frank tira à nouveau. La seconde balle pénétra cinq centimètres sous la première.

Le requin, logiquement mort, sembla retrouver un regain de vie sous l'impact des balles.

— Regarde-moi la vigueur de ce salopard !

— Il aime pas ce plomb-là.

— Tire encore, Frank.

— Choppe-le en pleine tête.

— Tire-lui dans la tête.

— Un requin, faut l'avoir dans la tête.

— Entre les deux yeux, Frank !

— Tue-le, Frank.

— Tue-le !

L'écume qui clapotait autour du poisson avait été blanche. Elle avait maintenant viré au rose.

Le père de Colin appuya à deux reprises sur la détente. Le gros revolver eut un mouvement de recul entre ses mains. Le premier coup manqua sa cible, mais l'autre atteignit sa proie au beau milieu de la tête.

Le requin bondit convulsivement, comme s'il tentait

de se hisser à bord du bateau, et tous les passagers du *Erica Lynn* poussèrent des cris de surprise ; puis il retomba dans l'eau et resta totalement immobile.

Un instant plus tard, Mike ramena sa prise à la surface à portée de la main, et Frank fit feu. Cette fois-ci, il visa parfaitement, et acheva le requin du premier coup.

L'écume était cramoisie.

Irv se précipita, un couteau de pêche à la main, et coupa les deux lignes.

Rex et Mike s'effondrèrent dans leurs fauteuils, soulagés, souffrant probablement des pieds à la tête.

Colin regarda le squale mort dériver ventre en l'air sur les vagues.

Sans crier gare, la mer se mit à bouillir comme si une immense flamme avait été allumée sous elle. Des ailerons apparaissaient un peu partout, convergeant sur une étroite zone juste à l'arrière du *Erica Lynn :* une douzaine... deux douzaines... cinquante requins ou plus. Ils tailladaient rageusement leurs camarades morts, éventrant et déchiquetant leur chair tout comme leur propre chair à eux, s'écrasant les uns les autres, se disputant chaque petit morceau, émergeant, plongeant et se battant dans la frénésie sauvage et désordonnée de se nourrir.

Frank vida son chargeur dans le remous. Il dut atteindre au moins un des monstres, car l'agitation s'aggrava considérablement.

Colin aurait voulu détourner les yeux du carnage. Mais il ne pouvait pas. Quelque chose l'en empêchait.

— Ce sont des cannibales, dit l'un des hommes.

— Un requin, ça boufferait n'importe quoi.

— Ils sont pires que des chèvres.

— Des pêcheurs ont trouvé des trucs passablement bizarres dans les estomacs des requins.

— Ouais. Je connais un mec qui a trouvé une montre.

— J'ai entendu parler de quelqu'un qui a trouvé une alliance.

— Un coffret à cigares imbibé de flotte.

— Un dentier.

— Une pièce rare qui valait une petite fortune.

— Tout ce qu'une victime peut porter d'indigeste, ça reste pile dans les intestins de la bête.

— Pourquoi ne pas remonter l'une de ces saloperies pour voir ce qu'il a dans le ventre ?

— Hé, ça pourrait être intéressant.

— On l'ouvre ici, sur le pont.

— Peut-être qu'on va trouver une pièce rare et devenir riches.

— Ou probablement juste un gros morceau de chair de requin fraîchement mangée.

— P'têt ben que oui, pt'êt ben que non.

— Au moins, ça nous occupera.

— T'as raison. Ça a été une journée de merde.

— Irv, on ferait bien de gréer de nouveau l'une de ces cannes.

Ils se remirent à boire du whisky et de la bière.

Colin observa.

Jack prit le fauteuil, et deux minutes plus tard, il avait une prise. Le temps d'amener le requin le long du bateau, leur frénésie de nourriture avait cessé ; le banc s'était éloigné. Mais la frénésie à bord du *Erica Lynn* ne faisait que commencer.

Le père de Colin rechargea le 38. Il se pencha par-dessus le parapet pour extraire deux balles de l'énorme poisson.

— En plein dans la tête.

— Ça lui a écrabouillé sa putain de cervelle.

— Un requin, ça a un cerveau gros comme un petit pois.

— Comme le tien ?

— Il est mort ?

— Il bouge plus.

— Remonte-le.

— On va jeter un coup d'œil à l'intérieur.

— Et trouver cette pièce rare.

— Ou le dentier.

Whisky et bière.

Jack dévida tout le fil possible. Le requin mort cognait contre la paroi du bateau.

— Ce putain de truc mesure trois mètres de long.

— Personne n'arrivera à le hisser avec un simple harpon.

— Ils ont un treuil.

— Ça va être salissant.

— Ça peut valoir le coup si on trouve cette pièce rare.

— On aurait plus de chances de trouver une pièce dans *ton* estomac.

A l'aide de cinq hommes, deux cordes, trois harpons, et un treuil électrique, ils parvinrent à hisser le requin hors de l'eau et à le faire passer par-dessus le parapet arrière, puis ils lâchèrent prise une seconde avant qu'il n'arrive au sol et s'abatte sur le pont, où, à la surprise générale, il revint à la vie, à moitié en tout cas, les balles l'ayant blessé et étourdi, mais non tué. La bête se débattit sur le pont ; tous reculèrent d'un bond, et Pete empoigna un harpon, pivota et flanqua l'hameçon à la tête du requin, faisant gicler le sang sur plusieurs personnes, et les puissantes mâchoires claquèrent, essayant d'attraper Pete. Un autre homme se précipita muni d'un second harpon et enfonça la pointe dans l'œil du requin, tandis qu'un troisième se frayait un chemin dans l'une des blessures par balle ; il y avait du sang partout, de sorte que Colin pensa aux meurtres des Kingman, et tous les hommes en slip de bain furent tachés et zébrés de sang, et le père de Colin cria à chacun de reculer, et bien que Irv lui ait demandé de ne pas tirer en direction du pont, le père de Colin logea une cartouche supplémentaire dans la cervelle de l'animal, qui finit par cesser de remuer, et tous étaient complètement surexcités, parlant et criant en même temps ; ils s'agenouillèrent dans le sang, retournèrent le requin et lui ouvrirent le ventre avec le couteau à entrailles, la chair blanche résista un instant puis céda, et de la longue déchirure se répandit un tas de boyaux putrides et visqueux et de poisson à demi digéré, et ceux qui étaient encore debout acclamèrent tandis que les hommes à genoux barbotaient dans cette fange dégoûtante, en quête de la pièce rare et mythique, de l'alliance, du coffret à cigares ou des fausses dents, riant et blaguant, allant même jusqu'à se lancer du sang à pleines poignées.

Colin trouva soudain la force de bouger, déguerpit à

l'autre bout du bateau, glissa dans le sang, trébucha, faillit tomber et reprit l'équilibre. Puis il s'écarta le plus possible des noceurs en allant loin à l'avant, se pencha par-dessus le parapet et se mit à vomir.

Le temps que Colin ait terminé, son père était là, le dominant, l'image même de la sauvagerie, la peau barbouillée de sang, les cheveux collés par le sang, le regard fou. Sa voix était douce, mais intense : « Qu'est-ce que t'as ? »

— J'avais mal au cœur, répondit Colin d'une voix faible. C'est tout. C'est fini maintenant.

— Putain, qu'est-ce que t'as à la fin ?

— Ça va bien, à présent.

— Essaierais-tu de m'embarrasser ?

— Hein ?

— Comme ça, devant mes amis ?

Colin le dévisagea, incapable de comprendre.

— Ils sont en train de se moquer de toi.

— Eh bien...

— Ils se foutent de toi.

Colin fut pris de vertige.

— Parfois, je me pose des questions à ton sujet, dit son père.

— C'était plus fort que moi. J'ai rendu. J'ai rien pu faire pour m'arrêter.

— Parfois, je me demande si tu *es vraiment* mon fils.

— Si, bien sûr. Bien sûr que oui.

Son père se rapprocha et l'examina, comme s'il cherchait à déceler les traits révélateurs d'un vieil ami ou du laitier. Son haleine empestait.

Whisky et bière.

Et sang.

— Parfois, tu ne te comportes absolument pas en garçon. On a l'impression que tu ne deviendras jamais un homme.

— J'essaie.

— Ah bon ?

— C'est la vérité, répondit Colin avec désespoir.

— Quelquefois, tu te comportes comme une pédale.

— Je suis désolé.

— Comme une saloperie de tantouze.

— Je voulais pas t'embarrasser.
— Est-ce que tu veux te calmer ?
— Oui.
— Tu le veux vraiment ?
— Oui.
— Tu en es capable ?
— Bien sûr.
— Vraiment.
— Evidemment.
— Alors fais-le.
— J'ai besoin d'une ou deux minutes.
— Immédiatement ! Fais-le immédiatement.
— OK.
— Calme-toi.
— Ça va. Ça va bien.
— Tu trembles.
— Non, je tremble pas.
— Tu vas retourner là-bas avec moi ?
— D'accord.
— Et montrer à ces mecs quel fils tu es.
— Je suis ton fils.
— Il faut que tu le prouves, fiston.
— Je le prouverai.
— Tu dois m'en donner la preuve.
— Est-ce que je peux avoir une bière ?
— Quoi ?
— Je crois que peut-être, ça m'aiderait.
— Aider à quoi ?
— Ça me remonterait.
— T'as envie d'une bière ?
— Ouais.
— Ah, voilà qui est mieux !

Frank Jacobs sourit et passa une main pleine de sang dans les cheveux de son fils.

## 15

COLIN s'assit sur un banc près du mur de la cabine, but sa bière à petites gorgées, et se demanda ce qui allait maintenant se passer.

N'ayant rien trouvé d'intéressant dans l'estomac du requin, ils rejetèrent la bête morte par-dessus bord. Elle flotta un moment, puis coula brusquement, ou fut entraîné vers le fond par un poisson au gros appétit.

Les hommes trempés de sang s'alignèrent le long du parapet à tribord, tandis que Irv les arrosait copieusement d'eau de mer. Ils ôtèrent leur slip de bain, qu'ils durent jeter, et se savonnèrent avec des barres de savon jaune et granuleux, tout en faisant des plaisanteries sur leurs organes. Chacun reçut un seau d'eau froide pour se rincer. Ils descendirent en bas pour se sécher et remettre leurs vêtements de ville, et Irv lava le pont à grande eau, évacuant les dernières traces de sang dans les dalots.

Peu après, les hommes firent du tir au pigeon. Charlie et Irv emportaient toujours deux fusils de chasse et un lanceur de cibles à bord du *Erica Lynn* pour distraire le client lorsque le poisson ne mordait pas. Les hommes burent du whisky et de la bière, braillèrent après les disques qui tournoyaient, et oublièrent tout de leur partie de pêche.

Au début, Colin clignait des yeux à chaque grondement de fusil, mais au bout d'un moment, les explosions cessèrent de le déranger.

Un peu plus tard encore, lorsque les hommes furent

lassés de tirer des pigeons d'argile, ils s'attaquèrent aux mouettes qui plongeaient en quête de petits poissons à proximité du *Erica Lynn*. Les oiseaux ne réagirent pas au bruit des coups de feu ; ils continuèrent à chercher leur nourriture et à émettre leurs curieux petits cris perçants, ne se rendant apparemment pas compte qu'on les abattait un par un.

Colin ne fut pas écœuré du massacre, comme cela aurait été le cas auparavant, pas plus que cela ne l'enchanta. Il n'éprouva strictement rien en regardant les oiseaux mourir, et s'interrogea sur son incapacité à réagir. En lui-même, il se sentait froid et parfaitement calme.

Les coups partaient, et les mouettes explosaient en vol. Des milliers de minuscules gouttelettes de sang furent pulvérisées dans l'air doré, telles des perles de cuivre rouge.

A sept heures et demie, ils dirent au revoir à Charlie et Irv, et ils allèrent dans un restaurant du port pour un dîner de darne de langouste. Colin était affamé. Il dévora goulûment tout le contenu de son assiette, sans une pensée pour le requin éventré ou les mouettes.

Bien après le tardif et estival coucher de soleil, son père le ramena à la maison. Comme toujours, Frank conduisait trop vite, sans le moindre égard pour les autres automobilistes.

Arrivés à dix minutes de Santa Leona, Frank Jacobs détourna la conversation des événements de la journée pour aborder des questions plus personnelles. « Tu es content de vivre avec ta mère ? »

La question mit Colin dans une situation difficile. Il ne voulait pas déclencher une discussion. Il haussa les épaules et répondit : « Je suppose. »

— Ce n'est pas une réponse.

— Je veux dire, je suppose que je suis content.

— Tu n'en sais rien ?

— Je suis relativement content.

— Est-ce qu'elle s'occupe bien de toi ?

— Bien sûr.

— Est-ce que tu manges bien ?

— Bien sûr.

— Tu es encore tellement maigre.
— Je mange vraiment bien.
— C'est pas une très bonne cuisinière.
— Elle se débrouille bien.
— Elle te donne suffisamment d'argent de poche ?
— Oh oui.
— Je pourrais t'en envoyer chaque semaine.
— Je n'en ai pas besoin.
— Et si je t'envoyais dix dollars par semaine ?
— Ce n'est pas la peine. J'en ai plein. Je le gaspillerais.
— Tu aimes Santa Leona ?
— C'est sympa.
— Juste sympa ?
— C'est vraiment joli.
— Tes amis de Westwood te manquent ?
— Je n'avais pas d'amis là-bas.
— Evidemment que tu en avais. Je les ai vus une fois. Ce garçon roux et...
— Ce n'était que des mecs de l'école. Des connaissances.
— T'as pas à bluffer avec moi.
— Je ne bluffe pas.
— Je sais qu'ils te manquent.
— Vraiment pas.

Ils firent une embardée à gauche, doublèrent un camion qui avait déjà dépassé la limitation de vitesse, et revinrent beaucoup trop vite sur la voie de droite.

Derrière eux, le chauffeur du camion klaxonnait furieusement.

— Qu'est-ce qui lui prend ? J'ai laissé plein d'espace, n'est-ce pas ?

Colin ne répondit rien.

Frank leva le pied de l'accélérateur. La voiture ralentit de cent à quatre-vingts kilomètres heure.

Le camion corna de nouveau.

Frank donna un grand coup sur le klaxon de la Cadillac, maintenant sa main dessus pendant au moins une minute pour montrer à l'autre conducteur qu'il n'était pas intimidé.

Colin jeta un coup d'œil derrière lui avec inquiétude.

Le gros camion était à moins d'un mètre vingt de leur pare-chocs. Il fit un appel de phares.

— Salopard ! dit Frank. Pour qui il se prend ? Il ralentit à soixante.

Le camion bifurqua sur la voie de dépassement.

Frank déboîta la Cadillac sur la gauche, devant le poids lourd, lui bloquant le passage et le maintenant à soixante.

— Ha ! Ça lui fera les pieds à cet enfoiré ! Ça va le foutre en rogne, hein ?

Le camion klaxonna de nouveau.

Colin transpirait.

Son père se tenait voûté, mains crispées sur le volant. Il montrait les dents ; les yeux écarquillés, son regard allait rapidement de la route au rétroviseur. Il respirait lourdement, presque en reniflant.

Le camion emprunta la voie de droite.

Frank lui coupa de nouveau la route.

Le chauffeur sembla enfin réaliser qu'il avait affaire à un ivrogne ou à un dingue, et qu'une extrême prudence s'imposait. Il ralentit à environ quarante-cinq et resta tranquillement derrière.

— Ça lui apprendra à ce connard ! Il croyait peut-être qu'il avait la route pour lui tout seul ?

Ayant gagné la bataille, Frank accéléra à cent et ils foncèrent dans la nuit.

Colin ferma les yeux.

Ils roulèrent en silence sur quelques kilomètres, puis Frank dit : « Et avec tous tes amis là-bas à Westwood, ça te dirait de revenir vivre avec moi ? »

— Tu veux dire tout le temps ?

— Pourquoi pas ?

— Ben... je suppose que ce serait sympa, répondit Colin, uniquement parce qu'il savait que c'était impossible.

— Je vais voir ce que je peux faire, fiston.

Colin, inquiet, lui lança un regard. « Mais le juge a donné la garde à Maman. Tu as juste le droit de visite. »

— On peut peut-être changer ça.

— Comment ?

— Il y a plusieurs choses qu'on aurait à faire, dont deux ne seraient pas franchement agréables.

— Quoi par exemple ?

— D'abord, il faudrait que tu veuilles témoigner au tribunal pour dire que tu n'es pas heureux avec elle.

— Je serais obligé de faire ça avant qu'ils ne fassent le changement ?

— Je suis pratiquement sûr que tu accepterais.

— Je suppose que t'as raison, répondit Colin, diplomate. Il se détendit quelque peu, n'ayant pas l'intention de raconter ce genre de choses au tribunal.

— Tu aurais le cran de le faire, n'est-ce pas ?

— Bien sûr. Et parce qu'il pouvait être utile de connaître la stratégie de l'ennemi, Colin demanda : « Qu'aurions-nous à faire d'autre ? »

— Eh bien, il faudrait prouver que c'est une mère indigne.

— Mais ce n'est pas son cas.

— Ça, j'en sais rien. J'ai dans l'idée qu'on pourrait la faire inculper de mœurs relâchées à la satisfaction de n'importe quel juge.

— Hein ?

— Cette clique d'artistes, dit Frank d'un air maussade. Ces gens avec qui elle traîne.

— Qu'est-ce qu'ils ont ?

— Ces artistes ont des valeurs différentes de la plupart des gens. Ils en tirent vanité.

— Je ne comprends pas.

— Eh bien... une politique bizarre, l'athéisme, la drogue... les orgies. Ils couchent avec n'importe qui.

— Tu crois que Maman...

— Je m'en veux de le dire.

— Alors ne le dis pas.

— Dans ton intérêt, je dois envisager cette possibilité.

— Elle ne... vit pas comme ça, répondit Colin, bien qu'il n'en fût pas certain.

— Tu dois affronter les choses de la vie, fiston.

— Elle ne vit pas comme ça.

— Elle est humaine. Elle pourrait bien te surprendre. Et ce n'est pas une sainte, ça non.

— Je n'arrive pas à croire que l'on parle de cela.

— Ça vaut la peine d'y réfléchir, d'examiner la question, si ça te fait revenir auprès de moi. Un garçon a besoin de son père quand il grandit. De la présence d'un homme pour lui montrer comment devenir lui-même un homme.

— Mais comment prouverais-tu qu'elle... a fait des choses pareilles ?

— Les détectives privés.

— Tu irais engager une bande de privés pour fourrer leur nez partout où elle va ?

— Je n'ai pas envie d'avoir à le faire. Mais cela risque d'être nécessaire. Ce serait la manière la plus rapide et la plus simple d'avoir des renseignements sur elle.

— Ne fais pas ça.

— Mais ce serait uniquement pour toi.

— Alors abstiens-toi.

— Jc veux que tu sois heureux.

— Je le suis.

— Tu le serais davantage à Westwood.

— Papa, s'il te plaît, je ne pourrais pas être heureux si tu mets une meute de chiens à ses trousses.

Son père fronça les sourcils. « Des chiens ? Qui te parle de chiens ? Ecoute, ces détectives sont des professionnels. Ce ne sont pas des brutes. Ils ne lui feront pas de mal. Elle ne saura même pas qu'ils la filaient. »

— Je t'en prie, ne fais pas ça.

— J'espère que ce n'est pas nécessaire, se borna-t-il à répondre.

Colin pensa à son retour à Westwood, à la vie avec son père, et c'était comme faire un cauchemar les yeux ouverts.

## 16

DIMANCHE matin à onze heures, Roy arriva avec son slip de bain enveloppé dans sa serviette. « Où est ta mère ? »

— Elle est à la galerie.

— Le dimanche ?

— Sept jours sur sept.

— Je pensais avoir l'occasion de la voir en bikini.

— C'est raté.

La maison correspondait à ce que les agents immobiliers appelaient « une propriété locative de première catégorie ». Entre autres, elle comportait un living en contrebas avec une immense cheminée en pierre, trois grandes salles de bains, une cuisine de gastronome, et une piscine de douze mètres de long. Depuis leur installation, ils avaient occupé le living à peine deux heures par semaine, car ils n'avaient pas eu d'invités ; ne recevant pas d'hôtes pour la nuit, ils n'avaient pas de raison d'utiliser la troisième salle de bains ; et des nombreux aménagements de la cuisine, ils ne se servaient que du réfrigérateur et de deux brûleurs de la cuisinière. Seule la piscine valait le loyer.

Colin et Roy firent une course sur une longueur de bassin, s'amusèrent avec des chambres à air et des matelas pneumatiques, jouèrent à aller chercher des pièces au fond, s'aspergèrent, s'éclaboussèrent, et se traînèrent finalement sur le rebord en ciment pour se dorer au soleil.

C'était la première fois que Colin nageait avec Roy, la première fois qu'il le voyait sans chemise — et la première fois qu'il remarquait les horribles marques qui défiguraient son dos. Des entailles et des cicatrices sur la peau s'étendaient à l'oblique de l'épaule droite de l'adolescent jusqu'à sa hanche gauche. Colin essaya de les compter — six, sept, huit, peut-être même dix. Difficile d'en être sûr, car elles se confondaient en deux points. Là où se trouvait de la peau saine entre les vilaines traînées, elle était bien bronzée, mais les cicatrices boursouflées ne brunissaient pas ; elles étaient pâles, lisses et luisantes par endroits, pâles et plissées à d'autres.

— Qu'est-ce qui t'est arrivé ? demanda Colin.

— Hein ?

— Qu'est-ce que tu as dans le dos ?

— Rien.

— Et ces cicatrices ?

— C'est rien.

— Tu n'es pas *né* comme ça !

— C'est juste un accident.

— Quel genre d'accident ?

— C'était il y a très longtemps.

— Tu étais dans une voiture, ou un truc dans ce genre ?

— Je n'ai pas envie d'en parler.

— Pourquoi ?

Roy lui lança un regard furieux. « J'ai dit que je ne voulais pas parler de ces putains de cicatrices ! »

— OK. Bien sûr. Laisse tomber.

— D'ailleurs, j'ai pas de raison à te donner.

— Je ne voulais pas être indiscret.

— Pourtant, tu l'as été.

— Je regrette.

— Ouais. (Roy soupira.) Moi aussi.

Roy se leva et se dirigea vers l'autre bout du bassin. Il resta là quelques instants, tournant le dos à Colin, à regarder le sol fixement.

Se sentant stupide et maladroit, Colin se glissa rapidement dans la piscine, comme s'il désirait se cacher dans l'eau froide. Il nagea avec entrain, essayant de se débarrasser d'un subit trop-plein de tension nerveuse.

Cinq minutes plus tard, lorsque Colin se hissa hors du bassin, Roy maintenant accroupi, se trouvait encore à l'angle du rebord de ciment. Il tâtait du bout du doigt quelque chose dans l'herbe.

— Qu'est-ce que t'as trouvé ? demanda Colin.

Roy était tellement absorbé par ce qu'il faisait qu'il n'entendit pas la question.

Colin alla vers lui et s'accroupit à ses côtés.

— Des fourmis, dit Roy.

A la lisière du ciment se trouvait un monticule de terre poudreuse de la taille d'une tasse. De minuscules fourmis rouges le parcouraient en tous sens de leur allure précipitée.

Avec un large sourire, Roy écrasa les insectes sur le béton. Une douzaine. Deux douzaines. Tandis qu'il les tuait, d'autres fourmis sortirent du monticule et se jetèrent dans son ombre, comme si elles venaient de réaliser brusquement que leur destin ne consistait pas en un labeur stupide dans la fourmilière, mais en une mort sacrificatoire sous les mains d'un dieu-monstre un million de fois plus grand qu'elles.

Roy marquait une pause de temps à autre pour regarder les restes graisseux, couleur rouille, qui tachaient ses doigts. « Y'a pas d'os, dit-il. Elles s'écrabouillent comme ça, avec une simple petite goutte de jus, parce qu'elles ont pas d'os. »

Colin observa.

# 17

APRÈS que Roy eut écrasé un très grand nombre de fourmis et donné un coup de pied dans leur monticule, lui et Colin jouèrent au water-polo avec un ballon de plage bleu et vert. Roy gagna.

Vers trois heures, ils se lassèrent de la piscine. Ils ôtèrent leur maillot de bain et s'assirent dans la cuisine pour manger des cookies au chocolat et boire de la limonade.

Colin vida son verre, mâchonna un morceau de glace, et dit : « Tu as confiance en moi ? »

— Bien sûr.

— Est-ce que j'ai réussi le test ?

— On est frères de sang, n'est-ce pas ?

— Alors dis-moi.

— Te dire quoi ?

— Tu le sais. Le grand secret.

— Je te l'ai déjà dit.

— Ah bon ?

— Je te l'ai dit vendredi soir, quand on a quitté le Pit, avant d'arriver au Fairmont pour voir ce film porno.

Colin hocha négativement la tête. « Si tu me l'as dit, je n'ai pas entendu. »

— T'as entendu, mais t'en as pas voulu.

— Qu'est-ce que c'est que ce langage à double sens ?

Roy haussa les épaules. Il fit tinter le glaçon dans son verre.

— Redis-le-moi, dit Colin. Cette fois-ci, je veux l'entendre.

— Je tue les gens.

— Seigneur ! C'est *vraiment* ça ton grand secret ?

— Ça me paraît un sacré secret.

— Mais c'est un mensonge.

— Suis-je ton frère de sang ?

— Ouais.

— Les frères de sang se mentent-ils ?

— En principe, non, admit Colin. OK. Si t'as tué des gens, ils devaient avoir des noms. Comment s'appelaient-ils ?

— Stephen Rose et Philip Pacino.

— Qui étaient-ils ?

— Des gosses.

— Des amis ?

— Ils auraient pu l'être s'ils l'avaient voulu.

— Pourquoi tu les as tués ?

— Ils refusaient d'être mes frères de sang. Après ça, je ne pouvais plus leur faire confiance.

— Tu veux dire que tu m'aurais tué si je n'avais pas voulu qu'on échange nos sangs ?

— Peut-être.

— Mon cul !

— Si ça te fait plaisir de le croire.

— Où les as-tu tués ?

— Ici, à Santa Leona.

— Quand ?

— J'ai eu Phil l'été dernier, le premier jour du mois d'août, le lendemain de son anniversaire, et j'ai agrafé Steve Rose l'été d'avant.

— Comment ?

Roy sourit d'un air rêveur et ferma les yeux, comme s'il le revivait en pensée. « J'ai poussé Steve de la falaise de Sandman's Cove. Il a heurté les rochers tout en bas. T'aurais dû le voir rebondir. Quand ils l'ont remonté le lendemain, il était tellement amoché que même son vieux a pas pu l'identifier. »

— Et l'autre... Phil Pacino ?

— On était chez lui, en train de construire une maquette d'avion. Ses parents étaient absents. Il n'avait ni frères ni sœurs. Personne ne savait que j'étais là. C'était l'occasion rêvée, alors j'ai fait gicler de l'essence à briquet sur sa tête et je l'ai allumé.

— Seigneur !

— Dès que j'ai pu m'assurer qu'il était mort, j'ai foutu le camp. Toute la maison brûlait. C'était vraiment l'éclate. Deux jours plus tard, le capitaine des pompiers a déterminé que Phil avait mis le feu en jouant avec des allumettes.

— Tu es en train de m'en raconter une bien bonne.

Roy ouvrit les yeux, mais ne parla pas.

Colin emporta les assiettes et les verres dans l'évier, les lava et les empila dans l'égouttoir. Ce faisant, il dit : « Tu sais Roy, avec ton imagination, tu devrais peut-être écrire des romans d'horreur quand tu seras grand. Tu te ferais ton beurre avec ça. »

Roy ne fit pas un geste pour l'aider à nettoyer. « T'es en train de dire que tu continues de croire que je joue à une espèce de jeu avec toi ? »

— Bon, tu as inventé deux noms...

— Steve Rose et Phil Pacino ont existé pour de vrai. Tu peux facilement vérifier. Tu n'as qu'à aller à la bibliothèque et consulter les anciens numéros du *News Register*. Tu pourras tout lire sur la façon dont ils sont morts.

— Peut-être que je le ferai.

— Peut-être que tu devrais.

— Mais même si ce Steve Rose est bel et bien tombé du haut de la falaise à Sandman's Cove, et même si Phil Pacino est mort brûlé vif dans sa propre maison — ça ne prouve rien. Rien du tout. Dans les deux cas, ça a pu être des accidents.

— Alors pourquoi essaierais-je de m'en attribuer le mérite ?

— Pour que ton histoire de tueur paraisse plus réaliste. Pour que j'y croie. Pour me faire une espèce de blague.

— Ce que tu peux être têtu.

— Et toi, donc !

— Que te faut-il pour t'obliger à affronter la vérité ?

— Je connais déjà la vérité, répondit Colin. Il termina la vaisselle et s'essuya les mains à un torchon à carreaux rouge et blanc.

Roy se leva et alla à la fenêtre. Il regarda la piscine tachetée de soleil. « Je pense que la seule façon de te convaincre pour de bon est de tuer quelqu'un. »

— Ouais. Bonne idée !

— Tu crois que je ne le ferai pas ?

— Je sais que tu ne le feras pas.

Roy se tourna vers lui. Le soleil pénétrait à flots par la fenêtre, inondant un côté du visage de Roy, laissant l'autre dans l'ombre et rendant son œil encore plus férocement bleu. « Es-tu en train de me défier de tuer quelqu'un ? »

— Oui.

— Mais si je le fais, la moitié de la responsabilité t'en incombera.

— D'accord.

— Ça marche comme ça ?

— Ça marche comme ça.

— Ça ne te dérange pas de finir en prison ?

— Non. Parce que tu ne le feras pas.

— Y a-t-il une personne en particulier dont tu voudrais que je m'occupe, que tu aimerais voir morte ?

Colin sourit à présent convaincu que ce n'était qu'un jeu. « Personne en particulier. Qui tu voudras. Pourquoi ne pas choisir un nom dans l'annuaire ? »

Roy se tourna de nouveau vers la fenêtre.

Colin s'appuya contre le comptoir et attendit.

Au bout d'un moment, Roy regarda sa montre et dit : « Il faut que je rentre à la maison. Mes parents vont dîner chez mon oncle Marlon. C'est un vrai connard. Mais je dois y aller avec eux. »

— Attends une minute ! Tu peux pas changer de sujet si facilement, et t'en tirer comme ça. Nous parlions de celui que tu allais tuer.

— Je n'essayais pas de m'en tirer.

— Alors ?

— Je dois y réfléchir un peu.

— Ouais. Pendant une cinquantaine d'années.

— Non. Dès demain, je te dirai qui ce sera.

— Je ne te lâcherai pas.

Roy acquiesça d'un air sombre. « Et une fois que je serai en marche, tu ne pourras plus m'arrêter. »

# 18

DIMANCHE soir, Weezy Jacobs avait un rendez-vous important pour le dîner. Elle donna de l'argent à Colin pour aller manger au Charlie's Café, et lui fit un court sermon sur l'importance de commander un plat plus nutritif qu'un cheese-burger huileux et des frites.

Colin s'arrêta en chemin chez Rhinehart's, un grand drugstore à un bloc du café. Rhinehart's possédait un important rayon de livres de poche. Colin passa les titres en revue, en quête de science-fiction intéressante et de romans sur le surnaturel.

Il se rendit bientôt compte qu'une jolie fille, à peu près de son âge, s'était dirigée vers les étagères à quelques mètres. Il y avait deux rayonnages de livres au-dessus des poches, et ces titres étaient rangés sur le côté au lieu d'avoir leur couverture apparente ; c'est ceux-là qu'elle regardait, la tête inclinée afin de pouvoir en lire la tranche. Elle portait un short, et il observa ses belles jambes minces. Elle avait un cou gracieux, et des cheveux dorés.

Elle s'aperçut qu'il la dévisageait, leva les yeux et sourit. « Salut ! »

Il sourit en retour. « Salut ! »

— Tu es un ami de Roy Borden, n'est-ce pas ?

— Comment le sais-tu ?

Elle pencha de nouveau légèrement la tête, comme s'il était un autre livre sur l'étagère dont elle aurait cherché à lire le titre. Elle répondit : « Tous les deux, vous êtes presque comme des frères siamois. Je n'en vois pratiquement jamais un sans l'autre. »

— Tu me vois, moi, en ce moment.

— Tu es nouveau en ville.

— Ouais. Depuis le premier juin.

— Comment tu t'appelles ?

— Colin Jacobs. Et toi ?

— Heather.

— C'est joli.

— Merci.

— Heather quoi ?

— Promets-moi que tu ne vas pas rire.

— Hein ?

— Promets que tu ne vas pas te moquer de mon nom.

— Pourquoi est-ce que je me moquerais de ton nom ?

— C'est Heather Lipshitz.

— Non.

— Si. Ce serait déjà dur si c'était Zelda Lipshitz. Ou Sadie Lipshitz. Mais Heather Lipshitz c'est pire, parce que les deux ne vont pas ensemble, et que le premier attire l'attention sur le deuxième. Mais tu n'as pas ri.

— Bien sûr que non.

— Ça fait rire presque tous les gosses.

— Ce sont presque tous des idiots.

— Tu aimes lire ? demanda Heather.

— Ouais.

— Qu'est-ce que tu lis ?

— De la science-fiction. Et toi ?

— Presque tout. J'ai lu un peu de science-fiction. *En terre étrangère.*

— C'est un grand livre.

— Tu as vu *La guerre des étoiles ?* demanda-t-elle.

— Quatre fois. Et six fois *Rencontres du troisième type.*

— Et *Alien,* tu l'as vu ?

— Ouais. T'aimes les films comme ça ?

— Bien sûr. Quand il y a un vieux Christopher Lee à la télé, on ne peut pas m'arracher de l'écran.

Il était stupéfait. « Tu aimes vraiment les films d'épouvante ? »

— Plus ça fait peur, plus j'aime. (Elle regarda sa

montre.) Bon, il faut que je rentre pour dîner. Ça m'a fait vraiment plaisir de bavarder avec toi, Colin.

Comme elle faisait mine de tourner les talons, Colin l'arrêta. « Euh... attends une seconde. » Elle le regarda, et il se mit à danser gauchement d'un pied sur l'autre. « Euh... il y a un nouveau film d'horreur qui passe cette semaine au Baronet. »

— J'ai vu la bande-annonce.

— Ça t'a semblé bien ?

— Ça se pourrait.

— Est-ce que tu... eh bien... je veux dire... tu crois que...

Elle sourit. « Ça me ferait plaisir. »

— Tu veux bien ?

— Evidemment.

— Bon... je t'appelle ou quoi ?

— Appelle-moi.

— Quel est ton numéro ?

— Il est dans l'annuaire. Crois-le si tu veux, nous sommes les seuls Lipshitz de la ville.

Il sourit. « Je te téléphone demain. »

— D'acord.

— Si ça ne pose pas de problème.

— Non, non.

— Salut.

— Au revoir, Colin.

Il la regarda sortir du magasin. Son cœur battait la breloque.

Seigneur.

Une chose étrange était en train de lui arriver. Sûrement. Sûrement. Jusqu'à présent, il n'avait jamais pu parler comme ça à une fille — ou à une fille comme elle. Habituellement, dès le début, il ne parvenait pas à sortir un mot et toute la conversation était dans le lac. Mais pas cette fois-ci. Il s'était montré beau parleur. Grâce à Dieu, il lui avait même fixé rendez-vous ! Son premier rendez-vous. Quelque chose était sûrement en train de lui arriver.

Mais quoi ?

Et pourquoi ?

Quelques heures plus tard, allongé dans son lit,

écoutant une station de radio de Los Angeles, incapable de dormir, Colin pensa à tous les merveilleux faits nouveaux de sa vie. Avec un ami aussi formidable que Roy, une position importante de manager d'équipe, et une fille aussi jolie et aussi chouette que Heather — que pouvait-il demander de plus ?

Il n'avait jamais été aussi heureux.

Roy représentait ce qu'il y avait de plus important dans sa nouvelle vie, évidemment. Sans Roy, Coach Molinoff ne lui aurait jamais prêté attention, et il n'aurait jamais pu obtenir le job de manager de l'équipe junior universitaire. Et sans l'influence libératrice de Roy, il n'aurait très probablement jamais eu le culot de demander un rendez-vous à Heather. Et de plus, elle ne lui aurait vraisemblablement même pas dit bonjour s'il n'avait pas été le copain de Roy. N'était-ce pas là la première chose qu'elle lui avait dite ? *Tu es un ami de Roy Borden, n'est-ce pas ?* S'il n'avait pas été un ami de Roy, elle ne lui aurait sans doute pas même accordé un second regard.

Mais elle *l'avait* regardé.

*Et* elle avait accepté de sortir avec lui.

La vie était belle.

Il repensa aux histoires étranges de Roy. Le chat dans la cage à oiseaux. Le garçon brûlé par de l'essence à briquet. Il savait que ce n'était que des bobards. Des tests. Roy le mettait à l'épreuve. Il chassa de son esprit le chat et le garçon brûlé. Il n'allait pas se laisser gâcher sa bonne humeur par ces histoires stupides.

Il ferma les yeux et s'imagina en train de danser avec Heather dans une somptueuse salle de bal. Il portait un smoking. Elle était en robe rouge. Il y avait un lustre en cristal. Ils dansaient si bien ensemble qu'ils semblaient flotter.

# 19

LUNDI en début d'après-midi, Colin était à son bureau dans sa chambre à coucher, à assembler une maquette de Lon Chaney dans *Le fantôme de l'Opéra.* Lorsque le téléphone sonna, il dut courir dans la chambre de sa mère pour y répondre, car il n'avait pas de poste personnel.

C'était Roy. « Colin, il faut que tu viennes immédiatement. »

— Où ça ?

— Chez moi.

Colin regarda le réveil à cristaux liquides sur la table de nuit : 1 h 5. « On était censés se retrouver à deux heures. »

— Je sais. Mais tu dois venir immédiatement.

— Pourquoi ?

— Mes parents ne sont pas là, et il y a ici quelque chose qu'il faut absolument que tu voies. Je peux pas t'en parler au téléphone. Il faut que tu viennes maintenant, tout de suite, le plus vite possible. Grouille-toi !

Roy raccrocha.

Le jeu continue, se dit Colin.

Dix minutes plus tard, Colin sonnait chez les Borden.

Roy ouvrit la porte. Il était rouge et tout excité.

— Qu'est-ce qui se passe ? demanda Colin.

Roy le tira à l'intérieur et claqua la porte. Ils restèrent dans l'entrée. Le living immaculé s'ouvrait devant eux. Le soleil filtrait à travers les rideaux vert émeraude, emplissant la pièce d'une lumière froide qui donna à Colin l'impression d'être tout au fond de la mer.

— Je veux que tu mates Sarah un bon coup, dit Roy.

— Qui ça ?

— Je t'ai parlé d'elle vendredi soir, lorsqu'on était sur les marches de la plage sur la palissade, juste avant qu'on se sépare. C'est elle la fille, celle qui est suffisamment belle pour être dans un film porno, celle avec qui on doit pouvoir trouver un moyen de baiser.

Colin cligna des paupières. « Tu l'as amenée *ici ?* »

— Pas exactement. Viens en haut. Tu verras.

Colin n'était jamais entré dans la chambre de Roy, et il fut surpris. Elle ne ressemblait pas à une chambre d'adolescent ; en fait, elle ne ressemblait pas à un endroit où quiconque, enfant ou adulte, vivait réellement. Le poil du tapis était aussi droit que si l'on venait tout juste de passer l'aspirateur. Le mobilier de pin foncé était soigneusement astiqué ; Colin n'y vit pas la moindre entaille ou éraflure, et put apercevoir son propre reflet. Pas de poussière. Ni saleté. Aucune trace de doigt autour de l'interrupteur. Le lit était impeccablement fait, les côtés aussi droits et les coins aussi bien bordés que ceux d'une couchette de caserne militaire. En plus des meubles, il remarqua un gros dictionnaire rouge et les volumes uniformes d'une encyclopédie. Mais rien d'autre. Absolument rien d'autre. Pas de bibelots, de maquettes d'avions, de bandes dessinées, d'équipement de sport, rien qui indiquât que Roy avait des hobbies, ou même des quelconques centres d'intérêts humains et normaux. La pièce était manifestement le miroir de la personnalité de Mrs Borden, et non pas de celle de son fils.

Aux yeux de Colin, le plus curieux était l'absence totale de décoration sur les murs. Aucun tableau, aucune photo. Pas le moindre poster. En bas dans l'entrée, dans le living, et sur les murs le long de l'escalier, il y avait deux toiles, une aquarelle, et quelques gravures bon marché, mais là, les murs étaient nus et blancs. Colin eut l'impression de se trouver dans la cellule d'un moine.

Roy le conduisit à la fenêtre.

A moins de quinze mètres, dans la cour de la maison

voisine, une femme prenait un bain de soleil. Vêtue d'un bikini blanc, elle était allongée sur un drap de bain rouge étalé sur un lit pliant. Des petits tampons d'ouate protégeaient ses yeux du soleil.

— C'est vraiment une super gonzesse, dit Roy.

Les bras le long du corps, paumes tournées vers le ciel, elle paraissait être en prière. Elle était bronzée, maigre, et bien faite.

— C'est Sarah ? demanda Colin.

— Sarah Callahan. Elle habite la maison d'à côté. Roy ramassa une paire de jumelles par terre sous la fenêtre. « Tiens. Regarde-la de plus près. »

— Et si elle me voit ?

— Elle te verra pas.

Il prit les jumelles, les régla à sa vue et trouva la femme. Si elle avait réellement été aussi près qu'elle sembla soudain l'être, elle aurait senti son souffle sur sa peau.

Sarah était belle. Même au repos, ses traits étaient promesse d'une grande sensualité. Ses lèvres étaient pleines, charnues ; elle se les humecta tandis qu'il l'observait.

Colin fut envahi par un curieux sentiment de puissance ; il touchait et caressait Sarah Callahan en pensée, sans qu'elle s'en rendît compte. Ses jumelles étaient ses lèvres, sa langue et ses doigts, la sentant et la goûtant, l'explorant, profanant subrepticement l'inviolabilité de son corps. Il expérimentait une douce synesthésie ; comme par magie, ses yeux semblaient posséder d'autres sens que la vue. Grâce à eux, il respirait son épaisse chevelure blonde et saine ; il sentait le grain de sa peau, la souplesse de sa chair, la douce rondeur de ses seins, et la chaleur humide et musquée de la pliure de ses cuisses. De ses yeux, il embrassait son ventre incurvé et goûtait les perles salées de transpiration qui l'entouraient telle une ceinture ornée de bijoux. L'espace de quelques instants, Colin eut l'impression qu'il pouvait lui faire tout ce qu'il voulait ; il avait une complète immunité. Il était l'homme invisible.

— Ça te dirait de te la faire ? demanda Roy.

Colin finit par baisser ses jumelles.

— T'as envie d'elle ? demanda Roy.
— Qui n'en aurait pas envie ?
— Tu peux l'avoir.
— Tu es en plein rêve.
— Son mari travaille toute la journée.
— Et alors ?
— Elle est à peu près seule là-bas.
— Comment ça, « à peu près ? »
— Elle a un gamin de cinq ans.
— Alors elle n'est pas seule du tout.
— Le gosse ne nous posera pas de problème.
Colin savait que Roy jouait encore, mais cette fois-ci, il décida de rentrer dans le jeu. « Quel est ton plan ? »
— On y va et on frappe à la porte. Elle me connaît. Elle ouvrira.
— Et ensuite ?
— A nous deux, on peut la tenir. On la pousse à l'intérieur, et on la renverse par terre. Je mettrai un couteau sous sa gorge.
— Elle va crier.
— Pas avec un couteau sous la gorge.
— Elle croira que tu bluffes.
— Si c'est ce qu'elle croit, je l'entaillerai un petit peu pour lui montrer qu'on rigole pas.
— Et le gosse ?
— J'aurai immobilisé Sarah, tu pourras donc attraper le môme et l'attacher.
— Avec quoi je l'attacherai ?
— On emportera de la corde à linge.
— Une fois qu'il sera plus dans nos jambes, qu'est-ce qui se passera ?
Roy sourit. « Ensuite on la déshabille, on l'attache au lit et on la baise. »
— Et tu t'imagines qu'elle ne va pas aller raconter à tout le monde ce qu'on lui a fait ? »
— Naturellement, quand on aura fini avec elle, il faudra qu'on la tue.
— Et le gosse aussi ?
— C'est un sale petit môme. Ça me fera vraiment très plaisir de le zigouiller.
— C'est pas une bonne idée. Laisse tomber.

— Hier, tu m'as mis au défi de tuer quelqu'un. Et aujourd'hui, l'idée t'effraie.

— Et tu oses dire ça !

— Comment ça ?

Colin soupira. « Tu t'es couvert en mettant au point un plan qui ne peut pas marcher. T'as cru que j'allais te casser ta baraque, pour qu'après tu puisses dire : " Eh bien, je voulais prouver que j'étais capable de tuer quelqu'un, mais Colin s'est arrangé pour que je me dégonfle. " »

— Qu'est-ce qui ne va pas dans mon plan ?

— D'abord, tu es son voisin.

— Et alors ?

— Les flics te soupçonneront immédiatement.

— Moi ? Je ne suis qu'un gosse de quatorze ans.

— C'est suffisant pour être suspect.

— Tu crois vraiment ?

— Evidemment.

— Eh bien... tu pourrais me donner un alibi. Jurer que j'étais chez toi quand on l'a assassinée.

— Comme ça ils nous soupçonneront tous les deux.

Roy regarda longuement Sarah Callahan. Il finit par se détourner de la fenêtre et se mit à faire les cent pas. « Ce qu'il faudrait qu'on fasse, c'est laisser des indices qui détournent leur attention de nous. Les mettre sur une fausse piste. »

— Tu réalises le genre de matériel de laboratoire qu'ils possèdent ? Ils peuvent remonter jusqu'à toi par un simple cheveu, un fil, pratiquement n'importe quoi.

— Mais si on la zigouille de telle façon qu'ils n'iront jamais penser que ce sont des gosses qui l'ont fait...

— Comment ?

Roy continua de déambuler. « On ferait ressembler ça au crime d'un fou furieux, d'un maniaque sexuel. On la poignarderait une centaine de fois. On lui couperait les oreilles. On découperait joliment le marmot, aussi, et on utiliserait le sang pour écrire un tas de trucs dingues sur les murs.

— T'es vraiment dégueulasse.

Roy s'arrêta et le dévisagea durement. « Qu'est-ce que t'as ? Le sang, ça te rend chochotte ? »

Colin avait mal au cœur, mais essaya de ne pas le montrer. « Même si tu arrivais de cette façon à mettre les flics sur une fausse piste, il y a plein d'autres choses qui ne collent pas dans ton plan. »

— Quoi par exemple ?

— Quelqu'un nous verra entrer chez les Callahan.

— Qui ça ?

— Peut-être quelqu'un qui sort les poubelles. Ou qui nettoie les vitres. Ou tout simplement qui passe en voiture.

— On utilisera donc la porte de derrière.

Colin jeta un coup d'œil par la fenêtre. « Il me semble que ce mur fait tout le tour de la propriété. Il faudra entrer par l'allée centrale et contourner la maison pour arriver à la porte de derrière. »

— Non. On pourra escalader le mur en une minute.

— Si quelqu'un nous voit, il s'en souviendra certainement. Et les empreintes digitales, une fois dans la maison ?

— On portera des gants, évidemment.

— Tu veux dire qu'on va se pointer avec des gants par vingt-cinq degrés, avec des mètres de corde et un couteau — et qu'elle va nous laisser entrer sans hésitation ?

Roy commençait à s'impatienter. « Quand elle ouvrira la porte, on fera tellement vite qu'elle n'aura pas le temps de réaliser que quelque chose ne tourne pas rond. »

— Et si oui ? Si elle est plus rapide que nous ?

— Elle ne le sera pas.

— En tout cas, c'est une possibilité à envisager, insista Colin.

— OK. J'y ai réfléchi, et j'ai décidé qu'il n'y avait pas à s'inquiéter.

— Autre chose. Si elle ouvre la porte intérieure, mais pas la porte extérieure ?

— Alors on l'ouvrira nous-mêmes. Où est le problème ?

— Et si elle est verrouillée ?

— Seigneur !

— Bon, il faut s'attendre au pire.

— D'accord, d'accord. Ce n'est pas une bonne idée.

— C'est ce que je disais.

— Mais je n'y renonce pas.

— Je n'ai pas envie que tu y renonces. Le jeu m'amuse beaucoup.

— Tôt ou tard, je trouverai la bonne organisation. Et quelqu'un à tuer. Tu peux me croire.

Ils regardèrent chacun leur tour Sarah Callahan avec les jumelles pendant quelques minutes.

Un peu plus tôt, Colin avait été impatient de parler d'Heather à Roy. Mais à présent, pour des raisons qu'il ne pouvait définir tout à fait, il sentait que ce n'était pas le moment. Dans l'immédiat, Heather allait être son petit secret.

Lorsque Sarah Callahan eut terminé son bain de soleil, Colin et Roy descendirent au garage, et passèrent leur après-midi du lundi avec les trains. Roy manigança des déraillements compliqués, riant nerveusement chaque fois que les voitures basculaient des rails.

Cette nuit-là, Colin téléphona à Heather, et elle accepta d'aller au cinéma le mercredi. Ils bavardèrent pendant près de quinze minutes. En raccrochant, finalement, Colin eut la sensation que son bonheur était une lueur visible, qui irradiait de lui en un halo doré ; il rayonnait.

# 20

COLIN et Roy passèrent une partie de la journée du mardi à la plage, à se faire bronzer et à regarder les filles ; Roy semblait s'être désintéressé de son jeu macabre ; il ne prononça pas un seul mot sur un éventuel assassinat.

A deux heures et demie, Roy se leva et brossa le sable de ses jambes nues et de son short en jean. Il avait décidé qu'il était temps de retourner en ville. « Je veux m'arrêter à la galerie de ta mère. »

Colin cligna des paupières. « Pour quoi faire ? »

— Pour regarder les tableaux, naturellement.

— Pourquoi ?

— Parce que je m'intéresse à la peinture, ballot.

— Depuis quand ?

— Depuis toujours.

— Tu ne l'avais jamais dit.

— Tu ne l'avais jamais demandé.

Ils revinrent en ville à vélo et se garèrent sur le trottoir devant la galerie.

Quelques flâneurs se trouvaient à l'intérieur. Ils allaient lentement d'une toile à l'autre.

L'associée de Weezy, Paula, était assise au grand bureau ancien dans l'angle à droite de la pièce, là où l'on inscrivait les ventes. C'était un petit bout de femme, couverte de taches de rousseur, avec des cheveux auburn brillants et de grosses lunettes.

Weezy circulait parmi les visiteurs, se proposant de

répondre à toute question qu'ils pourraient poser sur les tableaux. Lorsqu'elle aperçut Colin et Roy, elle se dirigea droit sur eux, souriant d'un air guindé. Colin remarqua tout de suite qu'elle considérait que deux garçons plein de sable et de sueur, torse nu et en jean coupé, ne contribuaient pas précisément à la bonne marche des affaires.

Avant que Weezy n'ait pu leur demander ce qu'ils voulaient, Roy désigna un grand tableau de Mark Thornberg, et dit : « Mrs Jacobs, cet artiste est génial. Vraiment. Son œuvre a beaucoup plus de profondeur que les croûtes bidimensionnelles que produisent la plupart des peintres en vogue. Le détail est vraiment présent. Ouah ! Je veux dire, on dirait presque qu'il a essayé d'adapter le style des vieux maîtres flamands à un point de vue plus moderne. »

Weezy était surprise par les observations de Roy.

Colin était surpris, aussi. Plus que surpris. Abasourdi. Profondeur ? Bidimensionnel ? Maîtres flamands ? Il regarda Roy, bouche bée, stupéfait.

— Tu t'intéresses à l'art ? demanda Weezy.

— Oh oui, répondit Roy. J'ai l'intention de passer une licence d'arts plastiques quand j'irai à l'université. Mais j'ai encore quelques années devant moi.

— Est-ce que tu peins ?

— Un peu. Principalement des aquarelles. Mais je ne suis pas très doué.

— Je parie que tu es modeste, dit Weezy. Après tout, tu as apparemment une réelle compréhension de l'art — et un œil excellent. Tu es allé directement au cœur de ce que Mark Thornberg essaie d'atteindre.

— C'est vrai ?

— Oui. C'est stupéfiant. Surtout pour quelqu'un de ton âge. Mark cherche effectivement à saisir le détail minutieux et la technique en trois dimensions des maîtres flamands, et d'associer ces qualités à une sensibilité et un contenu actuels.

Roy regarda les autres toiles de Thornberg sur le même mur que la première. « Je crois déceler une influence de... Jacob DeWitt », dit-il.

— Exactement ! répondit Weezy, étonnée. Mark est

un grand admirateur de DeWitt. Tu as une véritable connaissance artistique. Tu es vraiment remarquable !

Roy et Weezy allaient d'un tableau de Thornberg à l'autre, passant quelques minutes devant chacun d'eux, discutant les mérites de l'artiste. Colin traînait derrière, exclus, gêné de son ignorance — et déconcerté par les connaissances techniques inattendues et la brillante perception de Roy.

La toute première fois où Weezy avait rencontré Roy, elle avait eu une impression favorable. Elle avait dit à Colin à quel point, et insinué qu'un garçon bien comme Roy Borden, constituait une meilleure fréquentation que les quelques rats de bibliothèque et les déchets sociaux avec qui il avait précédemment noué des relations ténues. Elle n'avait pas semblé se rendre compte que lui aussi, était un rat de bibliothèque et un déchet social, et que ses paroles l'avaient blessé. Pour l'instant, elle était intriguée par l'intérêt de Roy pour les beaux-arts. Colin voyait le plaisir dans ses yeux. Roy savait être charmant sans jamais paraître faux, insincère. Il pouvait gagner l'estime de pratiquement n'importe quel adulte — même de ceux qu'il méprisait secrètement.

Dans un accès de jalousie, Colin pensa : « *Elle l'approuve davantage que moi. La façon dont elle le regarde ! M'a-t-elle jamais regardé comme ça ? Ça non, alors. La salope !* »

L'intensité de sa colère subite le surprit et le dérouta. Comme Weezy et Roy regardaient la dernière des toiles de Thornberg, Colin lutta pour reprendre son sang-froid.

Quelques minutes plus tard, à la sortie de la galerie, comme lui et Roy enfourchaient les bicyclettes, Colin demanda : « Pourquoi ne m'as-tu jamais dit que tu t'intéressais à l'art ? »

Roy ricana : « Parce que je ne m'intéresse *pas* à l'art. Tout ça c'est de la merde. C'est bien trop chiant. »

— Mais tout ce que t'as raconté là-dedans...

— Je savais que ta mère sortait avec ce Thornberg et exposait ses tableaux à la galerie. Je suis allé à la bibliothèque voir si je pouvais trouver des trucs sur lui. Ils sont abonnés à plusieurs revues d'art. *California Artist* a publié un article sur Thornberg il y a près d'un an. Je l'ai simplement lu pour m'informer.

— Pourquoi ? demanda Colin, perplexe.

— Pour impressionner ta mère.

— Pourquoi ?

— Parce que je veux qu'elle m'apprécie.

— Tu t'es donné tout ce mal uniquement pour que ma mère t'apprécie ? C'est si important pour toi ?

— Bien sûr. Il ne faut pas qu'elle se mette dans la tête que j'ai une mauvaise influence sur toi. Elle risquerait de t'interdire de me revoir.

— Pourquoi penserait-elle que tu as une mauvaise influence ?

— Les adultes ont parfois de drôles d'idées.

— Oui, mais elle ne me dira jamais de ne pas traîner avec toi. Elle pense que tu as une *bonne* influence.

— Ouais ?

— Ouais.

— Eh bien alors, mon petit numéro aura été une assurance supplémentaire.

Roy s'éloigna en pédalant très vite.

Colin hésita, puis le suivit. Il était persuadé qu'il y avait plus derrière le « petit numéro » de Roy que ce que le garçon voulait bien dire. Mais quoi ? Où Roy avait-il vraiment voulu en venir ?

## 21

WEEZY ne pouvait pas rentrer à la maison mardi soir ; elle dînait avec un associé de l'affaire. Elle donna de l'argent à Colin pour qu'il retourne manger au Charlie's Café, et il emmena Roy avec lui.

Après les cheese-burgers et les milk-shakes, Colin proposa : « Tu veux voir un film ? »

— Où ?

— Il y en a un bien à la télé.

— C'est quoi ?

— *L'ombre de Dracula.*

— Pourquoi tu veux regarder des conneries pareilles ?

— C'est pas des conneries. Il a eu de bonnes critiques.

— Les vampires, ça n'existe pas, dit Roy.

— Peut-être que si. Peut-être pas.

— Il n'y a pas de peut-être. Absolument pas. Les vampires... c'est de la blague.

— Mais ça fait des films d'épouvante.

— C'est chiant.

— Pourquoi ne pas lui donner une chance ?

Roy soupira et secoua la tête. « Comment peux-tu avoir peur de quelque chose qui n'existe pas ? »

— Il te suffit de faire fonctionner un peu ton imagination.

— Pourquoi irais-je *imaginer* des trucs effroyables alors qu'il y a tant de choses véritables dont on peut avoir peur ?

Colin haussa les épaules. « OK. Alors tu ne veux pas regarder le film ? ».

— D'ailleurs, j'ai quelque chose de prévu pour plus tard.

— Quoi ?

Roy le regarda à la dérobée. « Tu verras. »

— Ne fais pas de mystères. Dis-moi.

— En temps voulu.

— Quand ?

— Oh... à huit heures.

— Qu'est-ce qu'on va faire en attendant ?

Ils descendirent Central Avenue jusqu'au port de plaisance, attachèrent leurs vélos dans un parking, et explorèrent le dédale de boutiques et les attractions du quai. Ils déambulèrent parmi des essaims de touristes bourdonnants, en quête de jolies filles en short ou en bikini.

Dans la baie, des mouettes planaient et piquaient sur l'eau. Avec des cris perçants et tristes, elles s'élevaient et redescendaient, allaient et venaient, cousant ensemble le ciel, la terre, et l'eau.

Colin trouva que le port était beau. Le soleil couchant pénétrait à flots entre les nuages blancs éparpillés, semblant s'étendre en flaques de bronze miroitantes sur l'eau. Sept petits bateaux voguaient en formation, serpentant vers le large entre les eaux protégées. Le soir était baigné de cette lumière californienne particulière, parfaitement claire, mais qui semblait en même temps revêtue d'une substance singulière, comme si on regardait le monde à travers une multitude de feuilles de cristal coûteux et excessivement poli.

A présent, le port semblait l'endroit le plus sûr et le plus accueillant du monde, mais Colin était affligé de la capacité de voir à quel point il allait s'enlaidir d'ici une heure ou deux. Il se le représentait en pensée la nuit — la foule partie, les magasins fermés, et pour seule lumière celle des quelques lampadaires du quai. Aux heures les plus tardives, l'unique bruit serait la voix des ténèbres : le clapotis continuel de l'eau contre les pilotis sombres, le grincement des bateaux amarrés, le sinistre bruissement des ailes des mouettes se disposant à dormir, et ce perpétuel courant sous-marin de chuchotements démoniaques que la majorité des êtres ne pouvait entendre. Il savait que le mal s'insinuerait dès la fin du jour. Dans les ombres solitaires, une chose hideuse monterait des eaux et enlèverait le passant imprudent ; une chose écailleuse et visqueuse, aux appétits horribles et insatiables, avec des dents comme un rasoir et des mâchoires puissantes à même de déchiqueter un homme.

Incapable de chasser cette image de film d'épouvante, Colin réalisa soudain qu'il ne pouvait plus profiter de la beauté ambiante. C'était comme si en regardant une jolie fille, il voyait en elle, malgré lui, le cadavre pourrissant qu'elle deviendrait un jour.

Parfois il se demandait s'il était fou.

Parfois, il se détestait.

— Il est huit heures, dit Roy.

— Où va-t-on ?

— Contente-toi de me suivre.

Roy en tête, ils pédalèrent jusqu'à l'extrémité orientale de Central Avenue, puis continuèrent toujours vers l'est en direction de Santa Leona Road. Arrivés dans les collines surplombant la ville, ils tournèrent sur un étroit chemin cendré, le longèrent jusqu'au flanc d'une gorge et remontèrent de l'autre côté. De part et d'autre de la piste poussiéreuse, des fleurs des champs brillaient, telles des flammes rouges et bleues dans les hautes herbes sèches.

Le soleil couchant était presque au-dessus d'eux ; et à cette proximité de la mer, il ne restait qu'une quinzaine de minutes avant l'heure du crépuscule. La nuit allait vite prendre possession de la terre. Où qu'ils aillent, il leur faudrait repartir dans l'obscurité. Et Colin n'aimait pas ça.

Revenus sur une hauteur, ils franchirent une courbe ombragée par plusieurs eucalyptus. Le sentier s'arrêtait à une cinquantaine de mètres au-delà du tournant, au milieu d'un cimetière de voitures.

— Voici la maison d'Ermite Hobson, dit Roy.

— Qui est-ce ?

— Il vivait ici.

Une construction d'un étage en planches à clin, plus

cabane que maison, donnait sur deux cents épaves de voitures ou plus, qui recouvraient quelques acres du sommet herbeux de la colline.

Ils garèrent leurs vélos devant la cabane.

— Pourquoi l'appelle-t-on « Ermite ? » demanda Colin.

— C'est ce qu'il était. Il vivait ici tout seul, et n'aimait pas les gens.

Un lézard bleu-vert d'une dizaine de centimètres rampa sur l'une des marches affaissées du porche et la parcourut jusqu'à mi-largeur, puis se figea, roulant un œil blanchâtre à l'adresse des garçons.

— A quoi servent toutes ces voitures ? demanda Colin.

— Il subvenait à ses besoins avec ça quand il s'est installé ici au début. Il rachetait les voitures gravement accidentées et vendait les pièces détachées.

— On peut gagner sa vie comme ça ?

— Il n'avait pas de gros besoins.

— Ça, je m'en rends compte.

Le lézard descendit de la marche sur un coin de terre dure et sèche. Il était toujours attentif.

— Plus tard, le vieil Ermite Hobson a hérité d'un peu d'argent.

— Il est devenu riche ?

— Non. Il possédait juste assez pour pouvoir continuer à habiter ici et cesser le commerce des pièces détachées. Après, il ne voyait plus les gens qu'une fois par mois, quand il venait se ravitailler en ville.

Le lézard retourna sur la marche, s'immobilisa à nouveau, cette fois-ci leur tournant le dos.

Roy fut très rapide. Le lézard, dont les yeux lui permettaient de voir aussi bien derrière que sur les côtés et devant lui, le vit donc arriver. Il l'attrapa pourtant par la queue, la tint à la main, et posa brutalement son pied sur sa tête.

Colin, dégoûté, se détourna. « Bon Dieu, pourquoi avoir fait ça ? »

— Tu l'as entendu craquer ?

— Mais quel intérêt ?

— C'était l'éclate.

— Seigneur !
Roy essuya sa chaussure dans l'herbe.
Colin se racla la gorge. « Où se trouve Ermite Hobson maintenant ? »
— Il est mort.
Colin jeta à Roy un regard soupçonneux. « Je suppose que tu vas essayer de me faire croire que tu l'as tué, lui aussi. »
— Non. Causes naturelles. Il y a quatre mois.
— Alors pourquoi est-ce qu'on est là ?
— Pour le déraillement du train.
— Hein ?
— Viens voir ce que j'ai fait.
Roy se dirigea vers les automobiles rouillées.
Au bout d'un moment, Colin lui emboîta le pas. « Il va bientôt faire nuit. »
— Tant mieux. Ça couvrira notre fuite.
— Notre fuite de quoi ?
— Du lieu du crime.
— Quel crime ?
— Je te l'ai dit. Le déraillement du train.
— De quoi tu parles ?
Roy ne répondit pas.
Ils marchèrent dans les herbes qui leur arrivaient aux genoux. A proximité des vieilles voitures abandonnées, là où une faucheuse ne pouvait passer, et où Ermite Hobson n'avait jamais tondu, l'herbe était beaucoup plus haute et épaisse qu'ailleurs.
Le sommet de la colline se terminait en pointe arrondie, un peu comme la proue d'un navire.
Roy se tenait sur le versant de la pente et regardait en bas. « C'est ici que ça va se passer. »
Vingt-cinq mètres plus bas, les rails d'une voie ferrée contournaient l'avant de la colline.
— On va le faire dérailler dans le virage, expliqua Roy. Il désigna deux rubans parallèles de lourde tôle ondulée qui partaient des rails pour franchir le versant et le front de la colline. « Hobson était une véritable bête de somme. J'ai retrouvé cinquante de ces plaques de deux mètres de long dans des gros tas de ferraille

derrière sa bicoque. Un sacré coup de bol. Sans elles, je n'aurais pas pu mettre ça sur pied. »

— Elles servent à quoi ?

— Au camion.

— Quel camion ?

— Là-bas. Une camionnette Ford, cabossée et vieille de quatre ans, se trouvait à une dizaine de mètres de la pente. Les lamelles de tôle y conduisaient, puis passaient en dessous. La Ford n'avait plus de pneus ; ses roues recouvertes de rouille reposaient sur la plaque de métal.

Colin s'accroupit près du camion. « Comment t'as placé ces panneaux là-dessous ? »

— J'ai soulevé une roue à la fois avec un cric que j'ai trouvé dans l'une de ces épaves.

— Pourquoi t'être donné tout ce mal ?

— Parce qu'on ne peut pas se contenter de pousser le camion comme ça à même le sol. Les roues s'enfonceraient dans la terre et resteraient bloquées.

Le regard de Colin alla du camion au sommet de la colline. « Laisse-moi y voir clair. Si j'ai bien compris, tu veux pousser le camion le long de cette voie que tu as tracée, pour qu'il dévale la pente et percute le côté du train. »

— Ouais.

Colin soupira.

— Qu'est-ce que t'as ?

— Encore un de tes jeux à la con.

— Ce n'est pas un jeu.

— Je suppose que je suis censé faire la même chose qu'avec le plan Sarah Callahan. Tu veux que je te montre tous les trous qu'il comporte, comme ça tu auras une excuse pour te dégonfler.

— Quels trous ? le défia Roy.

— D'abord, un train est vachement trop grand et trop lourd pour le faire dérailler avec un petit camion pareil.

— Pas si on s'y prend correctement. Si tout est parfaitement réglé, si le camion dévale la pente juste au moment où le train amorce le virage, le mécanicien freinera. S'il essaie de stopper le train dans un tournant dangereux comme celui-là, il va se mettre à faire des lacets dans tous les sens. Et alors quand le camion le percutera, il quittera immédiatement les rails.

— Je ne suis pas d'accord.

— Tu as tort. Il y a de fortes chances pour que cela se passe exactement comme je l'ai dit.

— Non.

— Ça vaut le coup d'essayer. Même si le train ne déraille pas, ça leur fichera une trouille d'enfer. D'une manière ou d'une autre, ça va être l'éclate.

— Il y a une autre chose à laquelle tu n'as pas pensé. Ce camion est resté là pendant deux ans. Les roues sont rouillées. Même si on pousse très fort, elles ne tourneront pas.

— Là aussi, tu te plantes, dit Roy joyeusement. J'ai pensé à ça. Il n'a pas beaucoup plu toutes ces années. Elles n'étaient pas vraiment rouillées. J'ai dû passer quelques jours à travailler sur le camion, mais maintenant, les roues tourneront pour nous.

Pour la première fois, Colin remarqua des taches sombres et huileuses sur la roue près de lui. Il tendit le bras et constata qu'elle avait été vigoureusement, excessivement graissée. Sa main en ressortit toute grasse.

Roy ricana. « Vois-tu des points faibles dans le plan ? »

Colin s'essuya la main dans l'herbe et se leva.

Roy se leva aussi. « Alors ? »

Le soleil venait de se coucher. Le ciel d'ouest était doré.

— Quand as-tu l'intention de le faire ? demanda Colin.

Roy regarda sa montre. « Dans six ou sept minutes. »

— Il y aura un train ?

— Six nuits par semaine à cette heure-ci, un train de voyageurs passe par ici. J'ai fait des vérifications. Il part de San Diego, s'arrête à Los Angeles, continue sur San Francisco et Seattle avant de repartir en sens inverse. Je suis resté assis sur la colline à le regarder un certain nombre de nuits. Il circule pour de bon. C'est un express.

— T'as dit que le minutage devait être parfait.

— Il le sera. Ou presque.

— Mais même si tu l'as on ne peut plus soigneusement

organisé, tu ne peux pas demander aux chemins de fer de coopérer. Je veux dire, les trains ne sont pas toujours à l'heure.

— Celui-ci l'est en général, répliqua Roy avec assurance. D'ailleurs, ça n'a guère d'importance. Tout ce que nous avons à faire, c'est de pousser le camion le plus près possible du bord, et d'attendre le train. Dès qu'on verra la locomotive arriver, on donnera une petite poussée au camion, on le fera basculer, et il partira tout seul.

Colin, les sourcils froncés, se mordit la lèvre. « Je sais que tu as mis ça au point de façon que ce soit irréalisable. »

— Faux. Je veux le faire.

— C'est un jeu. Il y a un énorme trou dans ton plan, et tu voudrais que je le trouve.

— Y'a pas de trous.

— Quelque chose a dû m'échapper.

— Rien ne t'a échappé.

Chacune des roues abîmées de la camionnette était coincée par une cale en bois. Roy retira les étresillons et les écarta.

— C'est quoi cette blague ? demanda Colin.

— Il faut qu'on le déplace.

— Ça doit être une blague.

— On n'a pas beaucoup de temps.

Les deux portières du camion avaient été arrachées, soit par la collision, soit par Ermite Hobson. Roy se dirigea du côté de la place du conducteur, tendit le bras, posa sa main droite sur le volant. Il mit sa main gauche sur le chambranle de la portière, prêt à pousser.

— Roy, pourquoi ne renonces-tu pas ? Je *sais* qu'il doit y avoir un hic.

— Fais le tour et donne-moi un coup de main.

Essayant toujours de trouver la faille, persistant à s'interroger sur ce qu'il avait négligé, encore convaincu que Roy lui faisait une plaisanterie élaborée, Colin contourna le camion et se posta du côté passager à claire-voie.

Roy le regarda à travers le camion. « Pose tes deux mains sur le devant du chambranle de la portière et pousse. »

Colin fit ce qu'on lui demandait, et Roy poussa de l'autre côté.

Le camion ne bougea pas.

*Qu'est-ce que c'est que cette plaisanterie ?*

— Il est resté là quelque temps, dit Roy. Il s'est un peu enfoncé.

— Ahh ! fit Colin. Et naturellement, on n'est pas assez costauds pour le pousser.

— Bien sûr que si. Adosse-toi contre lui.

Colin peina.

— Plus fort ! hurla Roy.

Il ne sortira pas de son ornière, se dit Colin. Il le sait. C'est ce qu'il avait prévu.

— Pousse !

Le terrain n'était pas plat. Il montrait des dénivellations vers la lisière de la colline.

— Plus fort !

La terre dure et cuite par le soleil les aida, tout comme la piste de tôle ondulée.

— Plus fort !

Le graissage récent aida aussi.

— Plus fort !

Mais plus encore, ils furent aidés par la légère déclivité et la gravité du terrain.

Le camion se mit en branle.

## 22

SENTANT le camion bouger, Colin, surpris, recula brusquement.

Le véhicule s'arrêta dans un crissement aigu.

— Pourquoi t'as fait ça ? demanda Roy. On l'avait fait partir, bordel ! Pourquoi tu l'as arrêté ?

Colin le regarda à travers la cabine. « OK. Dis-moi. C'est quoi cette plaisanterie ? »

Roy était furieux. De sa voix dure et glaciale, il accentua chacune de ses paroles. « Mets... toi... ça... dans... la... tête. Ce... n'est... pas... une... plaisanterie ! »

Ils se dévisagèrent dans la lumière brumeuse et crépusculaire qui déclinait rapidement.

— Es-tu mon frère de sang ? demanda Roy.

— Bien sûr.

— Est-ce que ce n'est pas toi et moi contre le monde entier ?

— Si.

— Est-ce que des frères de sang ne font pas tout l'un pour l'autre ?

— Presque.

— Tout ! Ça doit être absolument tout ! Pas de si, de et, de mais. Pas entre frères de sang. Est-ce que tu es mon frère de sang ?

— J'ai dit que oui, n'est-ce pas ?

— Alors pousse, nom d'un chien !

— Roy, c'est allé assez loin.

— Ça n'aura pas été assez loin tant qu'il n'aura pas franchi la colline.

— Ça peut être dangereux de traînasser par ici.

— T'as du béton à la place de la cervelle ?

— On risque de faire dérailler le train accidentellement.

— Ce sera pas un accident. Pousse !

— Tu as gagné. J'abandonne. Ni toi ni moi ne pousserons le train plus avant. T'as gagné la partie, Roy.

— Merde, qu'est-ce que t'es en train de me faire ?

— Je veux simplement m'en aller d'ici.

La voix de Roy était maintenant tendue, quasi hystérique, ses yeux fous. Il fusilla Colin du regard à travers le camion. « Est-ce que tu me tournes le dos ? »

— Bien sûr que non.

— Tu me trahis ?

— Ecoute, je...

— T'es un faux jeton, toi aussi ? Est-ce que t'es comme tous ces salopards de tricheurs, de traîtres et de menteurs ?

— Roy...

— Pensais-tu sincèrement un seul des mots que tu m'as dits ?

Au loin le sifflement d'un train déchira le crépuscule.

— Le voilà ! dit Roy frénétiquement. Le mécanicien donne toujours un coup de sifflet en traversant Ranch Road. On n'a plus que trois minutes. Aide-moi.

En dépit de la lumière orange-pourpre qui déclinait, Colin distingua nettement la rage peinte sur le visage de Roy, la folie de son regard intensément bleu. Colin était atterré. Il fit un second pas en arrière, s'éloignant du véhicule.

— Salaud ! hurla Roy.

Il tenta de pousser le Ford tout seul.

Colin se remémora le comportement de Roy dans le garage, lorsqu'ils s'amusaient avec les trains de Mr Borden. La façon dont il les faisait dérailler avec cette joie brutale, dont il scrutait les fenêtres des wagons miniatures accidentés. Comment il s'imaginait qu'il voyait des cadavres véritables, du vrai sang, une vraie tragédie — et trouvait du plaisir dans ces visions macabres.

Ce n'était pas un jeu.

Ça n'en avait jamais été.

Poussant, puis se relâchant, poussant, puis se relâchant, conservant un rythme rapide et soutenu, Roy ébranla le camion jusqu'à ce qu'il vienne à bout de son inertie. Le véhicule bougea.

— Non ! hurla Colin.

La gravité facilita de nouveau le travail. Les roues tournèrent lentement, à regret. Elles crissèrent et couinèrent. Les jantes de métal grincèrent rudement contre les lourdes plaques de tôle. Mais elles *tournèrent.*

Colin fit le tour du camion en courant, empoigna Roy, et l'arracha du véhicule.

— Espèce de petit salopard !

— Roy, tu ne peux pas !

— Fous-moi la paix !

Roy se dégagea d'une secousse, repoussa Colin en arrière et retourna au camion.

Le véhicule s'était immobilisé dès que Roy en avait été écarté. La pente n'était pas suffisamment abrupte pour favoriser la descente du Ford.

Roy le fit de nouveau basculer.

— Tu ne peux tuer tous ces gens !

— Contente-toi de me regarder.

Cette fois-ci, il fallut considérablement moins d'efforts qu'auparavant. Ou peut-être Roy avait-il trouvé dans sa folie encore plus de force. Au bout de quelques secondes, le Ford se mit à avancer.

Colin bondit sur lui et le força à s'éloigner.

Furieux, jurant, Roy se retourna et lui envoya deux coups de poing à l'estomac.

Colin s'effondra sous les coups. Il laissa partir Roy, eut un haut-le-cœur, se pencha en avant, s'affaissa, chancela, et tomba. La douleur était terrible. Il avait l'impression que les poings de Roy l'avaient traversé de part en part, laissant deux énormes trous. Il n'arrivait pas à reprendre sa respiration.

Ses lunettes avaient volé. Il ne distinguait plus que les vagues contours de l'entrepôt du marchand de ferraille. Toussant, hoquetant, luttant pour respirer, il tâta l'herbe autour de lui, désireux de recouvrer la vue.

Roy grogna et marmonna dans sa barbe comme il tentait de déplacer le camion.

Soudain, Colin prit conscience d'un autre bruit : un *tchouk-tchouk-tchouk-tchouk-tchouk-tchouk* régulier.

Le train.

Au loin. Mais pas très loin.

Il se rapprochait.

Colin trouva ses lunettes et les chaussa. A travers ses larmes, il vit que le camion était encore à plus de six mètres du bord, Roy venant tout juste de réussir à le faire avancer à nouveau.

Colin tenta de se mettre debout. Il était encore accroupi lorsqu'une onde d'atroce douleur parcourut ses intestins, le paralysant.

Le camion n'était plus qu'à six mètres du bord de la colline, progressant centimètre par centimètre, lentement mais implacablement.

A en juger par son bruit, le train avait atteint le virage dans l'étroite vallée en dessous d'eux.

Le camion se trouvait à cinq mètres cinquante du bord.

Cinq mètres.

Quatre mètres.

Trois mètres cinquante.

Puis il sortit des rails de tôle ; ses roues mordirent dans la terre sèche ; et il refusa de bouger. S'ils avaient poussé des deux côtés, si la force avait été appliquée de façon constante, le véhicule n'aurait pas dévié des deux rubans de métal. Mais toute la traction s'étant exercée du côté gauche, le Ford s'orientait inexorablement vers la droite, Roy n'ayant pas tourné le volant assez vite pour rectifier sa trajectoire.

Colin s'agrippa à la poignée d'une Dodge délabrée près de lui et se remit sur ses pieds. Ses jambes flageolaient.

Le fracas tonitruant des rails emplit la nuit ; un grondement cacophonique, tel un orchestre de machines qui s'accordaient.

Roy courut jusqu'au bord de la colline. Il baissa les yeux sur le train que Colin ne pouvait voir.

En moins d'une minute, le bruit de l'express de

voyageurs décrut. La dernière voiture négociait le tournant ; il prit de la vitesse en direction de San Francisco.

Les petits bruits de la nuit qui approchait s'emparaient doucement du sommet de la colline. L'espace de quelques instants, Colin fut trop abasourdi pour entendre quoi que ce soit. Progressivement, il se mit une fois de plus à percevoir les criquets, les crapauds, la brise dans les arbres, et les cognements de son propre cœur.

Roy poussa un cri. Il posa son regard sur les rails maintenant vides, puis leva les poings vers le ciel, et se mit à hurler comme un animal à l'agonie. Il se détourna et se dirigea vers Colin.

Seuls dix mètres de terrain découvert les séparait l'un de l'autre.

— Roy, il fallait que je le fasse.

— Je te déteste.

— Non, ce n'est pas vrai.

— T'es comme tous les autres.

— Roy, tu serais allé en prison.

— Je te tuerai !

— Mais Roy...

— Espèce de traître !

Colin s'enfuit.

# 23

TOUT en courant pour sauver sa peau, Colin était parfaitement conscient qu'il n'avait jamais gagné de course. Il avait les jambes grêles ; celles de Roy étaient musclées. Sa résistance était pathétiquement superficielle ; la puissance et l'énergie de Roy impressionnantes. Colin n'osait pas regarder derrière lui.

Le cimetière de voitures était un dédale compliqué. Il courait accroupi à travers les passages tortueux qui s'entrecroisaient, profitant au maximum de l'abri constitué par la ferraille. Il tourna à droite, entre les carcasses nues de deux Buick. Il dépassa d'énormes piles de pneus, des Plymouth affaissées et rouillées, des Ford, des Dodge, des Toyota, des Oldsmobile et des Volkswagen corrodées et écrasées. Il sauta par-dessus une transmission disjointe, effectua un parcours en zigzag entre les pneus éparpillés, fonça vers l'est en direction de la cabane d'Ermite Hobson qui lui parut inaccessible, à au moins cent quatre-vingts mètres, puis il bifurqua brusquement vers le sud dans une allée étroite parsemée de silencieux et de phares qui ressemblaient à des mines dans l'herbe haute. Dix mètres plus loin, il tourna vers l'ouest, s'attendant à être attaqué par-derrière d'une seconde à l'autre, mais néanmoins déterminé à mettre des murs d'épaves entre lui et Roy.

Au bout de ce qui lui sembla être une heure, mais ne dura probablement guère plus de deux minutes, Colin réalisa qu'il ne pouvait continuer à courir éternellement, qu'il risquait rapidement de confondre les directions et de tomber sur Roy au détour d'un virage ou d'une intersection. En fait, Colin ne savait plus trop s'il se précipitait vers l'endroit où avait commencé la chasse, ou s'il s'en éloignait. Il hasarda un coup d'œil derrière lui et constata qu'il était miraculeusement seul. Il s'arrêta près d'une Cadillac en accordéon et se blottit dans l'obscurité contre son côté en ruine.

Les dernières minutes d'un soleil obscur et cuivré ne contribuaient guère à éclairer les espaces entre les voitures. Des ombres veloutées de pourpre noir s'étendaient de tous côtés ; elles grandissaient à une vitesse incroyable tandis qu'il les observait, tel un champignon de cauchemar déterminé à étouffer la terre entière. Colin était terrifié à l'idée d'être pris au piège dans l'obscurité avec Roy. Mais .il était tout aussi épouvanté par les créatures menaçantes qui pouvaient se cacher à la nuit dans l'entrepôt ; des bêtes curieuses ; des monstres ; des choses qui sucent le sang ; peut-être même les fantômes de ceux qui avaient trouvé la mort dans ces voitures cassées.

Arrête ! pensa-t-il avec colère. C'est stupide. Puéril. Il devait se concentrer sur le danger qu'il *savait* présent. Roy. Il devait se protéger de Roy. *Et après,* il pourrait s'inquiéter du reste.

*Réfléchis, merde !*

Il se rendit compte qu'il respirait bruyamment. Son halètement allait s'entendre au loin dans l'air vif et nocturne, et permettre à Roy de le localiser. Compte tenu de sa position précaire, Colin ne pouvait être calme, mais il fit un petit effort pour parvenir à respirer calmement.

Il se mit à l'écoute de Roy.

Rien.

Colin commença à remarquer les détails infimes du petit monde dans lequel il se tapissait. La Cadillac était dure et chaude contre son dos. L'herbe, sèche et drue, sentait le foin. La chaleur montait de la terre, laissant échapper dans la nuit fraîche le soleil emmagasiné. Comme une ultime lueur s'évanouissait dans le ciel, les ombres semblèrent osciller et frissonner tel un amas de varech au fond de la mer. Il percevait des bruits, aussi :

le cri strident d'un oiseau ; la course furtive et allègre d'un mulot ; les crapauds omniprésents ; et le murmure du vent dans les eucalyptus qui bordaient trois côtés de la propriété.

Mais Roy ne faisait pas le moindre bruit.

Etait-il toujours là ?

Etait-il rentré chez lui, furieux ?

Trop nerveux pour rester plus longtemps immobile, Colin se redressa suffisamment pour regarder par les vitres sales de la Cadillac le terrain jonché de débris devant lui. Il n'y avait pas grand-chose à voir. Les voitures disparaissaient rapidement dans la nuit grandissante.

Soudain son attention fut distraite par un mouvement derrière lui qu'il sentit plus qu'il n'entendit. Il se retourna vivement, le cœur battant. Roy surgit au-dessus de lui, ricanant, démoniaque. Avec à la main une jante de pneu, la tenant telle une batte de base-ball.

Pendant quelques instants, aucun d'eux ne bougea, totalement paralysés par un tissu de souvenirs et d'images agréables, tels les innombrables fils de soie tissés par une araignée. Tout à l'heure amis, ils étaient maintenant ennemis. Le changement avait été trop brutal, la motivation trop bizarre pour qu'ils puissent l'un et l'autre chercher à en comprendre la signification. C'est en tout cas ce que Colin ressentait. Comme ils restaient à se dévisager, il se prit à espérer que Roy réalise à quel point c'était fou, et qu'il revienne à la raison.

— Je suis ton frère de sang, dit Colin doucement.

Roy balança la jante. Colin se baissa pour éviter le coup, et elle alla s'écraser contre la vitre latérale de la Cadillac.

Dans un mouvement prompt et gracieux, hurlant comme un banshee (1), Roy retira la jante de la fenêtre, la leva bien haut, comme s'il hachait du bois, et l'abattit de toutes ses forces. Colin roula loin de la Cadillac, culbuta plusieurs fois dans l'herbe craquante tandis que la massue descendait. Il l'entendit heurter le sol avec une

(1) Banshee : type d'avion dans l'aviation américaine.

force incroyable à l'endroit où il s'était trouvé une seconde plus tôt, et sut qu'elle lui aurait fracassé le crâne s'il ne s'était pas écarté.

— Fils de pute ! hurla Roy.

Colin roula à cinq ou six mètres et se remit sur ses pieds. Une fois debout, Roy se précipita sur lui et le frappa de nouveau avec la jante. Elle fendit l'air — chchch ! — et ne le rata que de quelques centimètres. Le souffle court, Colin tomba à la renverse en essayant d'échapper à Roy, et se retrouva contre une autre voiture.

— Piégé ! dit Roy. Je t'ai piégé, espèce de petit salopard !

Roy balança si vite la massue que Colin ne la vit pratiquement pas arriver. Il l'esquiva au tout dernier moment, et l'objet en fer siffla au-dessus de sa tête ; il résonna sur l'auto derrière lui. Le bruit fort et perçant, tel celui d'une balle de fusil sur une énorme cloche discordante, retentit à travers tout l'entrepôt. Le fer heurta si violemment la voiture qu'il échappa des mains de Roy, tournoya dans la nuit, et retomba dans l'herbe à quelques mètres de lui.

Roy hurla de douleur. L'impact avait été transmis de la jante jusque dans sa chair. Il saisit sa main endolorie de son autre main et jura du plus fort qu'il put.

Colin profita de l'incapacité momentanée de Roy et ficha le camp.

# 24

L'INTÉRIEUR de la Chevrolet empestait. Il y régnait un certain nombre d'odeurs différentes et désagréables, et Colin fut à même d'imaginer la provenance de certaines d'entre elles, mais pas de toutes. De la vieille huile moisie. Du capitonnage humide de chancissure. Un tapis pourrissant. Mais l'une des odeurs qu'il ne parvenait à identifier était la plus forte de toutes : relent bizarre de jambon frit, d'abord suave puis rance immédiatement après. Ce qui l'amena à se demander s'il n'y avait pas un animal mort dans la voiture, écureuil, souris ou rat en décomposition, infesté d'asticots qui se tortillaient, à quelques centimètres dans les ténèbres impénétrables. Par moments, l'image d'un cadavre suintant devenait si vivace dans son esprit qu'il en avait un haut-le-cœur de répulsion, mais il savait que le moindre bruit, si léger fût-il, risquait d'attirer l'attention de Roy.

Colin était étendu sur la banquette arrière moisie de la Chevrolet, sur le côté droit, visage tourné vers l'avant, genoux relevés, bras contre sa poitrine, en chien de fusil, effrayé, transpirant mais frissonnant, recherchant la sécurité dans les ombres profondes, mais pleinement conscient de la précarité de son abri. La vitre arrière et les deux vitres latérales de derrière étaient intactes, mais il n'y en avait plus une seule à l'avant. De temps à autre, une brise tourbillonnait dans la voiture, mais ne rafraîchissait pas l'atmosphère ; elle ne faisait qu'attiser les odeurs, jusqu'à ce qu'elles deviennent plus fortes, plus âcres qu'auparavant. Il écouta attentivement tout bruit en provenance de Roy que le vent apporterait, mais depuis un moment, tout était silencieux.

La nuit était enfin tombée. A l'ouest, à l'horizon, toute trace du soleil avait été obscurcie. A l'est, un croissant de lune était suspendu très bas dans le ciel, mais sa clarté ne pénétrait pas à l'intérieur de l'automobile.

Allongé dans le noir, Colin n'avait rien d'autre à faire qu'à penser, et il ne parvenait à penser à rien d'autre qu'à Roy. Il ne pouvait plus se refuser à l'évidence : il ne s'agissait pas d'un jeu ; Roy était vraiment un assassin. Roy aurait poussé le camion au bas de la colline. Indubitablement. Il aurait fait dérailler le train. Et violé et tué Sarah Callahan si Colin n'avait pas trouvé de failles dans son plan. Et, se dit-il, il m'aurait fendu le crâne avec cette jante si je ne lui avais pas échappé. Là-dessus, il n'existait pas non plus l'ombre d'un doute. Le serment de frères de sang n'avait plus la moindre signification. Peut-être n'en avait-il jamais eu.

Il était même possible que Roy ait tué ces deux garçons, tout comme il l'avait prétendu : l'un poussé de la falaise de Sandman's Cove, l'autre arrosé d'essence à briquet et enflammé.

*Mais pourquoi ?*

La vérité était évidente, mais pas ses origines. A ses yeux, la vérité n'avait pas de sens, et c'est ce qui l'effrayait. Les faits, limpides, ne constituaient que le produit fini d'un long processus de fabrication, dont le mécanisme était invisible.

Des questions se bousculaient dans sa tête. Pourquoi Roy veut-il tuer les gens ? En tire-t-il du plaisir ? Quel genre de plaisir, pour l'amour du ciel ? Est-ce un fou ? Pourquoi n'en a-t-il pas l'air, si c'est ce qu'il est ? Pourquoi paraît-il si normal ? Il se posait toutes ces questions, et une centaine d'autres, sans pouvoir fournir de réponses.

Colin se voyait dans un monde simple et loyal. Il aimait pouvoir le diviser en deux camps : les forces du bien et celles du mal. Ainsi, chaque événement, problème et solution, comportait de façon évidente un côté blanc et un côté noir, et l'on savait toujours exactement là où on se trouvait. Il croyait fermement que le véritable monde ressemblait au pays du *Seigneur des anneaux*, avec les bénis et les damnés en rang dans deux armées distinctes. Mais quelle que fût la façon dont il approfondissait le problème, quel que fût l'angle envisagé, le comportement de Roy au cours de ce dernier mois ne pouvait ni être qualifié de saint ni de complètement pervers. Roy possédait de nombreuses qualités que Colin enviait, admirait et souhaitait acquérir ; mais Roy était également un assassin de sang-froid. Roy n'était pas noir. Il n'était pas blanc. Ni même gris. Il était d'une centaine, non, d'un *millier* de nuances de gris, chacune tournoyant, se mélangeant et changeant les unes les autres, telles mille volutes de fumée. Colin ne pouvait concilier sa conception de la vie et la découverte brutale d'un être comme Roy. Les ramifications infinies de la moralité vif-argent de Roy étaient effrayantes. Cela signifiait que Colin allait devoir reconsidérer chaque théorie de sa philosophie douillette. Et retirer des casiers dans lesquels il les avait fourrés tous les gens de son entourage. Il lui faudrait porter un nouveau jugement sur chacun d'eux, plus soigneusement que la première fois, et ensuite, il les mettrait... Les mettrait où ? S'il n'existait pas de système blanc-noir, il n'existait pas non plus de casiers. S'il n'y avait pas systématiquement de division claire et nette entre le bien et le mal, on ne pouvait étiqueter, ranger et oublier les gens en toute sécurité ; et la vie devenait insupportablement difficile à régir.

Evidemment, Roy était peut-être possédé.

Dès que cette pensée lui traversa l'esprit, Colin sut que c'était la réponse, et il s'en empara avidement. Si Roy était possédé par un esprit malfaisant, il n'était pas responsable des actes monstrueux qu'il commettait. Roy lui-même était bon, et seul le démon en lui était mauvais. Oui ! C'était ça ! Cela expliquait la contradiction apparente. Possédé. Comme la fillette dans *L'Exorciste*. Ou le petit garçon de *La Malédiction*. Ou peut-être Roy était-il possédé par un alien, une chose d'une autre planète, une entité venue des lointaines galaxies. Bien sûr. Ça devait être ça. C'était une meilleure explication, plus scientifique et moins superstitieuse que la première. Pas un démon, mais un être malfaisant, étranger. Peut-être semblable aux méchants dans le vieux film de Don Siegel, *L'invasion des profanateurs de sépultures*. Ou, plus vraisemblablement encore, il se pouvait que la chose qui tenait Roy en son pouvoir soit un parasite d'une autre constellation, comme dans le grand roman de Heinlein, *Marionnettes humaines*. Auquel cas, il devait prendre immédiatement des mesures, sans plus attendre, tant qu'il restait une chance, si mince soit-elle, de sauver le monde. Tout d'abord, il lui fallait découvrir la preuve irréfutable de l'invasion. Ensuite, il allait devoir utiliser cette preuve pour convaincre les autres gens qu'il y avait un danger actuel et manifeste. Et finalement, il...

— *Colin !*

Il sursauta, s'assit, terrifié et tremblant. Durant quelques secondes, il fut trop choqué pour reprendre sa respiration.

— Hé, Colin !

Le bruit de Roy l'appelant le fit revenir brusquement à la réalité.

— Colin, tu m'entends ?

Roy était relativement loin. Au moins à une centaine de mètres. Il hurlait.

Colin se pencha vers le siège avant, risqua un coup d'œil à travers le cadre sans vitre du pare-brise, mais ne put rien distinguer.

— Colin, j'ai fait une erreur.

Colin attendit.

— Tu m'entends ? répéta Roy.

Colin ne répondit pas.

— J'ai fait une chose complètement stupide.

Colin secoua la tête. Il devinait la suite et s'étonnait que Roy fasse une tentative aussi grossière.

— J'ai poussé le jeu trop loin, dit Roy.

Ça ne marchera pas, pensa Colin. Tu n'arriveras pas à me convaincre. Plus maintenant. Plus jamais.

— Je crois que je t'ai fait peur plus que je n'aurais voulu. Je suis désolé. Vraiment.

Seigneur ! se dit Colin tout bas.

— Je ne voulais pas vraiment faire dérailler le train.

Colin s'étendit une fois de plus sur la banquette, sur le côté, genoux relevés, dans les ombres aux relents de pourriture.

Roy continua de débiter d'autres couplets de son chant de sirène, mais il finit par se rendre compte que Colin n'allait pas se laisser ensorceler. Roy fut incapable de dissimuler sa frustration. A chaque exhortation manifestement insincère, la tension de sa voix allait croissante. Finalement, il explosa : « Espèce de sale petit lèche-cul ! Je te trouverai ! Je t'aurai ! Je vais te défoncer ta saloperie de caboche, espèce de fils de pute ! Traître ! »

Puis ce fut le silence.

Le vent, bien sûr.

Les criquets, et les crapauds.

Mais pas le moindre piaulement de Roy.

Le calme était déconcertant. Colin aurait préféré entendre Roy jurer, beugler, et tout fracasser à sa recherche, car alors il aurait su où se trouvait l'ennemi.

Tandis qu'il prêtait l'oreille, l'odeur de jambon tantôt sucrée ou rance se fit plus forte que jamais, et il y apporta une explication macabre. La Chevy avait eu un terrible accident ; l'avant était aplati et tordu ; il n'y avait plus de pare-brise ; les deux portières étaient déjetées — l'une vers l'intérieur, l'autre vers l'extérieur ; le volant, brisé en deux, formait un demi-cercle aux extrémités dentelées. Peut-être (théorisa Colin) que le conducteur avait perdu une main dans la catastrophe. Et que la main sectionnée était tombée par terre. Peut-être que, on ne sait comment, elle était allée sous le siège, dans un recoin où on ne pouvait ni l'atteindre ni même la voir. Et que les ambulanciers avaient cherché le membre amputé sans parvenir à le retrouver. La voiture avait été remorquée jusqu'au cimetière d'Ermite Hobson, et la main avait commencé à se dessécher et à pourrir. Et alors... alors... Oh, Seigneur, là ça devenait exactement comme dans l'histoire d'O'Henry où un chiffon taché de sang tombé derrière un radiateur avait acquis une vie propre, en raison de conditions chimiques et atmosphériques exceptionnelles. Colin frissonna. C'est ce qui était arrivé à la main. Il le sentait. Il le savait. Elle avait commencé à se décomposer, puis l'intense chaleur estivale combinée à la composition chimique de la crasse sous le siège avait provoqué une altération incroyable et malfaisante de la chair morte. Le processus de pourriture avait été stoppé, mais pas inversé, et la main avait été infusée d'une sorte de vie surnaturelle, d'un semblant d'existence malfaisante. Et maintenant, à cette minute même, il se trouvait dans la voiture, dans l'obscurité, seul avec cette maudite chose. Elle savait qu'il était là. Elle ne pouvait ni voir, ni entendre, ni sentir, mais elle *savait.* Marbrée de marron, de vert et de noir, visqueuse, criblée de pustules purulentes, la main devait même être en train de se traîner de dessous le siège avant pour arriver sur le plancher. S'il tendait le bras vers le sol, il la trouverait, et elle le saisirait. Ses doigts glacés l'agripperaient comme des tenailles d'acier, et elle...

Non, non et non ! Il faut que j'arrête ça, se dit Colin. Bon Dieu, qu'est-ce qui m'arrive ?

Roy était là, à le pourchasser. Il devait écouter Roy et se tenir prêt. Il lui fallait se concentrer. Roy était le véritable danger, et non pas une main imaginaire et désincarnée.

Comme pour confirmer le conseil que Colin s'était donné, Roy recommença à faire du bruit. Une portière de voiture claqua à proximité. Un instant plus tard, il entendit le bruit d'une autre portière rouillée qu'on ouvrait violemment ; elle crissa au moment où le sceau posé par le temps se brisa. Au bout de quelques secondes, cette porte aussi se referma en claquant.

Roy fouillait les voitures.

Colin s'assit, et dressa l'oreille.

Une autre portière corrodée s'ouvrit dans une bruyante protestation.

Colin ne distinguait rien d'important à travers le pare-brise manquant.

Il se sentait encagé.

Pris au piège.

La troisième portière claqua.

Paniqué, Colin glissa vers la gauche, descendit de la banquette arrière, se pencha le plus loin possible sur le siège avant, et passa la tête par la fenêtre côté conducteur. L'air pur qui lui fouetta le visage était frais et sentait l'iode, même dans cet endroit retiré. Ses yeux s'étaient habitués à l'obscurité, et le croissant de lune diffusait juste assez de lumière pour lui permettre de voir à vingt-cinq ou trente mètres.

Roy, ombre parmi les ombres, à peine visible, se tenait à quatre voitures de la Chevrolet dans laquelle se cachait Colin. Roy ouvrit la portière d'une autre épave, se pencha à l'intérieur, en ressortit un instant plus tard, et la referma brutalement. Il se dirigea vers la voiture suivante, se rapprochant de la Chevy.

Colin retourna sur la banquette arrière et se glissa rapidement vers la portière de droite. Il était entré par la gauche, là où Roy se trouvait actuellement.

Une autre porte se referma avec fracas : *clac !*

Roy n'était plus qu'à deux voitures.

Colin agrippa la poignée, puis réalisa qu'il ne savait pas si la portière droite fonctionnait. Il n'avait utilisé que celle de gauche. Et si elle était bloquée, faisait un bruit terrible mais refusait de s'ouvrir ? Roy arriverait au pas de course et le piégerait à l'intérieur.

Colin hésita, s'humecta les lèvres.

Il eut envie de faire pipi.

Il serra les jambes.

La sensation était toujours présente, et en fait, elle empirait : une forte douleur dans ses reins.

Je t'en prie, Seigneur, pensa-t-il, ne m'oblige pas à pisser. Pas ici. C'est vraiment pas le bon endroit pour ça !

*Clac !*

Roy était dans la voiture voisine.

Il n'avait plus le temps de s'inquiéter si la portière droite allait s'ouvrir ou pas. Il n'avait d'autre alternative que d'essayer et tenter sa chance. Il tira sur la poignée. Elle bougea. Il prit une profonde inspiration, faillit suffoquer à cause de l'odeur fétide, et ouvrit la portière toute grande dans une violente poussée. Il tressaillit à l'énorme grincement qu'elle fit mais remercia Dieu de son fonctionnement.

Frénétiquement, gauchement, il grimpa hors de la Chevrolet, ne cherchant plus à être discret maintenant que la portière l'avait trahi. Il fit deux pas, trébucha sur un silencieux, tomba à genoux, se releva comme mû par des ressorts, et décampa dans la nuit.

— Hé ! appela Roy de l'autre côté du véhicule. Le mouvement brutal et explosif l'avait pris au dépourvu. « Hé, attends une minute ! »

## 25

COURANT du plus vite qu'il le pouvait, Colin vit le pneu une fraction de seconde avant qu'il n'arrive sur lui. Il sauta par-dessus, enjamba une pile de pare-chocs, et traversa les hautes herbes. Il bifurqua à gauche et contourna une camionnette de livraison Dodge toute cabossée qui se trouvait sur cales. Après une brève hésitation et un rapide coup d'œil derrière lui, il plongea à terre et se faufila sous le camion.

Comme Colin avait échappé à son champ de vision, Roy vint se placer devant la camionnette, s'arrêta, et regarda des deux côtés. Constatant que ce tronçon du labyrinthe était désert, il cracha par terre. « Merde ! »

La nuit était très noire, mais de sa cachette sous la Dodge, Colin apercevait les tennis blanches de Roy. Colin était allongé sur le ventre, la tête tournée vers la gauche, la joue droite pressée contre le sol ; et Roy ne se tenait pas à plus d'un mètre. Il aurait pu attraper la cheville du garçon et le faire tomber. Mais ensuite ?

Après un moment d'indécision, Roy ouvrit la portière côté conducteur. Voyant que la camionnette était vide, il claqua la porte et s'avança vers l'arrière de la Dodge.

Colin respirait par la bouche à petites bouffées et souhaitait pouvoir assourdir les battements de son cœur. Au moindre bruit que Roy entendrait, il en mourrait.

Roy ouvrit l'une des doubles portes à l'arrière de la camionnette. Scrutant l'intérieur de ce compartiment, il ne put apparemment pas distinguer chaque recoin de façon satisfaisante, car il ouvrit également le second battant, puis grimpa dedans.

Colin l'écouta fureter dans l'obscurité du van de métal au-dessus de sa tête. Il envisageait de se glisser hors du dessous du camion et de ramper rapidement jusqu'à un autre abri, mais ne pensait pas avoir suffisamment de temps pour s'enfuir inaperçu.

Au moment même où Colin évaluait ses chances, Roy sortit du camion et referma les portes. L'opportunité, si toutefois opportunité il y avait eu, était manquée.

Colin se tortilla un peu et regarda par-dessus son épaule. Il aperçut les tennis blanches, et pria pour que Roy n'ait pas l'idée d'examiner l'espace étroit sous la Dodge.

Fait incroyable, ses prières furent exaucées. Roy s'avança vers l'avant du camion, marqua un temps, sembla regarder de tous côtés, et dit : « Où diable... ? » Il resta là quelques instants, les doigts tambourinant sur le véhicule, puis il s'éloigna vers le nord, jusqu'à ce que Colin ne puisse plus voir ses chaussures ou entendre le bruit de ses pas.

Colin resta longtemps immobile. Il trouva le courage de respirer normalement, une fois encore, mais il persistait à penser qu'il était sage d'être le plus silencieux possible.

La situation s'était améliorée sur au moins un point : l'air qui circulait sous le van n'était pas aussi vicié et écœurant que celui dans la Chevrolet. Il pouvait sentir les fleurs des champs, les senteurs taquines des verges d'or, et l'arôme poussiéreux de l'herbe desséchée.

Son nez le démangea. Le chatouilla.

A sa grande horreur, il réalisa qu'il allait éternuer. Il se pressa la main sur le visage, se pinça le nez, mais se rendit compte qu'il ne pouvait stopper l'inévitable. Il étouffa le bruit du mieux possible et attendit avec terreur d'être découvert.

Mais Roy ne vint pas. Il n'était manifestement pas assez près pour entendre.

Colin resta encore deux minutes sous le camion, au cas où, puis se glissa dehors. Roy n'était pas en vue, mais il pouvait être tapi dans l'une des mille zones d'ombre, prêt à frapper.

Prudent, Colin traversa furtivement le cimetière de voitures en direction de l'est. Il courait accroupi dans les espaces à découvert, s'attardant parmi les épaves tant qu'il n'avait pas la certitude que la parcelle de terrain suivante était sûre, puis il filait à toute vitesse. S'étant éloigné de cinquante ou soixante mètres de la camionnette où il avait vu Roy pour la dernière fois, il prit vers le nord, en direction de la cabane d'Ermite Hobson.

Si seulement il pouvait arriver jusqu'aux vélos pendant que Roy le cherchait ailleurs, il parviendrait à s'échapper. Il endommagerait la bicyclette de Roy — en faussant une roue, ou quelque chose comme ça — et partirait ensuite de son côté, assuré qu'il ne pourrait être efficacement poursuivi.

Il parvint à la lisière du cimetière et se replia ensuite contre un break délabré, tout en promenant son regard sur les vastes étendues ténébreuses qui entouraient la bicoque d'Hobson. Il aperçut les bicyclettes au pied des marches affaissées du porche, couchées côte à côte là où l'herbe était rabougrie et encore un peu verte, mais il ne s'y dirigea pas directement. Roy aurait pu anticiper qu'il retourne à cet endroit ; il risquait d'être d'ores et déjà dissimulé dans ces ombres, tendu, prêt à se jeter sur lui. Colin observa attentivement chaque point névralgique, s'attendant à percevoir un mouvement ou le reflet d'un rayon de lune errant sur une forme étrangère au lieu. Il fut bientôt à même de percer l'obscurité de chacun des recoins et de déterminer qu'ils étaient déserts. A quelques endroits cependant, la nuit semblait s'être transformée en vase de rivière ; et ces flaques étaient bien trop denses pour que l'œil puisse y pénétrer.

Colin finit par décider que la possibilité de s'enfuir l'emportait sur le risque d'aller jusqu'aux vélos et de servir de cible. Il se leva, essuya la sueur de son front, et s'avança sur la bande de terre large d'environ vingt mètres à découvert entre l'entrepôt et la bicoque. Dans les ténèbres, tout était tranquille. Il marcha lentement, puis il s'enhardit et finalement sprinta sur les dix derniers mètres. Roy avait attaché leurs vélos ensemble, se servant de sa chaîne et de son cadenas antivol pour bloquer une roue de son vélo à une des roues de celui de Colin.

Colin tira furieusement sur la chaîne et sur le cadenas, mais ses efforts furent vains ; le système de verrouillage était solide et robuste. Il ne voyait pas le moyen de séparer les deux vélos sans la combinaison du cadenas de Roy. Et il n'était pas question de les utiliser en tandem, même si la chaîne était suffisamment lâche pour lui permettre de les mettre tous les deux debout et de les faire rouler simultanément — ce qui n'était pas le cas.

Découragé, il retourna précipitamment près du break pour réfléchir aux options possibles. En réalité, il n'en existait que deux. Il pouvait tenter de rentrer chez lui à pied — ou continuer à jouer au chat et à la souris avec Roy dans les interminables passages du cimetière.

Il préférait rester là où il était. L'argument principal étant qu'il avait survécu jusqu'ici. S'il tenait suffisamment longtemps, sa mère signalerait sa disparition. Elle risquait de ne pas rentrer avant une ou deux heures du matin, mais il devait être maintenant minuit passé. Il poussa le bouton de sa montre à affichage digital et fut stupéfait de constater comme il était tôt : dix heures moins le quart. Il aurait juré qu'il jouait à ce dangereux jeu de cache-cache depuis au moins trois ou quatre heures. Bon, peut-être que Weezy allait rentrer tôt. Et s'il n'était pas là vers minuit, elle appellerait les parents de Roy et découvrirait que Roy n'était pas chez lui non plus. Aux alentours d'une heure au plus tard, elle téléphonerait aux flics. La police partirait immédiatement à leur recherche et... Ouais, mais *où* commenceraient-ils ? Pas ici, dans le cimetière de voitures. En ville. Et en bas, sur la plage. Puis dans les collines avoisinantes. On serait demain en fin d'après-midi, peut-être même jeudi ou vendredi, avant qu'ils n'arrivent jusque chez Ermite Hobson. Pour autant qu'il ait envie de rester à proximité de la myriade de refuges qu'offrait la colline recouverte de décombres, il savait qu'il ne pourrait demeurer hors d'atteinte de Roy pendant quarante-huit, trente-six ou même vingt-quatre heures. Il serait déjà sacrément veinard de faire durer jusqu'au lever du jour.

Il allait devoir retourner à pied. Il ne pouvait évidemment pas revenir par le chemin pris à l'aller, car si Roy le soupçonnait d'avoir quitté l'entrepôt et se mettait à sa recherche, le risque de le rencontrer sur un tronçon de route désert était bien trop énorme. Une bicyclette faisait peu ou pas de bruit du tout sur une surface pavée, et Colin craignait de ne pas entendre Roy arriver à temps pour se cacher. Il lui faudrait cheminer péniblement par voie de terre, descendre la colline jusqu'aux rails du chemin de fer, suivre les rails jusqu'au lit du petit cours d'eau asséché près de Ranch Road, puis entrer dans Santa Leona. Cet itinéraire serait plus ardu que l'autre, surtout dans l'obscurité, mais il risquait de réduire la distance de douze kilomètres à dix ou neuf.

Colin se rendait douloureusement compte que son plan était guidé par une considération essentielle : la couardise. Se cacher. Courir. Se cacher. Courir. Il semblait incapable de concevoir une quelconque alternative à la lâcheté de cette ligne de conduite, et il se trouvait lamentable.

— Alors reste là. Renverse les rôles.

*Y'a pas de danger.*

— Ne cours pas. Attaque.

*C'est une idée amusante, mais c'est impossible.*

— Si c'est possible. Deviens l'agresseur. Surprends-le.

*Il est plus rapide et plus costaud que moi.*

— Alors montre-toi retors. Tends-lui un piège.

*Il est trop malin pour tomber dans le moindre piège.*

— Comment peux-tu le savoir si tu n'essaies pas ?

*Je le sais.*

— Comment ?

*Parce que je suis moi. Et qu'il est Roy.*

Colin mit rapidement un terme à ce dialogue intérieur, car c'était une perte de temps. Il se comprenait trop bien. Il n'avait simplement pas en lui la faculté ou la volonté de se transformer. Avant d'essayer de devenir le chat, il lui faudrait avoir la conviction qu'il n'avait absolument plus la moindre chance en tant que souris.

C'était là l'un de ces moments mornes et trop fréquents où il se méprisait.

S'arrêtant tous les quelques mètres pour reconnaître le

chemin devant lui avant de continuer sa route, Colin allait furtivement d'une voiture à l'autre. Il progressait régulièrement en direction de la colline où Roy avait tenté de faire basculer la camionnette Ford sur le train, car c'était de là qu'il pouvait descendre le plus facilement jusqu'à la voie ferrée. La nuit était bien trop tranquille. Chaque bruissement de ses chaussures dans l'herbe cassante résonnait comme un coup de tonnerre, lui donnant la certitude que Roy allait lui tomber dessus. Il s'avéra toutefois qu'il parvint à l'autre bout de l'entrepôt sans qu'il ne se passât rien.

En face de lui, l'espace à découvert entre la dernière voiture et le front de la colline était approximativement large d'une douzaine de mètres. Qui lui semblèrent un kilomètre. La lune brillait d'un vif éclat, et cette bande d'herbe était baignée d'une lumière bien trop laiteuse pour rendre une traversée réalisable. Si jamais cette zone était surveillée, il allait être repéré avant d'avoir couvert le quart de la distance. Par bonheur, des masses de nuages éparses mais opaques avaient afflué de l'océan durant l'heure écoulée. Chaque fois que leur passage voilait la lune, l'obscurité qui en résultait offrait une excellente couverture. Il attendait l'une de ces brèves éclipses. Dès que la large étendue d'herbe s'assombrissait, il se mettait à courir le plus silencieusement possible, sur la pointe des pieds, retenant sa respiration, jusqu'à la lisière, puis au-delà.

Le flanc de la colline était abrupt, mais pas escarpé au point d'être impraticable. Il le dévala à toute vitesse, car c'était la seule manière ; la force de gravité était irrésistible. Il bondissait comme un fou d'un pied sur l'autre, ne se maîtrisant plus, progressant à grandes enjambées disgracieuses, et à mi-chemin, s'aperçut soudain qu'il dansait sur un glissement de terrain. La terre sèche et sablonneuse s'écroulait sous lui. L'espace d'une seconde, il la parcourut tel un surfer sur une vague, puis il perdit pied, tomba, et roula sur les six derniers mètres. Il finit par s'arrêter dans un nuage de poussière, à plat dos, sur la voie ferrée, un bras en travers des rails.

Stupide. Stupide et maladroit. Stupide, maladroit et bête.

Seigneur !

Il resta quelques secondes immobiles, un peu essoufflé, mais surpris de ne s'être pas fait mal. Il était blessé dans son orgueil, naturellement, mais nulle part ailleurs.

La poussière commença à se redéposer.

Comme il faisait mine de se relever, Roy l'appela : « Frère de sang ? »

Colin, incrédule, hocha la tête et regarda à gauche, à droite, puis en l'air.

— Frère de sang, c'est toi ?

La lune ressortit majestueusement de derrière les nuages.

Dans le lavis de la pâle lueur, Colin aperçut Roy, debout au sommet de la pente haute de vingt-cinq mètres, la silhouette découpée contre le ciel, qui regardait en bas.

Il ne peut pas me voir, se dit Colin. En tout cas pas aussi nettement que moi. Il est là-bas avec le ciel derrière lui ; moi, je suis ici dans les ténèbres.

— C'est bien toi ? dit Roy.

Il fonça vers le pied de la colline.

Colin se releva, trébucha sur les rails, et s'élança vers les terres en friche un peu plus loin.

# 26

TOUT en courant à travers champs, Colin se sentait terriblement vulnérable. Aussi loin que la lune laissait entrevoir, il ne voyait nul abri, nul endroit où se cacher. Il avait cette folle pensée qu'une chaussure géante allait s'abattre sur lui d'un instant à l'autre, et l'écraser comme un insecte rampant précipitamment sur un immense carrelage de cuisine.

Durant la saison des orages, la pluie imprégnait les versants des collines, puis rejaillissait des pentes sous forme de rigoles d'irrigation naturelles qui traversaient la plaine à l'ouest des rails de la voie ferrée. Au moins une fois chaque hiver, les petits ravins débordaient, et la prairie devenait un lac, partie du système de la rétention des eaux conçu pour le projet de contrôle des inondations. La terre se trouvant envahie par les eaux en moyenne deux mois par an, elle ne présentait qu'une maigre végétation, même en été. On y trouvait des parcelles d'herbe dont les courtes racines s'enfonçaient dans le limon, des parterres de fleurs des champs qui poussaient à peu près partout en Californie, et des mauvaises herbes hérissées ; mais il n'existait pas d'arbres, pas de broussailles touffues, ni de buissons où Colin aurait pu se cacher.

Il s'enfuit le plus vite possible de cette terre nue en sautant dans un petit arroyo (1). Le ravin, d'une largeur

(1) Ruisseau, cours d'eau, lit sec d'une rivière.

d'environ cinq à six mètres et d'une profondeur de plus de deux mètres, présentait des parois presque verticales. Pendant les orages d'hiver, c'était une rivière houleuse, impétueuse, bourbeuse et dangereuse, qui aujourd'hui ne contenait plus une seule goutte d'eau. Il sprinta sur une ligne droite, une douleur lancinante dans ses flancs et ses mollets, les poumons en feu. Arrivé à une vaste courbe de l'arroyo, il regarda pour la première fois derrière lui depuis qu'il avait traversé la voie ferrée. Du plus loin qu'il pouvait voir, Roy n'était pas encore descendu à sa poursuite dans la grande douve. Surpris d'avoir une avance aussi encourageante, il se demanda s'il était possible que Roy n'ait pas vu où il allait.

Ayant franchi la boucle, en quête d'un abri, il bifurqua sur un cours d'eau secondaire, qui se ramifiait au canal principal. Celui-ci avait environ trois mètres de large à son embouchure, mais les parois se rétrécissaient rapidement tandis qu'il progressait vers la source. Le sol s'élevait graduellement jusqu'à ce que la profondeur du petit ravin décroisse de deux mètres à un mètre cinquante. Après avoir parcouru guère plus d'une centaine de mètres, le passage s'était réduit à un mètre quatre-vingts. En se tenant bien droit, sa tête dépassait au-dessus du niveau du sol. Là, la rigole se divisait en deux petits couloirs en culs-de-sac, qui ne se trouvaient qu'à un mètre en contrebas du champ. Il s'engagea dans l'une de ces impasses, s'y insérant, chaque épaule coincée contre un remblai sablonneux. Il s'y assit, ramena ses genoux à son menton, enserra ses bras autour de ses jambes, et essaya d'être invisible.

— Y'a des serpents à sonnettes.

*Seigneur !*

— Vaux mieux que t'y penses.

*Non.*

— C'est la région des serpents à sonnettes.

*La ferme !*

— Mais si.

*Ils ne sortent pas la nuit.*

— Les pires choses sortent toujours la nuit.

*Pas les serpents à sonnettes.*

— Comment le sais-tu ?

*Je l'ai lu dans un livre.*

— Quel livre ?

*J'ai oublié le titre.*

— Il n'y avait pas de livre.

*La ferme !*

— Des serpents partout.

*Seigneur !*

Il se courba dans la poussière, à l'écoute des serpents à sonnette, dans l'attente de Roy ; et un long moment s'écoula, durant lequel il ne fut inquiété par aucun châtiment. Il consultait sa montre à affichage digital toutes les trois ou quatre minutes, et au bout d'une demi-heure de séjour dans le fossé, il décida qu'il devait repartir. Si Roy avait passé tout ce temps à inspecter le lacis de canaux d'écoulement, il devait s'être suffisamment rapproché pour que Colin perçoive sa présence, ou alors il aurait au moins fait un bruit au loin ; mais ce n'était pas le cas. De toute évidence, il avait abandonné la poursuite, sans doute parce qu'il avait perdu la trace de Colin dans l'obscurité, n'avait pas vu dans quelle direction il était parti, et pas d'idée précise où le chercher. Auquel cas, c'était un formidable coup de chance. Mais Colin avait l'impression qu'il abuserait du Destin en restant là, dans ce nid de vipères, espérant être à jamais protégé des serpents à sonnettes.

Il se glissa hors de la tranchée, se mit debout, et examina le paysage escarpé, éclairé par la lune. Aucun signe de Roy dans son champ de vision limité.

Avec une extrême précaution, s'arrêtant à intervalles réguliers pour prêter l'oreille aux ténèbres, Colin mit le cap vers le sud. A plusieurs reprises, à ses angles visuels, il percevait un mouvement ; mais il s'avérait toujours qu'il s'agissait d'une touffe de mauvaises herbes qui s'agitait au vent. Il retraversa bientôt la plaine pour atteindre une fois de plus la voie ferrée. Il se trouvait au moins à quatre cents mètres au sud du cimetière de voitures, et mit rapidement encore davantage de distance entre lui et la maison d'Ermite Hobson.

Une heure après, en arrivant à l'intersection des chemins et de Santa Leona Road, il était fourbu. Il avait la bouche sèche, et mal au dos. Chaque muscle de ses jambes était noué et l'élançait.

Il envisagea de suivre la nationale jusqu'en ville. C'était tentant : direct et presque en ligne droite, sans trous ni fossés ni obstacles cachés dans l'ombre. Il avait déjà raccourci au maximum son long et pénible trajet en passant par les champs. A partir d'ici, continuer d'éviter les routes ne ferait que prolonger le parcours.

Il fit quelques pas sur le bitume, mais se rendit compte une fois encore qu'il n'osait pas poursuivre l'itinéraire facile. Il serait presque sûrement attaqué avant d'avoir atteint l'orée de la ville, où les gens et les lumières rendraient le meurtre plus difficile que dans la campagne isolée.

— Fais du stop.

*Il n'y a pas de circulation à cette heure-ci.*

— Quelqu'un finira par passer.

*Ouais. Roy, peut-être bien.*

Il quitta Santa Leona Road. Il dévia au sud-ouest de la ligne de chemin de fer, écartant les broussailles sur son passage où seuls lui et les mauvaises herbes remuaient. En moins d'un kilomètre, il arriva au ruisseau asséché qui longeait parallèlement Ranch Road. Ayant été élargi et approfondi afin de mieux maîtriser les inondations, ses parois n'étaient plus de la terre mais du béton. Il descendit à l'une des échelles d'entretien aux échelons espacés régulièrement, et une fois debout au fond, le rebord était à six mètres au-dessus de lui.

Trois kilomètres plus loin, en plein cœur de la ville, il grimpa à une autre échelle et sortit par une grille de sécurité. Il se trouvait sur le trottoir, dans Broadway.

Bien qu'il fût près d'une heure du matin, il y avait encore des gens dans les rues : des voitures qui passaient ; quelques dîneurs attardés ; l'employé d'une station-service. Un homme assez âgé marchait bras dessus bras dessous avec une femme aux cheveux blancs et au visage de lutin, et un jeune couple flânait devant les boutiques fermées, faisant du lèche-vitrine en dépit de l'heure.

Colin éprouvait le besoin de se ruer sur le plus proche d'entre eux pour laisser échapper son secret, le récit de la démence de Roy. Mais il savait qu'ils le prendraient pour un fou. Ils ne le connaissaient pas, pas plus lui que Roy. Ça n'aurait pas de sens pour des étrangers. Il n'était même pas sûr que cela en eût pour lui. Et même si, effectivement, ils comprenaient et le croyaient, ils ne pouvaient pas l'aider.

Sa première alliée allait devoir être sa mère. En apprenant les faits, elle appellerait la police, et ils lui répondraient beaucoup plus vite et plus sérieusement qu'à un garçon de quatorze ans. Il fallait qu'il rentre chez lui et le raconte à Weezy.

Il pressa le pas sur Broadway en direction de Adams Avenue, mais il stoppa après seulement quelques mètres, réalisant subitement qu'il lui faudrait entreprendre la dernière partie de son parcours avec la même prudence que celle employée jusqu'ici. Roy avait peut-être l'intention de s'embusquer à quelques pas de sa porte d'entrée. En fait, maintenant qu'il y réfléchissait, il était convaincu que c'était ce qui allait se passer. Roy lui tendrait très probablement un guet-apens directement sur le chemin de la maison des Jacobs ; au milieu de ce bloc se trouvait un petit square, rempli de cachettes d'où il pouvait observer la rue entière. Au moment où il verrait Colin s'approcher de la maison, il agirait ; et très vite. L'espace d'un instant, comme affligé d'un don de double vue, Colin se vit par terre, frappé à coups de massue, poignardé, laissé là dans le sang et la souffrance, en train de mourir à quelques centimètres de la sécurité, sur le seuil du refuge.

Il se tint au beau milieu du trottoir, tremblant. Il resta là assez longtemps.

— Faut y aller, mon petit.

*Où ?*

— Appelle Weezy. Demande-lui de venir te chercher.

*Elle me dira de venir à pied. Ce n'est qu'à quelques blocs.*

— Alors explique-lui pourquoi tu ne peux pas.

*Pas au téléphone.*

— Dis-lui que Roy est là, qu'il attend de te tuer.

*Je ne peux pas faire passer ça au téléphone.*

— Bien sûr que si.

*Non. Il faudra que je lui en parle de vive voix. Sinon, ça ne paraîtra pas vraisemblable, et elle croira que c'est une blague. Elle sera furieuse.*

— Tu dois essayer de le faire par téléphone pour qu'elle vienne te chercher. Comme ça tu rentreras sain et sauf à la maison.

*Je ne peux pas le faire par téléphone.*

— Est-ce que tu as le choix ?

Il retourna finalement à la station-service à côté du petit ruisseau. Une cabine téléphonique se trouvait à l'angle. Il composa le numéro et laissa sonner une douzaine de fois.

Elle n'était pas encore rentrée.

Colin raccrocha violemment le combiné et quitta la cabine sans récupérer sa pièce.

Il resta sur le trottoir, poings sur les hanches, épaules haussées. Il avait envie de cogner dans quelque chose.

— La salope.

*C'est ta mère.*

— Où diable est-elle ?

*Ce sont les affaires.*

— Qu'est-ce qu'elle fout ?

*Ce sont les affaires.*

— Avec qui est-elle ?

*Ce ne sont que les affaires.*

— Tu parles !

L'employé de la station-service commença à fermer pour la nuit. Les rampes de lumières fluorescentes au-dessus des pompes vacillèrent.

Colin alla vers l'ouest en direction de Broadway, et traversa le quartier des magasins, histoire de passer le temps. Il regarda les vitrines sans rien voir.

A une heure dix, il retourna à la cabine. Il fit le numéro de chez lui, laissa sonner quinze fois, et raccrocha.

— Les affaires, mon cul !

*Elle travaille dur.*

— A quoi ?

Il demeura là plusieurs minutes, une main sur le combiné, comme s'il attendait un appel.

— Elle est dehors en train de baiser.

*Ce sont les affaires. Un dîner d'affaires.*

— Si tard que ça ?

*Un dîner d'affaires qui se prolonge.*

Il réessaya le numéro.

Pas de réponse.

Il s'assit par terre dans la cabine, dans le noir, et se pelotonna.

— Elle est en train de baiser quand j'ai besoin d'elle.

*Tu n'en es pas sûr.*

— Je le sais.

*Tu ne peux pas savoir.*

— Vois les choses en face. Elle baise comme tout le monde.

*Voilà que tu te mets à parler comme Roy.*

— Roy dit parfois des choses sensées.

*Il est fou.*

— Peut-être pas pour tout.

A une heure et demie il se leva, glissa dix cents dans le téléphone, et rappela chez lui. Il laissa sonner vingt-deux fois avant de raccrocher.

Il y avait moins de danger à rentrer à pied, maintenant. N'était-il pas trop tard pour que Roy continue à veiller ? C'était un tueur, mais aussi un garçon de quatorze ans ; il ne pouvait rester dehors toute la nuit. Ses parents se demanderaient où il était. Ils risquaient même d'appeler les flics. Roy aurait des ennuis terribles s'il passait la nuit dehors, n'est-ce pas ?

Peut-être. Peut-être pas.

Colin n'était pas certain que les Borden se préoccupaient vraiment de ce que Roy faisait ou de ce qui lui arrivait. A ce que Colin savait, ils n'avaient jamais établi de règles concernant leur fils, à l'exception de l'interdiction d'approcher les trains de son père. Roy faisait ce qu'il voulait, quand il voulait.

Quelque chose ne tournait pas rond dans la famille Borden. Leurs relations étaient curieuses, indéfinissables. Il ne s'agissait pas de l'entente traditionnelle parents-enfants. Colin n'avait rencontré qu'à deux reprises Mr et Mrs Borden ; mais ces deux fois, il avait ressenti leur étrangeté, dans leurs attitudes l'un envers l'autre, et dans leur façon de traiter Roy. Mère, père et enfant paraissaient des étrangers. Il y avait une raideur particulière dans la manière dont ils se parlaient entre eux, comme s'ils récitaient les répliques d'un scénario qu'ils n'auraient pas bien appris. Ils semblaient toujours si *compassés*. On aurait presque dit... qu'ils avaient peur les uns des autres. Colin s'était rendu compte d'une froideur au sein de la famille, mais ne s'était jamais penché plus avant sur la question. Pourtant, maintenant qu'il y repensait, il réalisait que les Borden étaient comme des gens vivant en garni ; ils souriaient en faisant un signe de tête lorsqu'ils se croisaient dans l'entrée ; ils se disaient bonjour en se rencontrant dans la cuisine ; mais autrement, ils menaient des vies séparées, lointaines. Il ignorait pourquoi. Un événement les avait détournés les uns des autres. Il n'arrivait pas à imaginer quoi.

Mais il était persuadé que Mr et Mrs Borden ne seraient guère inquiets si Roy ne rentrait pas avant l'aube, ou même s'il disparaissait à jamais.

Par conséquent, il n'était pas prudent de rentrer à pied. Roy allait l'attendre.

Colin composa à nouveau le numéro, et fut étonné que sa mère réponde à la deuxième sonnerie.

— Maman, il faut que tu viennes me chercher.

— Skipper ?

— Je t'attends à...

— Je te croyais en haut, endormi.

— Non, je suis à...

— Je viens de rentrer. Je pensais que tu étais là. Qu'est-ce que tu fais dehors à cette heure-ci ?

— Ce n'est pas ma faute. J'étais...

— Oh mon dieu, tu es blessé ?

— Non, non. Je...

— Tu es blessé.

— Non, juste des bleus et quelques égratignures. J'ai besoin...

— Qu'est-ce qu'il y a ? Que t'est-il arrivé ?

— Si tu te taisais et m'écoutais, tu le saurais, répliqua Colin d'un ton impatient.

Elle était abasourdie. « Ne me parle pas sur ce ton. Je te l'interdis ! »

— J'ai besoin d'aide !
— Quoi ?
— Il faut que tu m'aides.
— Tu as des ennuis ?
— De graves ennuis.
— Bon Dieu, qu'est-ce que tu as fait ?
— Ce n'est pas ce que *j'ai* fait. C'est...
— Où es-tu ?
— Je suis à...
— Est-ce qu'on t'a arrêté ?
— Quoi ?
— Est-ce que c'est *ce* genre d'ennuis ?
— Non, non. Je suis...
— Es-tu au commissariat de police ?
— Rien de tout ça. Je suis...
— Où es-tu ?
— A côté du Broadway Diner.
— Quels problèmes as-tu créés dans le restaurant ?
— Ce n'est pas ça. Je...
— Laisse-moi parler à quelqu'un de là-bas.
— Qui ? Que veux-tu dire ?
— Laisse-moi parler à une serveuse ou à quelqu'un !
— Je ne suis pas *dans* le restaurant.
— Mais où diable est-tu ?
— Dans une cabine téléphonique.
— Colin, qu'est-ce qui se passe ?
— J'attends que tu viennes me chercher.
— Tu n'es qu'à quelques blocs de la maison.
— Je ne peux pas rentrer à pied. Il m'attend sur le chemin.
— Qui ?
— Il veut me tuer.
Silence.
— Colin, rentre à la maison.
— Je peux pas.
— Immédiatement. Je parle sérieusement.
— Je peux pas.
— Je vais me fâcher, jeune homme.
— Ce soir, Roy a essayé de me tuer. Il est toujours dans les parages, il m'attend.
— Ce n'est pas drôle.

— Je ne plaisante pas !

Autre silence.

— Colin, est-ce que tu as pris quelque chose ?

— Hein ?

— As-tu pris une pilule ou quelque chose comme ça ?

— De la drogue ?

— Alors ?

— Seigneur !

— Alors ?

— Où est-ce que j'aurais trouvé de la drogue ?

— Je sais que vous les gosses, vous pouvez vous en procurer. C'est aussi facile que d'acheter de l'aspirine.

— Seigneur !

— C'est un grave problème de nos jours. Est-ce que c'est ça ? Tu planes et t'as du mal à redescendre ?

— Moi ? Tu crois vraiment qu'il s'agit d'un problème avec *moi ?*

— Si tu as pris du LSD...

— Si c'est ce que tu penses vraiment...

— ... Ou si tu as bu...

— ... Alors tu ne me connais pas du tout.

— ... Mélangé de l'alcool et des pilules...

— Si tu veux le savoir, répondit-il sèchement, il va falloir que tu viennes me prendre en voiture.

— Ne me parle pas sur ce ton.

— Si tu ne viens pas, alors je pourrirai sans doute ici !

Il raccrocha violemment le combiné sur son support et sortit de la cabine.

— Merde !

Il donna un coup de pied dans une cannette vide qui se trouvait près de l'allée. Elle tournoya et résonna dans toute la rue.

Il alla au Broadway Diner et se tint sur le trottoir, tête tournée vers l'est, là où Weezy tournerait au coin si elle prenait la peine de venir le chercher.

Il ne pouvait s'empêcher de trembler de colère et de peur.

Il éprouvait autre chose, aussi, quelque chose d'obscur et accablant, un sentiment bien plus troublant que la colère, bien plus débilitant que la peur, bien plus sinistre, comme une solitude affreuse, mais pire encore que la solitude. C'était l'impression — non, la conviction — qu'on l'avait abandonné, oublié, et que personne au monde ne se préoccupait et ne se préoccuperait plus jamais suffisamment de lui pour découvrir réellement qui il était et ce qu'étaient ses rêves. Il était un paria, un être complètement différent des autres, objet de mépris et de risée, un outsider, secrètement détesté et raillé par tous ceux qui le rencontraient, même par ces rares personnes qui prétendaient l'aimer.

Il avait envie de vomir.

Cinq minutes plus tard, elle rangea près de lui la Cadillac bleue. Elle se pencha sur le siège avant et ouvrit la porte côté passager.

En la voyant, il perdit l'emprise qu'il avait eue sur lui depuis le cauchemar du lieu d'Ermite Hobson. Les larmes ruisselèrent sur son visage. Le temps de monter en voiture et de refermer la portière, il sanglotait comme un bébé.

## 27

ELLE ne le crut pas. Elle refusa d'appeler les flics, et ne voulut pas déranger les Borden par un coup de fil à cette heure-ci.

A neuf heures et demie, le lendemain matin, elle téléphona à Roy. Puis elle parla à sa mère. Comme elle avait insisté pour être seule, Colin n'entendit pas la conversation.

Après avoir discuté avec les Borden, elle incita Colin à revenir sur ses propos. Devant son refus, elle entra en fureur.

A onze heures, après une longue discussion, ils se rendirent tous deux au cimetière de voitures. Aucun d'eux ne parla durant le trajet.

Elle se gara au bout du chemin poussiéreux, près de la bicoque. Ils descendirent de voiture.

Colin était mal à l'aise. Des échos de la précédente nuit de terreur résonnaient encore dans sa mémoire.

Sa bicyclette était couchée à proximité des marches du porche. Celle de Roy avait disparu, évidemment.

— Tu vois, dit-il, j'étais là.

Elle ne répondit pas. Elle poussa la bicyclette jusqu'à l'arrière de la voiture.

Colin la suivit. « C'est arrivé exactement comme je l'ai raconté. »

Elle ouvrit le coffre. « Aide-moi. »

Elle souleva le vélo pour le mettre à l'arrière, mais il ne rentrait pas suffisamment dans le coffre pour pouvoir le fermer et le verrouiller. Elle trouva une bobine de fil de fer dans la caisse à outils et s'en servit pour attacher le capot.

— Est-ce que la bicyclette ne prouve pas quelque chose ? demanda Colin.

Elle se tourna vers lui. « Ça prouve que tu étais là. »

— Comme je l'ai dit.

— Mais pas avec Roy.

— Il a essayé de me tuer !

— Il m'a dit que la nuit dernière, il était chez lui à partir de neuf heures et demie.

— Evidemment que c'est ce qu'il t'a dit ! Mais...

— Sa mère me l'a confirmé, aussi.

— Ce n'est pas vrai.

— Es-tu en train de traiter Mrs Borden de menteuse ?

— Eh bien, elle ignore probablement qu'elle ment.

— Qu'est-ce que c'est censé vouloir dire ?

— Roy lui a probablement raconté qu'il était à la maison, dans sa chambre, et elle l'a cru.

— Elle sait qu'il était là, pas seulement parce qu'il le lui a dit, mais parce qu'hier soir, elle était chez elle, aussi.

— Mais est-ce qu'elle lui a effectivement parlé ?

— Quoi ?

— Hier soir ? Lui a-t-elle parlé ? Ou a-t-elle simplement présumé qu'il était là-haut dans sa chambre ?

— Je ne l'ai pas cuisinée pour avoir des détails sur...

— L'a-t-elle effectivement vu la nuit dernière ?

— Colin...

— Si elle ne l'a pas vu pour de vrai, dit Colin avec agitation, elle ne peut pas avoir la certitude qu'il était là-haut dans sa chambre.

— C'est ridicule.

— Non, pas du tout. Ils ne se parlent pas beaucoup dans cette maison. Ils ne s'occupent pas les uns des autres. Ils ne vont pas chercher pour entamer une conversation.

— Elle aura su qu'il était là en passant la tête pour lui souhaiter bonne nuit.

— Mais c'est exactement ce que je suis en train d'essayer de t'expliquer. Elle ne ferait jamais ça. Elle ne se donnerait jamais la peine d'aller lui dire bonsoir. Je le sais. J'en mettrais ma main à couper. Ils ne se comportent pas comme tout le monde. Il y a quelque chose de vraiment étrange chez eux. Un truc ne tourne pas rond dans cette maison.

— D'après toi, qu'est-ce que c'est ? demanda-t-elle avec colère. Sont-ils des envahisseurs d'une autre planète ?

— Bien sûr que non.

— Comme dans l'un de ces satanés bouquins débiles que tu lis à longueur de temps ?

— Non.

— Faut-il appeler Buck Rogers à la rescousse ?

— Je... J'essayais simplement de te faire comprendre qu'ils n'ont pas l'air d'aimer Roy.

— C'est une chose terrible à dire.

— Je suis pratiquement certain que c'est vrai.

Elle hocha la tête, stupéfaite. « T'est-il jamais venu à l'idée que tu étais peut-être trop jeune pour concevoir pleinement une émotion aussi complexe que l'amour, sans compter toutes les formes qu'il peut revêtir ? Mon Dieu, tu es un garçon de quatorze ans inexpérimenté ! Pour qui te prends-tu pour juger les Borden sur une chose pareille ? »

— Mais si tu voyais la façon dont ils se comportent. Si tu entendais la manière dont ils se parlent ! Et ils ne font jamais rien ensemble. Même nous, on fait plus de trucs ensemble que les Borden.

— " Même nous " ? Que veux-tu dire par là ?

— Eh bien, on ne fait pas grand-chose ensemble, n'est-ce pas ? En tant que famille, je parle.

Il ne voulut pas voir ce qu'il lut dans ses yeux. Il détourna son regard.

— Au cas où tu l'aurais oublié, je suis divorcée de ton père. Et au cas où cela te serait aussi sorti de l'esprit, ce fut un divorce cruel. L'enfer. Alors, qu'espères-tu, à la fin ? Tu crois que tous les trois, on devrait aller pique-niquer de temps en temps ?

Colin traîna les pieds dans l'herbe. « Je veux dire même juste toi et moi. Tous les deux. On ne se voit pas souvent, et les Borden voient encore moins Roy. »

— Quand ai-je le temps, pour l'amour du ciel ?
Il haussa les épaules.
— Je travaille dur.
— Je le sais.
— Tu crois que ça me fait plaisir de travailler autant ?
— On dirait.
— Eh bien, ce n'est pas le cas.
— Alors pourquoi...
— J'essaie de nous construire un avenir. Tu peux comprendre ? Je veux être certaine que nous n'aurons jamais à nous faire du souci pour l'argent. Je veux la sécurité. Une grande sécurité. Mais tu n'en es absolument pas reconnaissant.
— Si. Je sais que tu travailles dur.
— Si tu tenais vraiment compte de ce que je fais pour nous, tu n'aurais pas essayé de m'impressionner avec ces conneries, que Roy a essayé de te tuer et...
— C'est pas des conneries.
— Ne prononce pas ce mot-là !
— Quel mot ?
— Tu le sais bien.
— Conneries ?
Elle le gifla.
Vexé, il porta la main à sa joue.
— Ne minaude pas avec moi, dit-elle.
— Je ne minaude pas.
Elle se détourna. Elle fit quelques pas dans l'herbe et resta un moment à regarder le cimetière de voitures.
Il était au bord des larmes. Mais il ne voulait pas qu'elle le voie pleurer, aussi il se mordit la lèvre et se retint. La douleur et l'humiliation furent peu après remplacés par la colère, et il n'eut plus à se mordre la lèvre.
Quand elle eut repris son calme, elle revint vers lui. « Je suis désolée. »
— C'est pas grave.
— Je me suis énervée, et c'est un mauvais exemple à donner.
— Ça ne m'a pas fait mal.
— Je me fais tellement de souci pour toi.
— Ce n'est pas ce que je voulais.

— Je m'inquiète parce que je sais ce qui se passe.

Il attendit.

— Tu es venu ici la nuit dernière à bicyclette, dit-elle. Mais pas avec Roy. Je sais avec qui tu étais.

Il ne répondit rien.

— Oh, je ne connais pas leurs noms, mais je vois le genre de gosses que c'est.

Il cligna des yeux. « De qui tu parles ? »

— Tu sais bien de qui je parle. De tes autres copains, de ces petits malins qu'on voit de nos jours à tous les coins de rues, ces loubards sur leur skateboard qui essaient de te faire tomber dans le caniveau quand tu passes à côté d'eux.

— Tu t'imagines que je pourrais intéresser des mecs pareils ? Je fais aussi partie de ceux qu'ils enverraient dans le caniveau.

— Tu es fuyant.

— Je dis la vérité. Roy était mon seul ami.

— N'importe quoi !

— Je ne me lie pas facilement.

— Ne me raconte pas de mensonges.

Il demeura silencieux.

— Depuis que nous nous sommes installés à Santa Leona, tu as de mauvaises fréquentations.

— Non.

— Et la nuit dernière, tu es venu ici avec certains d'entre eux, probablement parce que c'est un endroit à la mode, en fait, c'est un endroit idéal pour se planquer, fumer de la drogue et faire... plein d'autres choses.

— Non.

— La nuit dernière, tu es venu ici avec eux, tu as pris quelques pilules — Dieu sait ce que c'était — et ensuite tu as commencé à planer.

— Non.

— Admets-le.

— Ce n'est pas vrai.

— Colin, je sais que, au fond, tu es un bon garçon. Tu n'avais jamais eu le moindre ennui jusqu'à présent. Aujourd'hui, tu as commis une erreur. Tu t'es laissé débaucher par d'autres gamins.

— Non.

— Si tu l'admets simplement, si tu y fais face, je ne serai pas furieuse contre toi. Je te respecterai car tu en auras supporté les conséquences. Je t'aiderai, Colin, si tu veux bien me donner une chance.

— Donne-moi une chance, à moi !

— Tu as pris deux pilules...

— Non.

— ... et pendant quelques heures, t'étais complètement parti, vraiment dans les vapes.

— Non.

— Quand tu as fini par revenir sur terre, tu t'es rendu compte que tu avais erré, et que tu devais retourner en ville sans ton vélo.

— Seigneur !

— Tu ne savais pas trop comment revenir ici et retrouver ta bicyclette. Tes vêtements étaient déchirés, sales, et il était une heure du matin. Tu as paniqué. Ne sachant pas comment tu allais expliquer ça, tu as inventé cette histoire absurde à propos de Roy Borden.

— Tu vas m'écouter ? (Il pouvait à peine s'empêcher de lui crier dessus.)

— J'écoute.

— Roy Borden *est* un tueur. Il...

— Tu me déçois.

— Mais regarde ce que je suis, pour l'amour du ciel !

— Ne parle pas comme ça.

— Tu ne me vois pas ?

— Ne hurle pas sur moi.

— Tu ne vois pas ce que je suis ?

— Tu es un garçon qui a des ennuis et qui aggrave son cas.

Colin était furieux contre elle parce qu'elle l'obligeait à se montrer sous un jour qu'il ne lui avait jamais révélé. « Est-ce que je ressemble à l'un de ces jeunes ? Ai-je l'air de l'un de ces mecs à qui ils iraient se donner la peine de dire bonjour ? Ils ne prendraient même pas le temps de me cracher dessus. Pour eux, je ne suis qu'un minus maigrichon, timide et myope. » (Des larmes brillèrent au coin de ses paupières. Il se détestait de ne pouvoir les retenir.) « Roy était le meilleur ami que j'avais. Le *seul* ami. Pourquoi irais-je inventer une histoire aussi saugrenue juste pour lui créer des ennuis ? »

— Tu étais ahuri et désespéré. (Elle le dévisagea comme si son regard allait le mettre à nu et dévoiler la vérité telle qu'elle se l'imaginait.) Et d'après Roy, tu étais très en colère après lui parce qu'il avait refusé de venir ici avec toi et les autres.

Colin la regarda, bouche bée. « Tu veux dire que tu tiens toute cette théorie de la bouche de Roy ? Cette histoire débile sur le fait que je me drogue... ça vient de *Roy ?* »

— Je m'en suis doutée hier soir. Lorsque j'en ai parlé à Roy, il m'a répondu que j'avais raison. Il m'a dit que tu lui en voulais parce qu'il avait refusé de vous accompagner...

— Il a voulu me tuer !

— ... et de participer pour l'achat des pilules.

— Il n'y avait pas de pilules.

— Roy affirme le contraire, et ça explique beaucoup de choses.

— T'a-t-il au moins donné le nom de l'une de ces drogues extravagantes que je suis censé consommer ?

— Cela ne me concerne pas. C'est à ton sujet que je m'inquiète.

— Seigneur !

— Je me fais du souci pour toi.

— Mais pour la mauvaise raison.

— S'amuser avec la drogue, c'est stupide et dangereux.

— Je n'ai rien fait.

— Si tu veux être traité comme un adulte, il faut que tu commences à te comporter comme tel, dit-elle sur un ton moralisateur qui l'exaspéra. Un adulte reconnaît ses erreurs. Un adulte assume toujours les conséquences de ses actes.

— Pas la majorité de ceux que je vois.

— Si tu persistes dans cette tentative obstinée de...

— Comment peux-tu le croire, lui, au lieu de moi ?

— C'est un très gentil garçon. Il...

— Tu ne lui as parlé que deux fois dans ta vie !

— C'est assez pour savoir que c'est un garçon sain et très mûr pour son âge.

— C'est faux ! Il n'est pas du tout comme ça. Il ment !

— Son histoire sonne certainement plus vraie que la tienne. Et il me fait l'effet d'un garçon raisonnable.

— Tu penses que je ne suis pas raisonnable ?

— Colin, combien de nuits m'as-tu tirée hors du lit parce que tu étais persuadé que quelque chose rampait dans le grenier ?

— Pas si souvent, marmonna-t-il.

— Si. Aussi souvent. Très souvent. Et y a-t-il jamais eu quelque chose quand on allait voir ?

Il soupira.

— Alors ? insista-t-elle.

— Non.

— Combien de nuits étais-tu absolument certain que quelqu'un se tenait caché derrière la maison, et essayait de rentrer par ta fenêtre ?

Il ne répondit pas.

Elle profita de son avantage. « Et les garçons pondérés passent-ils tout leur temps à construire des maquettes plastiques de monstres de cinéma ? »

— C'est pour ça que tu ne me crois pas ? Parce que je vais voir beaucoup de films d'horreur ? Parce que je lis de la science-fiction ?

— Arrête. N'essaie pas de me faire passer pour une simple d'esprit.

— Merde.

— Cette bande avec laquelle tu traînes t'a aussi donné de mauvaises habitudes de langage, et je ne le permettrai pas.

Il s'éloigna d'elle en direction de l'entrepôt.

— Où vas-tu ?

Tout en marchant, il lui répondit : « Je peux te montrer la preuve. »

— On s'en va.

— Eh bien, pars.

— Je devrais être à la galerie depuis une heure.

— Je peux te montrer la preuve, si tu te donnes la peine de regarder.

Il traversa le cimetière et se dirigea vers l'endroit où la

colline s'abaissait sur les rails de chemin de fer. Il n'était pas sûr qu'elle le suivait, mais essaya de faire comme s'il n'en doutait pas. Il estimait que le fait de regarder derrière lui serait un signe de faiblesse, et trouvait qu'il avait été un faible pendant bien trop longtemps.

La nuit dernière, la collection d'épaves d'Ermite Hobson ressemblait à un sinistre labyrinthe. Aujourd'hui, en plein jour, ce n'était plus qu'un endroit triste, très triste et désolé. En regardant légèrement de côté, à travers la surface terne et alvéolée, au-delà du misérable présent, on pouvait entrevoir le passé qui rayonnait partout. Jadis, les voitures avaient été belles et brillantes. Des hommes avaient investi du travail, de l'argent et des rêves dans ces machines, et tout cela pour aboutir à ceci : la rouille.

Arrivé à l'extrémité occidentale du terrain, il eut peine à croire ce qu'il voyait de ses yeux. La preuve qu'il comptait montrer à Weezy avait disparu.

La camionnette délabrée se trouvait toujours à trois mètres du bord, là où Roy avait dû l'abandonner, mais les plaques de tôle n'étaient plus là. Bien que le camion se soit arrêté avec ses roues avant à l'oblique dans la poussière, les roues arrière étaient restées carrément sur la piste de métal. Colin s'en souvenait parfaitement. A présent, les quatre roues reposaient sur le sol nu.

Colin comprit ce qui s'était passé et sut qu'il aurait dû s'y attendre. Hier soir, lorsqu'il était resté caché dans l'arroyo à l'ouest de la voie ferrée, Roy ne s'était pas immédiatement précipité en ville pour l'attendre devant chez lui, mais avait finalement renoncé à la chasse pour revenir ici effacer toutes les traces de son plan pour provoquer le déraillement du train. Il avait transporté chaque tronçon amovible de la piste de fortune construite pour le camion. Puis il avait même soulevé avec un cric les roues arrière du Ford pour ôter les deux dernières feuilles de métal compromettantes coincées en dessous.

L'herbe derrière le camion, sûrement aplatie par le passage du Ford, se tenait maintenant presque aussi droite que partout ailleurs dans l'entrepôt ; elle balançait doucement sous la brise. Roy avait pris le temps de la ratisser, et ainsi, ôté les empreintes jumelées du sillage de la camionnette. En y regardant de plus près, Colin s'aperçut que les brins d'herbe élastiques n'avaient guère subi de dommages. Quelques-uns étaient cassés. D'autres, plus nombreux, courbés. Certains étaient écrasés. Mais ces subtils indices ne constitueraient pas une preuve suffisante pour convaincre Weezy de la véracité de son histoire.

Bien qu'il fût bien plus proche du bord de la colline que toutes les autres épaves, on aurait dit que le Ford était resté là, à la même place, intact, depuis des années et des années.

Colin s'agenouilla à côté de la camionnette et tendit la main vers l'une des roues toute rouillée. Il en ressortit un gros morceau de graisse froide.

— Qu'est-ce que tu fais ? demanda Weezy.

Il se tourna vers elle et leva sa main toute grasse. « Voici tout ce que je peux te montrer. Il a emporté tout le reste, toutes les autres preuves. »

— Qu'est-ce que c'est ?

— De la graisse.

— Et alors ?

C'était sans espoir.

# DEUXIÈME PARTIE

# 28

PENDANT sept jours, Colin resta à la maison.

L'interdiction de sortir faisait partie de sa punition. Sa mère s'assurait qu'il endurait la consigne ; elle téléphonait six ou huit fois par jour, pour vérifier qu'il était là. Parfois deux ou trois heures s'écoulaient entre chaque appel, et parfois elle se manifestait trois fois en une demi-heure. Il n'osait pas s'échapper.

En réalité, il n'avait envie d'aller nulle part. Parfaitement habitué à la solitude, il s'accommodait fort bien de sa seule compagnie. Pendant presque toute sa vie, sa chambre avait constitué la plus grande partie de son monde, et au moins pour quelque temps, elle serait un univers à elle seule amplement suffisant. Il avait ses livres, ses bandes dessinées d'épouvante, ses monstres en modèle réduit, et la radio ; il pouvait se distraire pendant une semaine, un mois, ou même davantage. Et craignait que s'il passait la porte, Roy Borden ne l'attrape.

Weezy lui avait aussi bien fait comprendre qu'après avoir purgé sa peine d'une semaine, il serait en liberté surveillée pendant un bon moment. Il allait devoir rentrer à la maison avant la nuit durant tout le restant de l'été. Il s'était abstenu de lui dire ce qu'il en pensait lorsqu'elle avait établi cette règle, mais en fait, il ne la considérait pas comme une punition. Il n'avait aucunement l'intention de sortir le soir. Aussi longtemps que Roy serait dans la nature, Colin redouterait chaque coucher de soleil, comme les personnages du *Dracula* de Bram Stoker.

En plus d'imposer un couvre-feu, Weezy lui supprima son argent de poche pour un mois. Cela non plus ne le dérangeait pas. Il possédait une grosse tirelire de métal en forme de soucoupe volante, pleine de pièces et de billets de un dollar économisés au cours des deux dernières années.

Seul, le fait que ces restrictions allaient entraver sa cour à Heather Lipshitz le désolait. Il n'avait jamais eu de petite amie. Aucune fille ne s'était intéressée à lui jusqu'ici. Pas même un petit peu. Maintenant qu'il avait enfin une chance avec l'une d'elles, il ne voulait pas la gâcher.

Il téléphona à Heather et lui expliqua qu'il était puni et ne pouvait pas venir à leur rendez-vous au cinéma. Il ne lui précisa pas la raison pour laquelle il était consigné à la maison ; il ne mentionna pas que Roy avait essayé de le tuer. Elle ne le connaissait pas encore suffisamment bien pour admettre une histoire aussi abracadabrante. Et de tous les gens qu'avait connus Colin, Heather était celle dont l'opinion lui importait le plus à cet instant ; il ne voulait pas qu'elle le prenne pour un cinglé. Lorsqu'il lui exposa sa situation, elle se montra très compréhensive, et ils reportèrent leur rendez-vous au mercredi suivant, quand il serait de nouveau autorisé à quitter la maison. Elle ne vit même aucun inconvénient à aller voir le film en matinée, ni à son obligation d'être de retour chez lui avant la tombée de la nuit pour satisfaire au couvre-feu imposé par sa mère. Ils parlèrent cinéma et livres pendant vingt minutes, et il lui fut plus facile de bavarder avec elle qu'avec n'importe quelle autre fille.

En raccrochant, il se sentit mieux qu'avant. Au moins, pendant le tiers d'une heure, il avait été capable de repousser Roy Borden dans un coin de sa tête.

Il appela Heather chaque jour de sa semaine de détention, et ils ne furent jamais à court de paroles. Il apprit de nombreuses choses à son sujet, et plus il en savait, plus il l'aimait. Il espérait lui faire tout aussi bonne impression, et il était impatient de la revoir.

Il s'attendait à ce que Roy se pointe à la porte un

après-midi ou l'autre, ou tout au moins qu'il téléphone pour le menacer ; mais les journées passaient sans incident. Il envisagea d'en prendre l'initiative, juste pour voir ce qui arriverait. Une ou deux fois par jour, il décrochait le téléphone, mais il ne composa jamais plus que les trois premiers chiffres du numéro des Borden. C'est alors qu'il se mettait invariablement à avoir la tremblote, et il raccrochait.

Il lut une demi-douzaine de livres de poche : science-fiction, romans d'heroic-fantasy, histoires occultes, récits remplis de traîtres monstrueux, ce qu'il préférait. Mais quelque chose clochait dans les intrigues ou dans le style des auteurs, car il n'en éprouvait plus ce frisson familier.

Il relut quelques passages qui lui avaient fait dresser les cheveux sur la tête lorsqu'il les avait découverts pour la première fois deux ans auparavant. Il se rendit compte qu'il était toujours à même d'apprécier l'atmosphère et le suspense de *Marionnettes humaines* de Heinlein, mais il ne ressentait plus la terreur si fortement éprouvée en lui lors de la première lecture. *La chose d'un autre monde* de John Campbell et les histoires les plus effrayantes de Theodore Sturgeon, *Ça* et *Le professeur et l'ours en peluche* entre autres, palpitaient encore d'une riche vision du mal, mais elles ne le faisaient plus regarder par-dessus son épaule tout en tournant les pages.

Il avait du mal à dormir. S'il fermait les yeux plus d'une minute, il entendait des bruits étranges : ceux furtifs mais insistants que quelqu'un pourrait faire en essayant de pénétrer dans la chambre par la porte verrouillée ou la fenêtre. Colin percevait quelque chose dans le grenier, aussi, quelque chose de lourd qui ne cessait d'aller et venir en se traînant, comme s'il cherchait un point faible dans le plafond de sa chambre à coucher. Il pensa à ce que sa mère lui avait dit avec un tel mépris, et se persuada qu'il n'y avait rien dans le grenier, qu'il s'agissait simplement d'un effet de son imagination excessive, mais il n'en continua pas moins à les entendre. Après deux mauvaises nuits, il s'abandonna à sa peur et resta éveillé à lire jusqu'à l'aube ; puis aux premières lueurs du jour, il parvint à s'endormir.

## 29

MERCREDI matin, huit jours après les événements de l'entrepôt d'Ermite Hobson, la punition de Colin fut levée. Il allait quitter la maison à contrecœur. Il examina ce qui l'entourait par toutes les fenêtres du premier étage ; et bien qu'il ne décelât rien qui sortît de l'ordinaire, la pelouse de sa propre maison lui parut bien plus dangereuse que n'importe quel champ de bataille de n'importe quelle guerre au monde, malgré l'absence de bombes qui explosaient et de balles qui sifflaient.

— Roy n'irait rien essayer en plein jour.

*Il est cinglé. Comment peux-tu savoir ce qu'il va faire ?*

— Allez. Vas-y. Sors, et fais ce que tu as à faire.

*S'il attend...*

— Tu peux rester caché ici jusqu'à la fin de tes jours.

Il alla à la bibliothèque. Tout en pédalant le long des rues ensoleillées, il regarda derrière lui à plusieurs reprises. Il fut pratiquement sûr que Roy ne le suivait pas.

Bien que Colin n'ait dormi que trois heures la nuit précédente, il attendait devant les portes d'entrée de la bibliothèque lorsque Mrs Larkin, la bibliothécaire, ouvrit pour le public. Il y venait deux fois par semaine depuis leur arrivée en ville, et Mrs Larkin avait rapidement compris ce qu'il aimait. En le voyant debout sur les marches, elle dit : « Nous avons reçu le dernier roman d'Arthur G. Clarke vendredi dernier. »

— C'est super.

— Je ne l'ai pas immédiatement mis sur les étagères,

car j'ai pensé que vous viendriez le jour même, ou samedi au plus tard.

Il la suivit dans le grand bâtiment de stuc où il faisait frais, et pénétra dans la pièce principale où le bruit de leurs pas était étouffé par les gigantesques piles de livres, et où l'air sentait la colle et le papier jauni.

— Comme vous ne vous étiez toujours pas montré lundi après-midi, expliqua Mrs Larkin, je me suis dit que je ne pouvais pas bloquer le livre plus longtemps. Et là, justement, quelqu'un l'a emprunté hier après-midi, deux-trois minutes avant cinq heures.

— Ça ne fait rien, répondit Colin. Je vous remercie beaucoup d'avoir pensé à moi.

Mrs Larkin était une femme douce, aux cheveux roux et au trop petit front, avec trop de menton, pas assez de poitrine, et un trop gros derrière. Ses lunettes étaient aussi épaisses que celles de Colin. Elle adorait les livres et les rats de bibliothèque, et Colin l'aimait bien.

— Je suis surtout venu pour utiliser les lecteurs de microfilms, expliqua Colin.

— Oh, je regrette, mais nous n'avons pas de science-fiction sur microfilms.

— Ce n'est pas ce qui m'intéresse aujourd'hui. Ce que je voudrais, c'est consulter les anciens numéros du Santa Leona *News Register*.

— Pour quoi faire ? (Elle fit une grimace, comme si elle avait mordu dans un citron.) Je vais peut-être trahir ma propre ville natale en disant cela, mais le *News Register* est une des lectures les plus ennuyeuses qui soient. C'est plein de récits d'œuvres de charité et de comptes rendus des réunions du conseil municipal où des politiciens stupides discutent pendant des heures s'ils doivent ou non reboucher les trous sur Broadway.

— Eh bien... Je cherche en quelque sorte à préparer la rentrée de septembre à l'école, dit Colin, se demandant si ça lui paraissait aussi ridicule qu'à lui-même. La dissertation en anglais me pose toujours un petit problème, alors j'y pense à l'avance.

— Je n'arrive pas à croire que la moindre matière à l'école puisse vous donner des difficultés.

— En tout cas... J'ai cette idée d'un essai sur l'été à

Santa Leona, non pas mon été, mais l'été en général, et d'un point de vue historique. Je veux faire quelques recherches.

Elle sourit d'un air approbateur.

— Vous êtes un jeune homme ambitieux, n'est-ce pas ?

Il haussa les épaules.

— Pas vraiment.

Elle hocha la tête.

— Depuis toutes ces années où je travaille ici, vous êtes le premier à venir pendant les vacances d'été se préparer pour la prochaine rentrée scolaire d'automne. J'appellerais ça de l'ambition. Sans aucun doute. Et c'est rafraîchissant, aussi. Continuez comme ça, et vous irez loin dans la vie.

Colin était gêné car il ne méritait pas ces louanges, et parce qu'il lui avait menti. Il se sentit rougir, et réalisa soudain que c'était la première fois de la semaine que ça lui arrivait, ou depuis plus longtemps que ça, peut-être, ce qui pour lui, constituait un espèce de record.

Il alla dans la petite salle des microfilms, et Mrs Larkin lui apporta les bobines des films qui renfermaient chaque page du *News Register* de juin, juillet et août de l'année précédente, ainsi que les mêmes trois mois de celle d'avant. Elle lui montra comment utiliser la machine, resta derrière lui le temps de s'assurer qu'il n'avait pas de questions, puis le laissa à son travail.

Rose.

Quelque chose Rose.

Jim Rose ?

Arthur Rose ?

Michael Rose ?

Il se souvenait du nom de famille en l'associant avec la fleur, mais il n'arrivait pas à se remémorer le prénom du garçon.

Phil Pacino.

Il se rappelait celui-là parce que c'était comme Al Pacino, l'acteur de cinéma.

Il décida de commencer par Phil. Il aligna les bobines des journaux de l'été dernier.

Il présuma que les deux décès avaient dû faire la une, il

les parcourut donc rapidement, cherchant les gros titres.
Il avait oublié la date donnée par Roy. Il partit de juin et alla jusqu'au 1er août avant de trouver le récit.

UN GARÇON DE LA RÉGION
PÉRIT DANS LES FLAMMES

Il était en train de lire le dernier paragraphe de l'article quand il sentit un changement dans l'atmosphère et sut que Roy se tenait derrière lui. Il se retourna vivement et faillit tomber de sa chaise tournante en pivotant, mais Roy n'y était pas. Il n'y avait personne. Personne aux tables de travail. Aucun flâneur parmi les piles de livres. Mrs Larkin n'était pas à son bureau. C'était le fruit de son imagination.

Il s'assit et relut l'article. C'était exactement comme Roy l'avait raconté. La maison des Pacino avait brûlé de fond en comble, une perte totale. Dans les décombres, les pompiers avaient retrouvé le corps calciné de Philip Pacino, âgé de quatorze ans.

Colin sentit les gouttes de sueur perler sur son front. Il s'essuya le visage de sa main et la passa ensuite sur son jean.

Il examina les journaux de la semaine d'après avec une attention particulière, en quête des articles suivants. Il y en avait trois.

RAPPORT DU CAPITAINE DES POMPIERS
IL JOUAIT AVEC DES ALLUMETTES

Selon le communiqué final, Philip Pacino avait provoqué l'incendie. Il jouait avec des allumettes à proximité d'un établi sur lequel il construisait des maquettes d'avions. Il se trouvait apparemment un certain nombre de produits extrêmement inflammables sur l'établi, y compris plusieurs tubes et pots de colle, un bidon d'essence à briquet, et une bouteille ouverte de décapant.

Le deuxième additif était un compte rendu en page deux des obsèques du jeune garçon. Il contenait des hommages des professeurs de Philip, des souvenirs larmoyants de ses amis, et des extraits de son panégyrique. Une photo des parents affligés ouvrait les trois colonnes de l'article.

Colin le lut deux fois avec le plus grand intérêt, car l'un des amis de Philip Pacino cité dans l'histoire était Roy Borden.

Deux jours plus tard, il y avait un long éditorial qui frappait dur dans le *News Register*.

PRÉVENTION DE LA TRAGÉDIE
QUI EST RESPONSABLE ?

Dans aucun des quatre articles ne figurait la moindre indication que la police ou les sapeurs-pompiers soupçonnaient le meurtre ou l'incendie volontaire. Ils avaient présumé dès le début qu'il s'agissait d'un accident, résultat de la négligence ou de la bêtise des adolescents.

Mais moi, je connais la vérité, pensa Colin.

Il se sentit las. Il était resté près de deux heures au lecteur de microfilms. Il éteignit la machine, se leva et s'étira.

Il n'avait plus la bibliothèque à lui tout seul. Une femme en robe rouge feuilletait les porte-magazines. A l'une des tables au centre de la pièce, un prêtre chauve et joufflu lisait un énorme livre en prenant assidûment des notes.

Colin se dirigea vers l'une des deux grandes fenêtres à meneaux à l'extrémité droite de la pièce et s'assit de biais sur le rebord large d'une soixantaine de centimètres. Il regarda par la vitre poussiéreuse, pensif. Au-delà, s'étendait un cimetière catholique, et tout au bout, l'église Notre-Dame-des-Douleurs veillait sur la dépouille de ses paroissiens montés au ciel.

— Hello.

Colin leva les yeux, surpris. C'était Heather.

— Oh, bonjour, répondit-il. Il fit mine de se lever.

— Ne te dérange pas pour moi, dit-elle dans un chuchotement adapté à l'endroit. Je ne peux pas rester longtemps. J'ai quelques commissions à faire pour ma mère. J'étais juste passée chercher un livre, et je t'ai vu assis là.

Elle portait un tee-shirt marron et un short blanc.

— Tu es superbe, dit Colin, essayant de parler aussi bas qu'elle.

Elle sourit. « Merci. »

— Absolument superbe.

— Tu me fais rougir.

— Pourquoi ? Parce que j'ai dit que t'étais superbe ?

— Eh bien... dans un sens, oui.

— Tu veux dire que tu te sentirais mieux si je disais que t'es affreuse ?

Elle eut un rire gêné. « Non. Evidemment pas. C'est simplement que... personne ne m'avait encore jamais dit que j'étais superbe. »

— Tu plaisantes.

— Non.

— Aucun mec ne t'a jamais dit ça ? Ils sont tous aveugles ou quoi ?

Elle se mit à rougir. « Je sais que je ne suis pas aussi superbe que ça. »

— Mais si, bien sûr.

— Ma bouche est trop grande.

— Ce n'est pas vrai.

— Si, c'est vrai. J'ai une bouche immense.

— Elle me plaît.

— Et mes dents ne sont pas terribles.

— Elles sont très blanches.

— Deux d'entre elles sont un peu mal rangées.

— Pas au point qu'on le remarque.

— Je déteste mes mains.

— Hein ? Pourquoi ?

— Mes doigts sont tout boudinés. Ma mère a de longs doigts fuselés. Mais les miens, on dirait des petites saucisses.

— C'est idiot. Tu as de jolis doigts.

— Et mes genoux sont cagneux, ajouta-t-elle.

— Tes genoux sont parfaits.

— Ecoute-moi, dit-elle nerveusement. Quand un garçon finit par dire que je suis jolie, j'essaie de le faire changer d'avis.

Colin était stupéfait de découvrir que même une fille aussi jolie que Heather pouvait douter d'elle-même. Il avait toujours cru que ces gosses qu'il admirait — ces garçons et filles californiens, radieux, aux yeux bleus et aux membres musclés — étaient une race au-dessus de toutes les autres, des êtres supérieurs qui glissaient à travers la vie avec une assurance totale, un sens inébranlable de la valeur et des intentions. Il était à la fois content et contrarié de déceler cette faille dans le mythe. Il réalisait subitement que ces adolescents particuliers et rayonnants n'étaient en réalité guère différents de lui, qu'ils n'étaient pas si supérieurs qu'il le croyait et cette découverte lui remontait le moral. D'un autre côté, il avait l'impression d'avoir perdu quelque chose d'important — une douce illusion qui, parfois, lui avait réchauffé le cœur.

— Tu attends Roy ? demanda Heather.

Mal à l'aise, il se mit à gigoter sur son rebord. « Euh... non. Je fais juste des... recherches. »

— Je croyais que tu guettais Roy par la fenêtre.

— Je me reposais. Je faisais une pause.

— Je trouve ça gentil la façon dont il passe chaque jour.

— Qui ?

— Roy ?

— Passe où ?

— Là, dit-elle, désignant un endroit un peu plus loin.

Colin regarda par la vitre, puis se tourna de nouveau vers la jeune fille. « Tu veux dire qu'il va tous les jours à l'église ? »

— Non. Au cimetière. Tu n'es pas au courant ?

— Raconte-moi.

— Eh bien... J'habite la maison d'en face. La blanche avec la charpente bleue. Tu la vois ?

— Oui.

— Pratiquement à chaque fois qu'il vient, je l'aperçois.

— Qu'est-ce qu'il fait là ?

— Il rend visite à sa sœur.

— Il a une sœur ?

— Avait. Elle est morte.

— Il n'en a jamais soufflé mot.

Heather acquiesça. « Je ne pense pas qu'il aime en parler. »

— Pas un seul mot.

— Une fois, je lui ai dit que c'était vraiment gentil, tu sais, la façon dont il s'arrêtait si fidèlement sur sa tombe. Il est devenu furieux contre moi.

— Vraiment ?

— Fou furieux.

— Pourquoi ?

— Je ne sais pas. Au début, j'ai cru qu'il était sans doute encore éprouvé par sa mort. Que ça le faisait tellement souffrir qu'il ne voulait pas en parler. Mais après, on aurait dit qu'il était en colère parce que je l'avais surpris en train de faire quelque chose de mal. Mais il ne faisait rien de mal. C'est plutôt étrange.

Colin réfléchit à cette nouvelle. Il regarda fixement le cimetière ensoleillé. « Comment est-elle morte ? »

— Je l'ignore. C'est arrivé avant moi. Je veux dire, nous ne sommes installés à Santa Leona que depuis trois ans. Elle était morte bien avant.

Une sœur.

Une sœur décédée.

D'une manière ou d'une autre, c'est là que se trouvait la clé.

— Bon, dit Heather, sans se douter de l'importance de l'information qu'elle lui avait donnée, je dois y aller. Ma mère m'a donné une liste de commissions. Elle attend mon retour avec tout ce qu'il faut d'ici environ une heure. Elle n'aime pas les gens en retard. Elle dit que le manque de ponctualité est le signe d'une personne molle et égoïste. Je te retrouve à six heures.

— Je regrette qu'on doive aller à la séance de l'après-midi, dit Colin.

— Ça ne fait rien. De toute façon, c'est le même film.

— Et comme je te le disais, il faut que je sois rentré aux alentours de neuf heures, avant qu'il ne fasse complètement nuit. C'est vraiment la barbe !

— Mais non. Il n'y a pas de problème. Tu ne vas pas être éternellement puni. Le couvre-feu ne dure qu'un mois, c'est ça ? Ne t'inquiète pas. On va bien s'amuser. A tout à l'heure.

— A tout à l'heure.

Il la regarda traverser la bibliothèque silencieuse. Après son départ, il se tourna une fois de plus vers le cimetière.

Une sœur morte.

# 30

COLIN n'eut aucun mal à trouver la pierre tombale ; on aurait dit une balise. Elle était plus grande, plus brillante et plus imaginative que toute autre stèle du cimetière. Mr et Mrs Borden n'avaient pas regardé à la dépense en la matière. C'était une pierre très travaillée, faite en sections, construite en marbre et en granit, dont on distinguait à peine les strates. Chaque parcelle en était ingénieusement taillée et polie à l'extrême. De larges lettres biseautées avaient été gravées en profondeur dans la surface miroitante du marbre somptueusement veiné.

BELINDA JANE BORDEN

D'après la date inscrite sur le jalon, elle était morte il y a plus de six ans, le dernier jour d'avril. Le monument à la tête de la tombe faisait sûrement plusieurs fois la taille du corps qu'il commémorait, car Belinda Jane n'avait que cinq ans à l'époque de sa mise en terre.

Colin retourna à la bibliothèque et demanda à Mrs Larkin la bobine de microfilm correspondant à l'édition vieille de six années du 30 avril du *News Register*.

L'histoire était en première page.

Roy avait tué sa petite sœur.

Il ne s'agissait pas d'un meurtre.

Un simple accident. Un horrible accident.

Rien ni personne n'aurait pu l'éviter.

Un petit garçon de huit ans trouve les clés de la voiture de son père sur la table de la cuisine. Il se met en tête de faire le tour du pâté de maisons. Cela prouvera qu'il est plus grand et plus malin que ce que tout le monde croit. Cela prouvera même qu'il est assez grand pour jouer avec les trains de Papa, ou du moins assez grand pour s'asseoir à côté de Papa et simplement regarder les trains, ce qu'on ne lui permet pas mais dont il a terriblement envie. La voiture est garée dans l'allée. Le petit garçon met un oreiller sur le siège pour arriver à voir par-dessus le volant. Mais c'est alors qu'il découvre qu'il n'arrive pas à atteindre le frein ou l'accélérateur. Il va chercher un outil, et trouve à côté du garage un bout de bois de charpente, en pin naturel d'un mètre sur deux fois deux, exactement ce qu'il lui fallait. Il s'imagine qu'il va pouvoir utiliser la poutre pour appuyer sur les pédales que ses pieds ne touchent pas. Une main pour tenir le bout de bois, et une autre pour le volant. Dans la voiture, il met le contact et manie maladroitement le changement de vitesses. Sa mère entend. Sort de la maison. A temps pour voir sa petite fille marcher derrière la voiture. Elle se met à crier à la fois sur la fillette et le petit garçon, et tous deux lui font un signe de la main. Le petit garçon finit par passer la marche arrière alors que sa mère se précipite vers lui, et au même instant le bout de bois cogne l'accélérateur. L'auto part à reculons. Vite. En trombe. Heurte l'enfant. Elle tombe brutalement. Avec un petit cri. Un pneu bute sur son crâne fragile. Sa tête éclate comme un ballon empli de sang. Et lorsque les ambulanciers arrivent, ils trouvent la mère assise sur la pelouse, jambes repliées, le visage livide, répétant la même chose encore et encore. « Elle a éclaté. Juste éclaté. Comme ça. Sa petite tête. Elle a éclaté. »

Eclaté.

L'éclate.

Colin éteignit la machine.

Il aurait voulu pouvoir éteindre son esprit.

## 31

COLIN rentra chez lui peu avant cinq heures. Weezy arriva une minute après lui.

— Hello, Skipper.

— Salut.

— T'as passé une bonne journée ?

— Ça a été.

— Qu'est-ce que tu as fait ?

— Pas grand-chose.

— J'aimerais que tu m'en parles.

Il s'assit sur le canapé.

— Je suis allé à la bibliothèque, dit-il.

— Quelle heure était-il ?

— Ce matin, à neuf heures.

— Tu étais parti quand je me suis levée.

— Je suis allé directement à la bibliothèque.

— Et après ça ?

— Nulle part.

— Quand es-tu rentré à la maison ?

— A l'instant.

Elle fronça les sourcils.

— Tu as passé toute la journée à la bibliothèque ?

— Oui.

— Ça suffit maintenant.

— Mais si, c'est vrai.

Elle arpenta la pièce depuis son centre.

Il s'étendit sur le dos sur le canapé.

— Tu m'exaspères, Colin.

— C'est la vérité. J'aime la bibliothèque.
— Je vais à nouveau t'interdire de sortir.
— Parce que je suis allé à la bibliothèque ?
— Ne la ramène pas avec moi !
Il ferma les yeux.
— A part ça, où es-tu allé ?
Il soupira.
— J'ai dans l'idée que tu veux une histoire bien juteuse.
— Je veux connaître tous les endroits où tu as été aujourd'hui.
— Bon. Je suis descendu à la plage.
— Es-tu resté à l'écart de ces jeunes, comme je te l'ai demandé ?
— Je devais rencontrer quelqu'un à la plage.
— Qui ?
— Un revendeur de drogue que je connais.
— Quoi ?
— Il deale dans son camion sur la plage.
— Qu'est-ce que tu racontes ?
— J'ai acheté un pot de mayonnaise rempli de pilules.
— Oh mon Dieu !
— Ensuite, j'ai ramené les pilules ici.
— Ici ? Où sont-elles ?
— Je les ai réparties par dix dans des sachets en cellophane.
— Où est-ce que tu les as cachés ?
— Je les ai emportés en ville pour les vendre au détail.
— Oh Seigneur ! Oh mon Dieu ! Qu'est-ce que t'as dans la tête ? Qu'est-ce qui te prend ?
— J'ai payé cinq mille dollars pour la came, et je l'ai revendue pour quinze mille.
— Hein ?
— Soit un bénéfice net de dix mille. Maintenant, si j'arrive à en faire autant tous les jours pendant un mois, je peux réunir suffisamment d'argent pour acheter un clipper et passer des tonnes d'opium en contrebande en provenance d'Orient.
Il ouvrit les yeux.
Elle était cramoisie.
— Mais bon Dieu, qu'est-ce qui te prend ?

— Téléphone à Mrs Larkin. Elle est probablement encore là.

— Qui est Mrs Larkin ?

— La bibliothécaire. Elle te dira où j'ai passé la journée.

Weezy le dévisagea, puis alla téléphoner dans la cuisine. Il n'arrivait pas à le croire. Elle appelait effectivement la bibliothécaire. Il se sentit humilié.

En revenant dans le living-room, elle dit : « Tu étais bien à la bibliothèque toute la journée. »

— Ouais.

— Pourquoi as-tu fait ça ?

— Parce que j'aime bien la bibliothèque.

— Je veux dire, pourquoi avoir inventé cette histoire de pilules achetées à la plage ?

— Je croyais que c'était ce que tu voulais entendre.

— Je suppose que tu trouves ça drôle.

— En quelque sorte.

— Eh bien ça ne l'est pas !

Elle s'assit dans un fauteuil.

— Toutes les conversations que j'ai eues avec toi au cours de la semaine passée — aucune d'elle ne t'est rentrée dans la tête ?

— Chaque mot, répondit-il.

— Je t'ai dit que si tu voulais qu'on te fasse confiance, il fallait que tu gagnes cette confiance. Si tu as envie d'être traité comme un adulte, tu dois te comporter en tant que tel. Tu as l'air attentif, je me permets d'espérer qu'on va arriver quelque part, et ensuite tu me fais un coup d'épate stupide comme ça. Tu te rends compte de ce que ça me fait ?

— Je pense que oui.

— Ce truc puéril, inventer cette histoire de pilules achetées sur la plage... cela me rend encore plus méfiante à ton égard.

Pendant quelques minutes, aucun d'eux ne parla.

Finalement, Colin rompit le silence : « Tu dînes à la maison ce soir ? »

— Je ne peux pas, Skipper. J'ai...

— ... Un rendez-vous d'affaires.

— C'est exact. Mais je vais te préparer à manger avant de partir.

— Ce n'est pas la peine.

— Je ne veux pas que tu manges des cochonneries.

— Je me ferai un sandwich au fromage. C'est aussi bon qu'autre chose.

— Prends un verre de lait avec.

— D'accord.

— Quels sont tes projets pour ce soir ?

— Oh, je crois que je vais peut-être aller au cinéma, répondit-il, omettant volontairement de mentionner Heather.

— A quel cinéma ?

— Le Baronet.

— Qu'est-ce qu'on y joue ?

— Un film d'horreur.

— J'aimerais qu'avec le temps, tu perdes l'habitude d'aller voir ce genre de navets.

Il ne répondit pas.

— Tu ferais bien de ne pas oublier ton couvre-feu.

— Je vais à la séance de l'après-midi. Elle se termine vers huit heures, donc je serai rentré avant la nuit.

— Je vérifierai.

— Je sais.

Elle soupira et se leva. « Il faut que j'aille me doucher et me changer. (Elle partit vers le couloir, puis se retourna et le regarda de nouveau.) Si tu t'étais comporté différemment tout à l'heure, je n'aurais peut-être pas jugé utile de te contrôler. »

— Désolé, répliqua-t-il. Et, une fois seul, il ajouta : « Mon cul ! »

## 32

LE premier rendez-vous de Colin avec Heather fut merveilleux. Bien que le film d'épouvante ne fût pas aussi bon qu'il l'espérait, la dernière demi-heure était terrifiante ; Heather, plus apeurée que Colin, penchée vers lui, lui tenait la main dans le noir, cherchant le réconfort et la protection. Colin se sentait anormalement fort et courageux. Assis dans la salle climatisée, dans les ombres veloutées, à la lueur pâle et vacillante réfléchie par l'écran, tenant la main de sa petite amie, il eut la sensation d'être au paradis.

Après le film, comme le soleil se couchait vers le Pacifique, Colin la raccompagna chez elle. L'air de l'océan était doux. Au-dessus d'eux, les palmiers se balançaient et chuchotaient.

Une centaine de mètres après le cinéma, Heather trébucha sur une partie surélevée du trottoir. Elle ne tomba pas, ne faillit même pas perdre l'équilibre, mais elle dit : « Zut ! (Elle rougit.) Je suis tellement maladroite ! »

— Ils ne devraient pas laisser le trottoir se détériorer comme ça, dit Colin. Quelqu'un pourrait se faire mal.

— Même s'ils le rendaient parfaitement droit et lisse, je buterais quand même dessus.

— Pourquoi dis-tu ça ?

— Je suis tellement godiche.

— Non, ce n'est pas vrai.

— Si. (Ils se remirent en route, et elle ajouta :) Je

donnerais n'importe quoi pour être ne serait-ce que moitié aussi gracieuse que ma mère.

— Tu es gracieuse.

— Je suis godiche. Tu devrais voir ma mère. Elle ne marche pas — elle *glisse.* Si tu la voyais en robe longue, qui lui descend jusqu'aux pieds, tu ne croirais pas qu'elle marche réellement, mais qu'elle flotte sur un coussin d'air.

Ils cheminèrent quelques instants sans parler.

Puis Heather soupira et dit : « Je suis une déception pour elle. »

— Qui ?

— Ma mère.

— Pourquoi ?

— Je ne suis pas à la hauteur.

— De quoi ?

— A sa hauteur. Tu savais que ma mère a été Miss Californie ?

— Tu veux dire comme dans un concours de beauté ?

— Oui. Elle a gagné. Et plein d'autres concours, aussi.

— C'était quand ?

— Elle a été élue Miss Californie il y a dix-sept ans, lorsqu'elle en avait dix-neuf.

— Ouah ! Ça ce n'est pas rien.

— Quand j'étais petite, elle me présentait dans de nombreux concours de beauté pour enfants.

— Ouais ? Quels titres as-tu gagnés ?

— Aucun.

— J'ai du mal à le croire.

— C'est vrai.

— Et les juges, ils étaient quoi... aveugles ? Allez, Heather. Tu as bien dû gagner quelque chose.

— Non, vraiment. Je ne me suis jamais classée mieux que seconde. Et j'étais généralement troisième.

— Généralement ? Tu veux dire que la plupart du temps, tu gagnais le deuxième ou le troisième prix ?

— J'ai été classée deuxième à quatre reprises. J'ai eu dix fois la troisième place. Et cinq fois, je n'ai rien eu du tout.

— Mais c'est formidable ! Tu as été dans les trois premières quatorze fois sur dix-neuf tentatives !

— Dans un concours de beauté, tout ce qui compte, c'est d'être le n° 1, de remporter le titre. Dans les concours pour enfants, presque tout le monde est n° 2 ou n° 3 une fois de temps en temps.

— Ta mère a dû être fière de toi, insista Colin.

— C'est ce qu'elle disait, à chaque fois que j'arrivais seconde ou troisième. Mais j'ai toujours eu l'impression qu'elle était vraiment très déçue. Comme je n'avais toujours pas gagné de premier prix arrivée à l'âge de dix ans, elle a cessé de me présenter. Je suppose qu'elle a jugé que j'étais un cas désespéré.

— Mais tu t'en sortais formidablement !

— Tu oublies qu'elle était n° 1. Miss Californie. Pas n° 3 ou n° 2, n° *1 !*

Il s'émerveillait de cette jeune fille ravissante qui ne semblait pas se rendre compte à quel point elle l'était. Sa bouche était sensuelle ; elle la trouvait tout simplement trop grande. Elle avait des dents mieux rangées et plus blanches que celles de la plupart des adolescents ; à ses yeux, elles étaient un peu irrégulières. Elle possédait des cheveux épais et brillants ; pour elle, ils étaient plats et ternes. D'une élégance féline, elle se qualifiait de godiche. C'était une fille qui aurait dû déborder d'assurance ; au lieu de cela, elle se tourmentait à force de douter d'elle-même. Au-delà de son apparence étincelante, elle éprouvait les mêmes incertitudes et anxiétés sur l'existence que Colin ; et soudain, il se sentit très protecteur à son égard.

— Si j'avais été l'un des juges, dit-il, tu aurais gagné à tous ces concours.

Elle recommença à rougir et lui sourit. « Tu es gentil. »

Une minute plus tard ils arrivèrent devant sa maison et s'arrêtèrent au bout de l'allée centrale.

— Tu sais ce que j'aime en toi ? demanda-t-elle.

— Je me suis creusé la tête pour essayer de trouver ce que ça pouvait bien être.

— Bon, d'abord, tu ne parles pas des mêmes trucs que tous les autres garçons. Ils ont tous l'air de penser que les mecs ne sont censés s'intéresser à rien d'autre qu'au football, au base-ball et aux voitures. Tous ces trucs m'ennuient. Et de plus, tu ne fais pas que parler — tu *écoutes*. Pratiquement personne d'autre n'écoute.

— Eh bien, l'une des choses que j'aime chez toi, c'est que tu te moques que je ne ressemble guère aux autres garçons.

Embarrassés, ils se dévisagèrent quelques secondes, puis elle dit : « Tu me téléphones demain, d'accord ? »

— Entendu.

— Tu devrais rentrer chez toi, si tu ne veux pas mettre ta mère en colère.

Elle lui posa un petit baiser timide au coin de la bouche, se détourna, et se hâta de rentrer dans la maison.

Colin flotta tel un somnambule sur quelques blocs, errant en direction de sa maison dans une douce hébétude. Mais il prit subitement conscience du ciel qui s'obscurcissait, des zones d'ombres grandissantes, et de la fraîcheur de la nuit qui le gagnait. Il ne craignait pas d'enfreindre le couvre-feu, ni de désobéir à sa mère. Mais il redoutait de rencontrer Roy à la nuit tombée. Il courut tout le restant du chemin.

# 33

JEUDI matin, Colin retourna à la bibliothèque et poursuivit ses recherches dans les archives sur microfilms du journal local. Il n'étudiait que deux parties dans chaque édition : la première page et la liste des admissions et renvois des hôpitaux. Il lui fallut néanmoins plus de six heures pour trouver ce qu'il cherchait.

Un an jour pour jour après le décès de sa petite sœur, Roy Borden fut admis au Santa Leona General Hospital. L'entrefilet d'une ligne dans l'édition du 1er mai du *News Register* ne précisait pas la nature de sa maladie ; cependant, Colin était persuadé que cela avait un rapport avec l'étrange accident dont Roy avait refusé de parler, la blessure qui lui avait laissé de si terribles cicatrices dans le dos.

Le nom inscrit immédiatement en dessous de celui de Roy sur la feuille des admissions était Helen Borden. Sa mère. Colin resta longtemps à fixer cette ligne, étonné. A cause des cicatrices qu'il avait vues, il s'attendait à trouver le nom de Roy tôt ou tard, mais l'apparition de celui de sa mère le surprenait. Elle et son fils avaient-ils été blessés dans le même accident ?

Colin rembobina le film et examina minutieusement chaque page des 30 avril et 1er mai. Il cherchait le récit d'un accident de voiture, d'une explosion, d'un incendie, ou d'une sorte d'accident dans lequel les Borden auraient été impliqués. Il ne trouva rien.

Il se repassa de nouveau le film, termina cette bobine

et quelques autres, mais ne découvrit que deux bribes d'information supplémentaires, la première étant plutôt déconcertante. Deux jours après son admission au Santa Leona General, Mrs Borden fut transportée dans un hôpital plus important, St. Joseph, dans le chef-lieu du comté. Colin s'interrogea sur le motif de son transfert, et ne vit qu'une seule explication. Elle avait dû être si grièvement blessée qu'il lui fallait des soins très particuliers, un traitement spécifique que le Santa Leona General, plus petit, ne pouvait dispenser.

Il ne trouva rien de plus sur Mrs Borden, mais il apprit que Roy avait passé exactement trois semaines à l'hôpital de la ville. Quelle que fût la cause des blessures de son dos, elles étaient manifestement très graves.

A cinq heures moins le quart, ayant terminé avec le microfilm, il alla au bureau de Mrs Larkin.

— Ce nouveau roman de Arthur C. Clarke vient juste de rentrer, dit-elle avant que Colin n'ait eu le temps d'ouvrir la bouche. Je l'ai déjà enregistré à votre nom.

Il n'avait pas véritablement envie du livre immédiatement, mais il ne voulait pas paraître ingrat. Il le prit et regarda la jaquette des deux côtés. « Merci beaucoup, Mrs Larkin. »

— Faites-moi savoir ce que vous en pensez.

— Je me demandais si vous pourriez m'aider à trouver deux livres de psychologie.

— Quel genre de psychologie ?

Il cligna des paupières. « Il en existe plus d'une sorte ? »

— Eh bien, répondit-elle, sous l'appellation courante, nous avons des livres de psychologie animale, psychologie de l'éducation, vulgarisation de la psychologie, psychologie industrielle, psychologie politique, la psychologie des personnes âgées, des jeunes, la psychologie freudienne, jungienne, la psychologie générale, la psychologie anormale...

— La psychologie anormale. Oui. C'est là-dessus que je dois m'informer. Mais je voudrais aussi deux ouvrages grand public pour m'expliquer le fonctionnement de la pensée. En fait, je voudrais savoir pourquoi les gens font les choses qu'ils font. J'aimerais prendre un livre qui couvre les éléments de base. Quelque chose de facile, pour débutants.

— Je crois qu'on va trouver ce qu'il vous faut.

— Je vous en serais très reconnaissant.

Il la suivit en direction des piles tout au bout de la pièce. « Est-ce une autre idée pour l'école ? » demanda-t-elle.

— Oui.

— La psychologie anormale n'est-elle pas un sujet plutôt difficile pour un élève de troisième ?

— Si, sûrement, répondit-il.

## 34

COLIN dîna tout seul, dans sa chambre.

Il appela Heather, et ils prirent rendez-vous pour aller samedi à la plage. Il eut envie de lui parler de la démence de Roy, mais craignit qu'elle ne le croie pas. D'ailleurs, il ne se sentait pas encore suffisamment confiant sur leur relation pour lui dire que lui et Roy étaient maintenant des ennemis. Initialement, elle avait semblé attirée par lui parce que lui et Roy étaient amis. S'en désintéresserait-elle en découvrant qu'il n'était plus le copain de Roy ? Il n'en était pas sûr, et ne voulait pas prendre le risque de la perdre.

Après, il se mit à lire les ouvrages de psychologie choisis par Mrs Larkin. Il termina les deux volumes vers deux heures du matin. Il resta un moment assis dans son lit, l'œil fixe, réfléchissant. Puis, surmené mentalement, il dormit sans cauchemars — et sans une seule pensée pour les monstres du grenier.

Vendredi matin, avant que Weezy ne se réveille, il alla à la bibliothèque, rendit les ouvrages de psychologie et en emprunta trois autres.

— Le roman de science-fiction est bon ? demanda Mrs Larkin.

— Je ne l'ai pas encore commencé. Peut-être ce soir.

De la bibliothèque il descendit au port. Il n'avait pas envie de rentrer tant que Weezy ne serait pas partie ; il n'était pas disposé à endurer un autre interrogatoire. Il prit son petit déjeuner au comptoir d'une cafétéria sur le quai. Il déambula ensuite jusqu'au bout de la promenade recouverte de planches, s'appuya contre le parapet et observa les douzaines de crabes qui lézardaient au soleil quelques mètres en dessous.

Il rentra chez lui à onze heures. Il s'introduisit dans la maison avec la clé de rechange rangée dans le séquoia près de la porte d'entrée. Weezy était partie depuis longtemps ; le café dans la cafetière était froid.

Il prit un Pepsi dans le réfrigérateur et monta avec les trois livres de psychologie. Assis sur son lit dans sa chambre, il ne but qu'une gorgée de soda et ne lut qu'un paragraphe du premier livre avant d'avoir la sensation qu'il n'était pas seul.

Il entendit le bruit étouffé d'un raclement.

Il y avait quelque chose dans le placard.

— C'est ridicule.

*Je l'ai entendu.*

— C'est ton imagination.

Il avait lu deux ouvrages de psychologie, et se savait probablement coupable de transfert. C'est ainsi que les psychologues l'appelaient : *transfert.* Il ne parvenait pas à affronter les gens et les choses qui lui faisaient *réellement* peur, et ne pouvait lui-même admettre ces craintes, donc il transférait son angoisse sur d'autres choses, des choses simples — même débiles — comme les loups-garous, les vampires et les monstres imaginaires cachés dans le placard. C'est ce qu'il avait fait toute sa vie.

Oui, c'est peut-être vrai, se dit-il. Mais je suis *sûr* d'avoir entendu bouger dans le placard.

Il se pencha par-dessus la tête de lit. Il retint sa respiration et écouta attentivement.

Rien. Silence.

La porte du placard était hermétiquement fermée. Il n'arrivait pas à se rappeler s'il l'avait laissée ainsi.

Là ! Encore. Un léger raclement.

Il se glissa silencieusement à bas du lit et fit quelques pas vers la porte du couloir, s'éloignant du placard.

La poignée du placard commença à tourner. La porte s'entrouvrit d'un centimètre.

Colin s'arrêta. Il voulut désespérément continuer à

avancer, mais il resta pétrifié, comme envoûté. Il avait l'impression d'avoir été transformé en un spécimen de mouche pris au piège dans les airs et qui, par la sorcellerie, s'était muée en ambre massif. De l'intérieur de cette prison magique, il regardait un cauchemar prendre vie ; il demeura paralysé, l'œil fixé sur le placard.

Soudain, la porte s'ouvrit toute grande. Il n'y avait pas de monstre caché parmi les vêtements, ni de loup-garou, ni de vampire, ni de bête immonde sortie d'un roman d'H. P. Lovecraft. Juste Roy.

Roy eut l'air surpris. Il s'était dirigé vers le lit, pensant y trouver sa proie. Il constatait maintenant que Colin l'avait devancé et ne se trouvait qu'à quelques pas de la porte ouverte menant au couloir du second étage. Roy s'immobilisa, et ils se dévisagèrent.

Puis Roy ricana et leva les mains pour permettre à Colin de voir ce qu'il tenait.

— Non, dit Colin tout bas.

Dans la main droite de Roy : un briquet.

— Non.

Dans sa main gauche : un bidon d'essence.

— Non, non, non ! Fous le camp !

Roy fit un pas vers lui. Puis un autre.

— Non ! (Mais il ne pouvait remuer.)

Roy braqua le bidon de plastique et le pressa. Un jet de liquide clair décrivit un arc dans les airs.

Colin plongea vers la gauche, l'essence le manqua, et il se mit à courir.

— Salaud ! dit Roy.

Colin fonça par la porte ouverte et la claqua.

Bien que la porte fût fermée, Roy s'acharna contre elle de l'autre côté.

Colin détala vers l'escalier.

Roy ouvrit brutalement la porte et se précipita hors de la pièce. « Hé ! »

Colin dévala l'escalier quatre à quatre, mais il n'était qu'à mi-chemin lorsqu'il entendit Roy dégringoler derrière lui dans un bruit de tonnerre. Il s'élança, sauta les quatre dernières marches, atterrit dans le couloir du premier étage, et courut vers la porte d'entrée.

— Je te tiens ! hurla triomphalement Roy derrière lui. Je te tiens, enfoiré !

Avant que Colin n'ait pu tirer les deux verrous de la porte, il sentit quelque chose de froid et mouillé inonder son dos. Il eut un hoquet de surprise et se retourna vers Roy.

*L'essence à briquet !*

Roy l'aspergea à nouveau, et fit gicler le liquide sur le devant de sa chemisette en coton.

De ses mains, Colin se protégea les yeux. Juste à temps. Le liquide inflammable éclaboussa son front, ses doigts, son nez et son menton.

Roy éclata de rire.

Colin ne pouvait plus respirer. Les vapeurs le faisaient suffoquer.

— Quelle éclate !

Le bidon d'essence finit par se vider. Roy le jeta de côté, et il roula avec fracas sur le bois dur du plancher de l'entrée.

Toussant, respirant péniblement, Colin ôta les mains de son visage pour essayer de voir ce qui se passait. Les vapeurs lui piquèrent les yeux ; il les referma. Les larmes perlèrent de sous ses paupières. Bien que l'obscurité l'ait toujours épouvanté, il n'avait jamais été aussi terrifié.

— Espèce d'enfoiré puant, maintenant tu vas payer pour m'avoir tourné le dos ! Maintenant tu vas payer. Tu vas cramer !

Haletant, parvenant à peine à aspirer une bouffée d'air, momentanément aveuglé, hystérique, Colin se jeta sur l'autre garçon, guidé par le son de sa voix. Il se heurta à lui, l'agrippa et le retint.

Roy chancela à la renverse et tenta de se dégager, comme un renard acculé luttant pour se libérer d'un terrier. Il posa ses mains sur le menton de Colin, tenta de maintenir sa tête en arrière, puis le saisit à la gorge et essaya de l'étrangler. Mais ils étaient face à face, et bien trop près pour que Roy ait suffisamment de prise pour y parvenir.

— Fais-le maintenant, siffla Colin dans un souffle, à traveurs les vapeurs âcres qui emplissaient son nez, sa bouche et ses poumons. « Fais-le... et on... brûlera ensemble. »

Roy tenta à nouveau de le repousser. Dans le processus, il trébucha et tomba.

Colin s'affaissa avec lui. Il se retint fermement à Roy ; sa vie en dépendait.

Jurant, Roy lui décocha un coup de poing, lui martela le dos, le frappa à la tempe, et lui tira les cheveux. Il alla même jusqu'à tordre les oreilles de Colin, au point qu'on aurait cru qu'elles lui resteraient dans la main.

Colin hurla de douleur et essaya de se défendre. Mais au moment où il lâchait prise pour frapper Roy, celui-ci se dégagea en roulant. Colin chercha à l'agripper et le manqua.

Roy se remit sur ses pieds. Il s'appuya contre le mur.

En dépit du voile de larmes brûlantes dues aux vapeurs, Colin put voir que Roy tenait toujours le briquet dans sa main droite.

De son pouce, Roy actionna la mollette. Il n'en jaillit aucune étincelle, mais ça allait sûrement être pour la prochaine fois ou celle d'après.

Colin se jeta frénétiquement sur son adversaire, le frappa et lui fit sauter le briquet de la main. Il vola à travers la voûte d'entrée jusque dans le living-room, où il se fracassa contre un meuble.

— Espèce de salaud ! Roy l'écarta du chemin et courut après le briquet.

N'ayant pu aspirer que l'air chargé de vapeurs autour de lui, Colin tituba comme un ivrogne jusqu'à la porte d'entrée. Il ouvrit sans difficulté le verrou, mais s'acharna ensuite sur la chaîne de sûreté pendant ce qui lui parut des heures. Parut. Mais ne pouvait être, évidemment. Quelques secondes, probablement. Ou peut-être même, fractions d'une unique seconde. Il n'avait vraiment pas la notion du temps. La tête lui tournait. Il flottait. Là-haut dans les vapeurs. Il avait juste assez d'oxygène pour ne pas s'évanouir, mais pas une bouffée de plus. C'est pourquoi il avait tant de mal avec la chaîne de sûreté. Il avait le vertige. La chaîne semblait s'évaporer entre ses doigts, tout comme l'essence s'évaporait de ses vêtements, ses mains et son visage. Ses oreilles tintaient. La chaîne de sûreté. Se concentrer sur la chaîne de sûreté. Seconde après seconde, la coordination de ses mouvements s'altérait. Il se ramollissait. Cette fichue chaîne de sûreté. De plus en plus avachi. Nauséeux et brûlant. Il allait flamber. Comme une torche. *Cette saloperie de chaîne de sûreté à la con !* Enfin, dans un ultime et intense effort, il l'extirpa de la fente et ouvrit la porte toute grande. S'attendant à ce que son dos s'enflamme d'un instant à l'autre, il courut hors de la maison, descendit l'allée, traversa la rue, et s'arrêta à la lisière d'un petit parc. Un vent merveilleusement doux le balaya et commença à chasser les vapeurs au loin. Il inspira plusieurs fois profondément, essayant de retrouver une quelconque sobriété.

Tout au bout de la rue, Roy Borden sortit de la maison. Il repéra immédiatement sa proie et courut à petits bonds jusqu'à l'entrée de l'allée, mais il ne traversa pas la rue. Il resta là, mains sur les hanches, à fixer Colin.

Colin le dévisagea également. Encore étourdi, il respirait toujours difficilement. Mais il était prêt à hurler au secours et à prendre ses jambes à son cou à l'instant même où Roy descendrait du trottoir.

Réalisant que la partie était perdue, Roy s'éloigna. Au premier bloc, il se retourna une demi-douzaine de fois. Au deuxième bloc, il ne regarda que deux fois par-dessus son épaule. Au troisième, il ne se retourna plus du tout, tourna le coin de la rue et disparut.

En rentrant dans la maison, furieux contre lui-même, Colin s'arrêta devant le séquoia et retira la clé de sa cachette sous le lierre. Il s'étonnait d'avoir été si étourdi, si stupide. Il avait amené Roy à la maison une demi-douzaine de fois au cours du dernier mois. Roy savait où la clé était rangée, et Colin s'était montré suffisamment négligent pour la laisser là. A partir de maintenant, il la garderait sur lui ; et dorénavant, il allait assurer sa défense avec considérablement plus d'application qu'avant.

Il était en guerre.

Rien de moins.

Il pénétra à l'intérieur et verrouilla la porte.

Dans le cabinet de toilette au bout du couloir, il ôta sa

chemise imprégnée et la jeta par terre. Il se brossa vigoureusement les mains, à grand renfort de savon parfumé et d'eau chaude. Puis il se lava plusieurs fois la figure. Bien qu'il pût encore déceler les relents, le gros de la puanteur s'était évaporé. Il ne larmoyait plus, et parvenait de nouveau à respirer normalement.

Il se dirigea directement vers le téléphone de la cuisine, puis il hésita, la main sur le combiné. Il ne pouvait pas appeler Weezy. L'unique preuve de l'attaque de Roy étant la chemise souillée, qui n'en constituait pas réellement une. De plus, le temps qu'elle rentre à la maison, la plupart de l'essence se serait évaporée, ne laissant aucune trace. Le bidon vide se trouvait par terre dans l'entrée, portant vraisemblablement partout les empreintes digitales de Roy. Mais, naturellement, seule la police possédait le matériel et les connaissances techniques pour analyser les empreintes et établir à qui elles appartenaient, et elle ne prendrait jamais son histoire au sérieux. Weezy croirait qu'il avait pris des pilules et que ce n'était que le fruit de ses hallucinations, et il aurait de nouveau des ennuis.

S'il expliquait la situation à son père et lui demandait de l'aide, il appellerait Weezy et insisterait pour savoir ce qui se passait. Pressée de fournir une explication, elle lui raconterait un tas de bêtises sur des pilules, des joints et des drogue-parties qui durent toute la nuit. En dépit du fait que tout ce qu'elle aurait à dire serait complètement absurde, elle arriverait à convaincre Frank, car c'était le genre de choses qu'il voudrait bien entendre. Il l'accuserait de négliger ses devoirs maternels. Il se montrerait très pharisaïque. Il utiliserait son échec comme prétexte pour lancer sa meute d'avocats avides. Un coup de fil à Frank Jacobs conduirait inévitablement à une autre bataille à propos de la garde, et c'était la dernière chose que voulait Colin.

Les seules personnes vers qui il pouvait se tourner restaient ses grands-parents. Tous quatre étaient en vie. Les parents de sa mère habitaient Sarasota, en Floride, dans une grande maison de stuc blanc avec de nombreuses fenêtres et des parquets brillants. Ceux de son père possédaient une petite ferme dans le Vermont.

Colin n'avait pas vu ses grands-parents depuis trois ans, et n'avait jamais été proche d'aucun d'eux. S'il les appelait, ils téléphoneraient à Weezy. Ses relations avec eux n'étaient pas telles qu'ils puissent garder un secret. Et ils n'allaient certainement pas traverser tout le pays pour se ranger de son côté dans cette petite guerre, ça, aucune chance ; c'était un rêve chimérique.

Heather ? Peut-être le moment de lui dire était-il venu, et de lui demander son aide et ses suggestions. Il ne pouvait éternellement dissimuler sa rupture avec Roy. Mais que pouvait-elle faire ? C'était une jeune fille svelte et plutôt timide, très jolie, gentille et intelligente, mais guère utile dans une semblable lutte.

Il soupira.

— Seigneur !

Il lâcha le téléphone.

Il ne connaissait personne au monde dont il pouvait espérer de l'aide. Personne.

Il était aussi seul que s'il vivait au pôle Nord. Absolument, parfaitement, mortellement seul. Mais il y était habitué.

En avait-il jamais été autrement ?

Il monta.

Avant, à chaque fois que le monde lui paraissait trop dur et trop difficile à manier, il s'en retirait, simplement. Il s'isolait avec ses modèles réduits de monstres, sa collection de bandes dessinées, et ses étagères de romans de science-fiction et d'épouvante. Sa chambre avait été un sanctuaire, l'œil du cyclone, là où la tempête ne pouvait l'atteindre, où il parvenait même à l'oublier quelque temps. Elle représentait pour lui ce qu'un hôpital était pour un malade ou un monastère pour un moine : elle le guérissait, lui donnait la sensation que, d'une façon mystique, il faisait partie de quelque chose de tellement plus important, et de bien *meilleur* que la vie quotidienne. Sa chambre avait été emplie de magie. Son refuge et son théâtre, là où il pouvait se cacher du monde et de lui-même, aussi, et laisser libre cours à ses idées fantasques pour un unique spectateur. Sa cour de récréation et l'endroit où il pleurait, son église et son laboratoire, le répertoire de ses rêves.

Aujourd'hui, c'était une pièce comme une autre. Un plafond. Quatre murs. Un plancher. Une fenêtre. Une porte. Rien de plus. Un simple endroit où séjourner.

En venant ici seul, indésirable, en intrus, Roy avait rompu le charme délicat qui rendait cette pièce unique. Il avait sûrement fouiné dans tous les tiroirs, les livres et les maquettes de monstres, et de ce fait, il avait également atteint l'âme de Colin sans même s'en rendre compte. Avec son intrusion grossière, il avait vidé de sa magie chacun des objets de la chambre, tout comme l'éclair attire du ciel une somptueuse énergie pour la disperser ensuite si profondément dans la terre qu'elle cesse totalement d'exister. Rien de tout ce qui se trouvait ici n'était plus spécial, et ne le serait plus jamais. Colin se sentait outragé, violé ; usé et abandonné. Mais Roy Borden lui avait dérobé beaucoup plus que son intimité et sa fierté ; il s'était sauvé avec ce qui lui restait de sa notion vacillante de la sécurité. Bien plus, pire que cela, c'était un voleur d'illusions ; il avait emporté toutes les croyances fausses, mais merveilleusement réconfortantes, que Colin nourrissait depuis des années.

Colin était déprimé, pourtant il prenait conscience d'une force nouvelle et étrange qui commençait à briller en lui. Bien qu'il ait failli être tué seulement quelques minutes auparavant, à ce moment précis, il avait moins peur que jamais. Pour la première fois de sa vie, il ne se sentait plus faible ni inférieur. Il était encore cette même demi-portion qu'il avait toujours été — maigre, myope, gauche — mais en lui-même, il se sentait tout neuf, vigoureux, et capable de tout.

Il n'avait pas pleuré, et il en était fier.

Il n'existait plus de place en lui pour les larmes ; il était empli d'un besoin de revanche.

# TROISIÈME PARTIE

## 35

COLIN passa le restant du vendredi dans sa chambre. Il lut des passages des trois ouvrages de psychologie rapportés de la bibliothèque, et relut jusqu'à une demi-douzaine de fois certaines pages. Lorsqu'il n'étudiait pas, il regardait fixement le mur, quelquefois pendant une heure, et réfléchissait. Et échafaudait des plans.

Lorsqu'il quitta la maison tôt le lendemain matin, le ciel était haut, limpide et sans nuages. Il comptait retrouver Heather à midi, passer l'après-midi à la plage, et rentrer à la tombée de la nuit ; il emporta néanmoins une torche.

Il descendit à vélo sur la plage, puis jusqu'au port, bien qu'il n'ait rien de précis à faire à l'un ou l'autre de ces endroits. Il fit un détour pour se rendre à sa véritable destination afin de s'assurer qu'il n'était pas suivi. Il voyait bien que Roy n'était pas derrière lui, mais le garçon l'observait peut-être à distance à travers cette même paire de jumelles puissantes utilisées lorsqu'ils espionnaient Sarah Callahan. Colin pédala du port jusqu'au syndicat d'initiative tout au bout de la ville. Convaincu qu'il n'était pas filé, il se dirigea finalement directement vers Hawk Drive et la maison des Kingman.

Même en plein jour, la maison abandonnée surgissait, menaçante, au sommet de la colline. Colin s'en approcha avec un malaise qui se transforma en crainte paisible au moment où il franchit le portail et s'engagea sur l'allée aux dalles cassées. S'il avait été le fonctionnaire chargé de cette propriété, ou le maire de Santa Leona, il aurait exigé la destruction totale et immédiate de l'endroit pour le bien de la communauté. Il persistait à penser qu'un mal tangible exsudait de la maison, une menace aussi perceptible et visible que le soleil californien qui l'éblouissait et lui réchauffait le visage. Trois grands oiseaux noirs tournoyèrent au-dessus du toit et finirent par se percher sur une cheminée. La maison semblait consciente, vigilante, investie d'une force vitale maligne. Les murs gris et désagrégés paraissaient rugueux, malades, cancéreux. Des clous rouillés ressemblaient à de vieilles plaies : les stigmates. Les rayons du soleil semblaient incapables de pénétrer les mystérieux interstices au-dessus des carreaux manquants, et de l'extérieur, en tout cas, l'intérieur de la demeure lui apparut aussi sombre maintenant qu'à minuit.

Colin coucha son vélo dans l'herbe, gravit les marches affaissées, et regarda par la fenêtre brisée, à l'endroit où Roy et lui s'étaient postés une nuit, récemment. En l'examinant de plus près, Colin s'aperçut qu'un peu de lumière filtrait effectivement dans la maison. Il distingua le salon dans ses moindres détails. A une époque, il avait dû servir de club à une bande de garçons, car le sol nu et abîmé était jonché d'emballages de bonbons, de cannettes vides de soda et de mégots de cigarettes. Un poster jauni et en lambeaux de *Playboy* avait été fixé au-dessus de la cheminée, au-dessus de la tablette même sur laquelle Mr Kingman avait aligné les têtes ensanglantées de sa famille massacrée. Les jeunes ayant utilisé cette maison comme repaire n'étaient pas revenus depuis des mois — une épaisse couche de poussière intacte recouvrait tout.

La porte d'entrée n'était pas verrouillée, mais les gonds grincèrent lorsque Colin poussa la porte gondolée. Le vent s'engouffra autour de lui et souleva un petit nuage de poussière dans l'entrée. A l'intérieur, l'atmosphère était lourdement imprégnée des odeurs de moisissure et de pourriture desséchée.

Comme Colin rôdait de pièce en pièce, il s'aperçut que des vandales avaient œuvré dans chaque recoin de l'immense demeure. Des noms de garçons, des obscénités, des *limericks* (1) cochons et des dessins très crus représentant les organes génitaux mâles et femelles étaient griffonnés partout où il y avait du plâtre ou du papier peint à peu près uni. Des trous déchiquetés — certains pas plus larges que la main, d'autres presque aussi gros qu'une porte — avaient été faits dans le mur. Des piles de plâtre et de lattes éclatées encombraient la pièce.

Lorsque Colin restait parfaitement immobile, la vieille maison était impalpablement silencieuse. Mais dès qu'il remuait, sa structure arthritique répondait à chacun de ses pas ; ses jointures gémissaient tout autour de lui.

Il crut plusieurs fois entendre quelque chose ramper derrière lui, mais lorsqu'il se retournait, il était toujours seul. La plupart du temps, il se déplaçait parmi les ruines sans unc pensée pour les fantômes et les monstres. Il fut surpris et ravi de sa bravoure toute nouvelle — qui le rendait juste un peu mal à l'aise. Il y a seulement quelques semaines, il aurait refusé de franchir tout seul le seuil des Kingman, même pour un enjeu d'un million de dollars.

Il se trouvait dans le manoir depuis deux heures. Il ne négligea pas une pièce, ni même un placard. Dans ces chambres où toutes les fenêtres étaient barricadées, il utilisa la torche qu'il avait apportée. Il passa presque tout son temps au deuxième étage, à explorer chaque recoin — et à mettre au point une ou deux surprises pour Roy Borden.

(1) Limerick : poème en cinq vers, comique et absurde, aux rimes aabba.

## 36

Il y avait, après tout, une chose que Heather pouvait faire pour l'aider. En fait, elle constituait peut-être l'élément essentiel du plan de vengeance qu'il avait concocté. Sans sa coopération, il allait devoir trouver un autre moyen d'avoir Roy. Colin ne se proposait pas de la faire combattre à ses côtés. Il ne comptait pas sur sa force ou son agilité. Il voulait l'utiliser comme appât.

Si elle acceptait de l'aider, elle allait courir un certain danger. Mais il était sûr de pouvoir la protéger. Il n'était plus le Colin Jacobs faible et velléitaire arrivé à Santa Leona au début de l'été, et son agressivité toute nouvelle allait prendre Roy au dépourvu. Une mauvaise surprise. Et la surprise était définitivement à son avantage.

Heather l'attendait sur la plage, à l'ombre de la digue, en maillot une pièce bleue. Elle ne portait pas de maillot deux-pièces, de bikini ou de trucs comme ça car elle trouvait que cela ne lui allait pas bien. Colin pensait qu'elle aurait été aussi séduisante que n'importe quelle autre adolescente sur la plage, plus que bon nombre d'entre elles, et il le lui dit. Il vit que le compliment lui avait fait plaisir, mais il était tout aussi évident qu'elle ne le croyait pas vraiment.

Ils choisirent un endroit sur le sable chaud pour étendre leurs serviettes. Ils restèrent un moment allongés sur le dos, à lézarder au soleil dans un silence amical. Colin finit par se tourner sur le côté et se releva légèrement, appuyé sur un coude. « Quelle importance cela a-t-il pour toi que je sois l'ami de Roy Borden ? »

Elle fronça les sourcils, mais n'ouvrit pas les yeux et ne se détourna pas du soleil. « Qu'est-ce que tu veux dire ? »

— Quelle importance cela a-t-il ? s'obstina-t-il, son cœur se mettant à battre à grands coups.

— Et pourquoi cela aurait de l'importance pour moi ? Je ne comprends pas.

Colin prit une profonde inspiration et se jeta à l'eau. « Tu m'aimerais encore si je n'étais pas l'ami de Roy ? »

Elle tourna maintenant la tête vers lui et ouvrit les yeux. « Tu es sérieux ? »

— Oui.

Elle roula sur le côté et leva un coude pour lui faire face. Ses cheveux ondulaient sous la brise. « Autrement dit, tu crois que je m'intéresses à toi uniquement parce que tu es le meilleur ami du caïd de l'école ? »

Colin rougit. « Eh bien... »

— C'est horrible de penser ça, dit-elle, mais elle ne parut pas en colère.

Il haussa les épaules, gêné, mais toujours désireux d'entendre sa réponse.

— Et c'est insultant, ajouta-t-elle.

— Je suis désolé, dit-il rapidement sur un ton conciliant. Ce n'est pas ce que je voulais dire. C'est simplement... Il fallait que je pose la question. C'est important de savoir si tu...

— Je t'aime bien parce que tu es toi. Je suis ici en ce moment même parce que j'ai plaisir à être en ta compagnie. Roy Borden n'a rien à voir avec ça. A vrai dire, je suis ici en dépit du fait que tu es son copain.

— Hein ?

— Je suis l'une des rares personnes de l'école qui se moque de ce que Roy fait, dit ou pense. La majorité a envie d'être son ami, mais moi, je ne me soucie pas particulièrement de savoir s'il connaît même mon existence.

Colin cligna des yeux, surpris. « Tu n'aimes pas Roy ? »

Elle hésita, puis dit : « C'est ton ami. Je ne veux pas dire du mal de lui. »

— Mais c'est justement, dit Colin avec agitation. Il n'est plus mon ami. Il me déteste.

— Quoi ? Que s'est-il passé ?

— Je vais te le dire tout de suite. Ne t'inquiète pas pour ça. Je mourais d'envie d'en parler à quelqu'un. (Colin s'assit sur sa serviette de bain.) Mais d'abord, il faut que je sache ce que tu penses de lui. Je croyais que tu l'aimais bien. L'une des premières choses que tu m'aies dites, c'était que tu m'avais vu avec Roy. Alors je me suis imaginé...

— C'était simplement de la curiosité à votre sujet. Tu ne ressemblais pas au genre de types qui traînent généralement avec lui. Et mieux je te connaissais, plus ça me semblait étrange.

— Explique-moi pourquoi tu ne l'aimes pas.

Elle s'assit à son tour.

La brise marine était chaude et chargée de sel.

— En fait, ce n'est pas que je ne l'aime pas. Enfin, je ne le déteste pas. Je veux dire, pas violemment, ou passionnément, ou rien de tout cela. Je ne le connais vraiment pas assez pour ça. Mais suffisamment pour savoir que je ne pourrais jamais être une de ses fans. Il y a en lui quelque chose de louche.

— Louche ?

— C'est difficile à exprimer avec des mots, continua Heather. Mais j'ai toujours l'impression que Roy n'est jamais... sincère. Jamais. Sur rien. La plupart du temps, il semble jouer la comédie. Apparemment, personne d'autre ne s'en rend jamais compte. Mais j'ai la sensation qu'il est sans cesse à manipuler les gens, à se servir d'eux d'une manière ou d'une autre, pour ensuite se moquer d'eux intérieurement.

— Oui ! Oh oui ! Exactement. C'est exactement ce qu'il fait. Et il le fait bien. Pas seulement avec les autres gosses. Il peut aussi manipuler les adultes.

— Une fois, ma mère l'a rencontré. Je ne croyais pas qu'elle s'arrêterait un jour de me parler de lui. Elle le trouvait si charmant, si poli.

— Ma mère aussi. Elle préférerait l'avoir comme fils plutôt que moi.

— Alors qu'est-ce qui s'est passé ? Pourquoi Roy et toi n'êtes plus amis ?

Il lui raconta tout, en commençant par le jour de leur première rencontre. Il lui parla du chat dans la cage à oiseau. Des jeux avec le train électrique. De cette histoire où Roy avait tué deux autres garçons juste pour le plaisir. De son envie de violer et de tuer Sarah Callahan, sa voisine. Du cauchemar au cimetière de voitures d'Ermite Hobson. De l'attaque à l'essence à briquet. Il lui expliqua tout ce qu'il avait appris à la bibliothèque, tout le récit de l'affreuse mort accidentelle de Belinda Jane Borden — et finalement l'hospitalisation commune de Roy et de Mrs Borden.

Heather écouta en silence, abasourdie. Au début, son visage refléta le doute, mais le scepticisme s'effaça progressivement pour laisser place à une expression de conviction, si ce n'est de répugnance. Elle était horrifiée, et lorsque Colin eut terminé, elle lui dit : « Il faut que tu en parles à la police. »

Il regarda la mer houleuse et les mouettes qui plongeaient. « Non. Ils ne me croiront pas. »

— Bien sûr que si. Tu m'as convaincue, moi.

— C'est différent. Tu es une gamine, comme moi. Ce sont des adultes. De plus, lorsqu'ils téléphoneront à ma mère pour savoir si elle est au courant de quoi que ce soit, elle leur racontera que je mens et que je me drogue. Dieu sait ce qu'ils me feront alors !

— On va en parler à mes parents. Ils ne sont pas si durs. Plus sympas que les tiens, je pense. Ça leur arrive même d'écouter. On peut arriver à les convaincre. Je le sais.

Il hocha négativement la tête. « Non. Roy a déjà charmé ta mère. Tu te souviens ? Il la séduira complètement de nouveau si besoin est. C'est lui qu'elle croira, pas nous. Et si tes parents appellent Weezy pour discuter avec elle, elle les persuadera que je suis un camé à l'esprit dérangé. Ils nous sépareront. Tu ne seras plus autorisée à m'approcher. Et si après Roy sait que tu me crois, il essaiera de nous tuer *tous les deux*. »

Elle resta silencieuse. Puis elle haussa les épaules. « Tu as raison. »

— Eh oui, répondit-il misérablement.

— Qu'allons-nous faire ?

Il la regarda. « Tu as dit “ nous ” ? »

— Bien sûr que j'ai dit “ nous ”. Qu'est-ce que tu crois ? Que je vais te laisser tomber à un moment pareil ? Tu ne peux pas te débrouiller tout seul. Personne ne le pourrait.

Soulagé, il lui dit : « J'espérais que tu dirais ça. »

Elle tendit le bras et lui prit la main.

— J'ai un plan, dit-il.

— Un plan pour quoi ?

— Pour piéger Roy. Il y en a une partie qui te concerne.

— Qu'est-ce que je dois faire ?

— Tu es l'appât. (Il lui expliqua sa machination.)

— C'est ingénieux, dit-elle quand il eut fini.

— Ça marchera.

— Je n'en suis pas persuadée.

— Pourquoi ?

— Parce que je ne fais pas un très bon appât. Il te faudrait une fille que Roy trouverait... désirable... sexy. Une fille qui lui plairait vraiment. (Elle rougit.) C'est que je ne suis pas... assez.

— Là tu te trompes. Tu es assez. Tu es plus qu'assez. Tu es largement.

Elle détourna les yeux, et regarda ses genoux.

— De jolis genoux, dit Colin.

— Cagneux.

— Non.

— Cagneux et rouges.

— Non.

Sentant que c'était ce qu'elle attendait de lui, il posa une main sur son genou, remonta un tout petit peu le long de sa cuisse, puis redescendit, la caressant doucement.

Elle ferma les yeux, légèrement tremblante.

Il sentit la réaction de son propre corps.

— Ce serait très dangereux, dit-elle.

Il ne pouvait pas lui mentir. Et minimiser le risque,

uniquement pour s'assurer de sa coopération. « Oui. Ce sera très, très dangereux. »

Elle prit une poignée de sable et le laissa lentement s'écouler entre ses doigts.

Il caressa doucement son genou, sa cuisse. Il n'arrivait pas à croire qu'il la touchait comme ça. Il contempla sa main audacieuse avec émoi et stupeur, comme si elle avait acquis une volonté propre.

— D'un autre côté, dit-elle, nous aurions l'avantage de l'organisation.

— Et de la surprise.

— Et du revolver.

— Oui. Et du revolver.

— Tu es sûr de pouvoir avoir le revolver ?

— Absolument.

— D'accord, répondit-elle. Je le ferai. Nous le prendrons au piège. Ensemble.

Ça tournait désagréablement dans l'estomac de Colin, mu par un curieux mélange d'énergies : le désir et la peur à mesures égales.

— Colin ?

— Quoi ?

— Tu penses vraiment que je suis... assez ?

— Oui.

— Jolie ?

— Oui.

Elle planta son regard dans le sien, puis elle sourit et se tourna vers la mer.

Il crut voir des larmes dans ses yeux.

— Tu devrais t'en aller, maintenant, dit-elle.

— Pourquoi ?

— Ça marchera mieux si Roy ne s'aperçoit pas que toi et moi nous connaissons. Si jamais il nous voyait, ici, tous les deux, il risquerait de ne pas tomber dans le piège, après.

Elle avait raison. D'ailleurs, il avait des choses à faire, des préparatifs. Il se leva et replia sa serviette de plage.

— Appelle-moi ce soir, dit-elle.

— D'accord.

— Et sois prudent.

— Toi aussi.

— Colin ?
— Oui ?
— Je trouve que toi, aussi, tu es assez. Tu es largement.

Il grimaça un sourire, essaya de trouver quelque chose à dire, n'y parvint pas, se détourna et partit à toute vitesse vers sa bicyclette attachée dans le parking.

## 37

LE plan nécessitait un appareil coûteux, et Colin devait se procurer une somme d'argent considérable.

De la plage, il rentra chez lui, monta dans sa chambre et ouvrit la grosse tirelire de métal en forme de soucoupe volante. Il la secoua ; quelques billets bien pliés et une grande quantité de pièces se répandirent sur le couvre-lit. Il compta le tout ; il possédait exactement soixante et onze dollars — approximativement le tiers de ce dont il avait besoin.

Il s'assit quelques minutes sur le lit, contemplant l'argent. Il envisagea les différentes possibilités.

Il alla finalement dans le placard et en retira plusieurs grandes boîtes remplies de bandes dessinées, chacune rangée dans un sac à fermeture Eclair fermée et conservée à l'état neuf. Il les tria et sélectionna quelques-unes des éditions ayant le plus de valeur.

A une heure et demie il apporta soixante albums au Nostalgia House sur Broadway. Le magasin s'adressait aux collectionneurs de science-fiction, de premières éditions de mystères, de bandes dessinées, et d'enregistrements de vieilles émissions radiophoniques.

Mr Plevich, le propriétaire, était grand, avec des cheveux blancs et une épaisse moustache. Il se tenait son gros ventre appuyé contre le comptoir tandis qu'il examinait l'offre de Colin.

— Il y a l-là de v-vraiment belles p-pièces, dit Mr Plevich.

— Combien pouvez-vous m'en donner ?

— Je p-peux vous donner c-ce qu'elles v-valent. Il f-faut que j-je prévoie mon b-bénéfice.

— Je comprends, répondit Colin.

— A vrai dire, je vous d-déconseille de les v-vendre maintenant. Ce sont toutes des p-premières éditions à l'état n-neuf.

— Je sais.

— Elles v-valent déjà b-beaucoup plus que ce que vous les a-avez payées au kiosque. Si vous les conservez encore env-environ deux ans, leur va-valeur va probablement tripler.

— Oui. Mais il me faut l'argent aujourd'hui. J'en ai besoin immédiatement.

Mr Plevich lui fit un clin d'œil. « Vous avez une p-petite amie ? »

— Oui. Et c'est bientôt son anniversaire, mentit Colin.

— Vous le re-regretterez. Une p-petite amie s'en va tôt ou tard, mais une b-bonne bande d-dessinée peut être appréciée encore et toujours.

— Combien ?

— Je pensais à cent d-dollars.

— Deux cents.

— Trop, b-beaucoup trop. Elle n-n'a pas besoin d'un c-cadeau aussi cher. Si on disait cent-v-vingt ?

— Non.

Mr Plevich réexamina à deux autres reprises le lot de bandes dessinées, et ils se mirent finalement d'accord sur cent quarante dollars, cash.

La California Federal Trust se trouvait au coin, à un demi-bloc du Nostalgia House. Colin donna les pièces de sa tirelire, en forme de soucoupe volante, à l'une des caissières qui lui remit quelques billets.

Avec 211 dollars fourrés dans ses poches, il se rendit au Radio Shack sur Broadway et acheta le meilleur magnétophone compact qu'il put se permettre. Il possédait déjà un magnétophone, mais il était volumineux ; et de plus, le micro n'enregistrait rien à plus d'un mètre. Celui qu'il acheta pour 189,95 dollars, en solde, 30 dollars de rabais sur le prix normal, captait et enregistrait les voix avec netteté jusqu'à dix mètres; aux dires du vendeur, en tout cas. De plus, il ne mesurait que vingt-deux centimètres de long sur douze de large et sept de profondeur; on pouvait le dissimuler facilement.

Peu de temps après être rentré et avoir planqué le magnétophone dans sa chambre, sa mère fit un saut le temps de se changer pour un rendez-vous à dîner. Elle lui donna de l'argent pour manger au Charlie's Café. Après son départ, il se fit un sandwich au fromage qu'il fit passer avec un lait chocolaté.

Après dîner, il monta dans sa chambre essayer le nouveau magnétophone. C'était un bon appareil. En dépit de sa taille compacte, il restituait de manière remarquablement nette et fidèle le son de sa voix. Il pouvait capter les voix jusqu'à une distance de dix mètres, comme promis, mais à son niveau maximal la fidélité était insuffisante pour les intentions de Colin. Il le testa encore et encore, et détermina qu'il ne pouvait pas enregistrer une conversation au-delà de sept mètres cinquante. Cela irait.

Il alla dans la chambre de sa mère et regarda dans la table de chevet, puis dans la coiffeuse. L'arme était dans un tiroir de la coiffeuse. C'était un pistolet. Il comportait deux crans de sûreté, et si on les ôtait, deux voyants rouges brillaient sur le métal noir bleuté de l'arme. Lorsqu'il avait parlé du pistolet à Roy, il avait dit qu'il n'était probablement même pas chargé. Mais il l'était. Il replaça la sûreté et rangea l'arme; elle reposait sur une pile de culottes en soie appartenant à sa mère.

Il téléphona à Heather, et ils rediscutèrent du plan, cherchant les éventuels problèmes qui leur auraient échappé auparavant. Le projet paraissait toujours réalisable.

— Demain, j'irai parler à Mrs Borden, dit Colin.

— Tu crois vraiment que c'est nécessaire?

— Oui. Si je peux l'amener à la faire s'épancher un petit peu sur la bande, ça contribuera à étayer notre histoire.

— Mais si Roy apprend que tu lui as parlé, il risque de devenir soupçonneux, de se rendre compte que quelque chose se trame, et nous perdrons le bénéfice de la surprise.

— Ils ne communiquent guère dans cette famille. Elle ne racontera peut-être même pas à Roy qu'elle m'a vu.

— Et peut-être qu'elle le fera.

— Il faut prendre le risque. Si elle nous dit une chose qui nous aide à comprendre Roy, qui explique sa motivation, alors il nous sera plus facile de faire en sorte que la police nous croie.

— Bon... d'accord. Mais téléphone-moi après lui avoir parlé. Je veux que tu me racontes tout.

— C'est promis. Et donc demain soir on tend le piège à Roy.

Elle resta un moment silencieuse. « Déjà ? »

— Il n'y a aucune raison d'attendre plus longtemps.

— Ça ne nous ferait pas de mal de prendre un ou deux jours supplémentaires pour y réfléchir. Au plan, je parle. Il y a peut-être une faille. On a peut-être négligé un détail.

— Non. On en a suffisamment parlé et on y a assez réfléchi. Ça marchera.

— Bon... très bien.

— Tu peux toujours faire machine arrière.

— Non.

— Je ne t'en voudrai pas.

— Non. Je vais t'aider. Tu as besoin de moi. Nous le ferons demain soir.

Beaucoup plus tard, Colin se réveilla d'un cauchemar, transpirant et tremblant. Il n'arrivait pas à se souvenir précisément de son rêve. La seule chose dont il se rappelait, c'était qu'il concernait Heather ; ses cris l'avaient réveillé.

## 38

SAMEDI matin à onze heures et demie, Colin descendit sur le port et s'assit sur un banc sur la jetée, d'où il pouvait surveiller les abords d'un magasin appelé « Treasured Things ». C'était une boutique de cadeaux qui vivait du tourisme. A « Treasured Things », on pouvait acheter des cartes postales, des lampes en coquillage, des ceintures en coquillage, des presse-papiers en coquillage, des coquillages en chocolat, des T-shirts portant des inscriptions censément drôles, des livres sur Santa Leona, des bougies en forme du célèbre clocher de la Santa Leona Mission, des assiettes en porcelaine peinte représentant des scènes de Santa Leona, et une grande variété d'autres articles de pacotille inutiles. La mère de Roy Borden travaillait dans le magasin cinq après-midi par semaine, y compris les dimanches.

Colin portait un blouson coupe-vent en nylon plié. Le magnétophone neuf était dissimulé à l'intérieur. En dépit de la forte brise qui venait de l'océan, la journée était beaucoup trop chaude pour un blouson, mais Colin ne pensait pas que Mrs Borden le remarquerait. Après tout, elle n'avait aucune raison de se méfier de lui.

Beaucoup de gens déambulaient sur la jetée, parlant, riant, faisant du lèche-vitrines et mangeant des bananes recouvertes de chocolat ; parmi eux, de nombreuses belles jeunes filles aux longues jambes, en short et bikini. Colin se força à ne pas les regarder. Il ne voulait pas être distrait, rater Helen Borden, et devoir ensuite l'aborder dans la boutique de cadeaux.

Il l'aperçut à midi moins dix. C'était une femme mince, aux allures d'oiseau. Elle marchait à vive allure, la tête relevée, les épaules en arrière, l'air très sérieux.

Il plongea la main dans le blouson replié, enclencha le magnétophone puis traversa en toute hâte la large jetée en bois. Il l'intercepta avant qu'elle n'arrive à « Treasured Things ».

— Mrs Borden ?

Elle s'arrêta net en entendant son nom et se retourna vers lui. Manifestement perplexe. Elle ne le reconnut pas.

— Nous nous sommes rencontrés à deux reprises, expliqua-t-il, mais seulement une ou deux minutes à chaque fois. Je suis Colin Jacobs. L'ami de Roy.

— Ah ! Ah oui.

— Il faut que je vous parle.

— Je suis en route pour mon travail.

— C'est important.

Elle regarda sa montre.

— Très, très important, dit-il.

Elle hésita, jeta un coup d'œil au magasin de cadeaux.

— C'est à propos de votre fille, dit-il.

Elle tourna brusquement la tête.

— A propos de Belinda Jane, continua-t-il.

Le visage d'Helen Borden était bien bronzé. A la mention du nom de sa fille défunte, le hâle demeura mais le sang se retira de son épiderme. Elle parut soudain vieille et malade.

— Je sais comment elle est morte, dit Colin.

Mrs Borden ne répondit rien.

— Roy me l'a raconté, mentit-il.

La femme sembla pétrifiée. Son regard était froid.

— Nous avons parlé pendant des heures de Belinda.

Lorsqu'elle ouvrit la bouche, ses lèvres minces bougèrent à peine. « Ce n'est pas votre affaire. »

— Roy en a fait mon affaire. Je ne voulais rien savoir. Mais il m'a raconté ses secrets.

Elle le fusilla du regard.

— Des secrets effroyables. Sur la façon dont Belinda est morte.

— Ce n'est pas un secret. Je sais comment elle est morte. Je l'ai *vu.* C'était... un accident. Un horrible accident.

— Vraiment ? En êtes-vous absolument sûre ?

— Qu'est-ce que vous dites ?

— Il m'a confié ses secrets, m'a fait jurer de n'en parler jamais à personne. Mais je ne peux pas garder ça pour moi. C'est trop affreux.

— Qu'est-ce qu'il vous a dit ?

— Pourquoi il l'avait tuée.

— C'était un accident.

— Il l'avait prémédité depuis des mois, mentit Colin.

Elle le prit soudain par le bras et l'emmena de l'autre côté de la promenade sur un banc à l'écart près du parapet. Il tenait le blouson sous ce même bras, et craignit qu'elle ne découvre le magnétophone. Ce ne fut pas le cas. Ils s'assirent côte à côte, dos à la mer.

— Il vous a dit qu'il l'avait assassinée ?

— Oui.

Elle secoua la tête. « Non. C'était forcément un accident. Forcément. Il n'avait que huit ans. »

— Je crois que certains enfants doivent naître mauvais, dit Colin. Je veux dire, enfin, pas beaucoup. Quelques-uns, seulement. Mais une fois de temps en temps, vous savez, vous lisez dans les journaux qu'un petit gosse a commis un meurtre de sang-froid. Je pense que, disons peut-être un sur cent mille naît perverti. Vous savez ? Il est *né* mauvais. Et quoi qu'un gosse comme ça puisse faire, quels que soient les actes malfaisants qu'il commet, on ne peut s'en prendre à la façon dont il a été élevé ou à ce qu'on lui a appris parce que, vous savez, il est né comme ça.

Elle le regarda fixement tandis qu'il passait d'un sujet à l'autre, mais il n'était pas sûr qu'elle entendait un seul mot de ce qu'il racontait. Lorsque finalement il se tut, elle resta un moment silencieuse, puis elle dit : « Qu'est-ce qu'il veut de moi ? »

Colin cligna des paupières. « Qui ça ? »

— Roy. Pourquoi vous a-t-il incité à faire ça ?

— Ce n'est pas lui, protesta Colin. Je vous en prie, ne lui dites pas que je vous ai vue. S'il vous plaît, Mrs Borden. S'il apprenait que je suis venu, et que je vous ai raconté ça, il me tuerait.

— La mort de Belinda était un accident, dit-elle. (Mais elle n'en paraissait guère convaincue.)

— Vous n'avez pas toujours pensé que c'était accidentel.

— Comment le savez-vous ?

— C'est pour cela que vous avez battu Roy.

— Ce n'est pas vrai.

— Il me l'a dit.

— Il a menti.

— A l'endroit où il a les cicatrices.

Elle était nerveuse, et ne tenait pas en place.

— C'était un an après la mort de Belinda.

— Que vous a-t-il dit ? demanda-t-elle.

— Que vous l'aviez battu parce que vous saviez qu'il l'avait tuée délibérément.

— Il a dit ça ?

— Oui.

Elle se déplaça légèrement de manière à se tourner vers la mer. « Je venais juste de finir de nettoyer et d'encaustiquer le sol de la cuisine. Il était propre comme un sou neuf. Parfait. Absolument immaculé. Vous auriez pu manger par terre. Puis il est entré avec ses chaussures crottées. Il me narguait. Il n'a pas prononcé un mot, mais quand je l'ai vu traverser ce plancher avec ses chaussures crottées, j'ai compris qu'il me narguait. Il avait tué Belinda, et maintenant il me narguait, et d'une certaine façon, une chose me semblait aussi grave que l'autre. J'ai eu envie de le tuer. »

Colin soupira presque de soulagement. Il n'était pas sûr que Mrs Borden ait été responsable des cicatrices sur le dos de son fils. Il avait tablé sur une supposition, et celle-ci s'étant avérée exacte, il se sentit plus confiant par rapport à la suite de l'histoire.

— Je savais qu'il l'avait tuée volontairement. Mais ils n'ont pas voulu me croire, dit-elle.

— Je suis au courant.

— Je l'ai toujours su. Depuis le début. Il a tué sa

petite sœur. (Elle se parlait à elle-même maintenant, le regard rivé à la mer, aussi bien que dans son propre passé.) Quand je l'ai frappé, j'essayais simplement de lui faire admettre la vérité. Elle méritait bien ça, n'est-ce pas ? Elle était morte, et méritait que son assassin soit châtié. Mais ils ne m'ont pas crue.

Sa voix se perdit, et elle demeura silencieuse pendant si longtemps que Colin l'incita finalement à recommencer à parler. « Roy riait de ça. Il trouvait drôle que personne ne vous ait prise au sérieux. »

Il ne lui fallut guère d'autres encouragements. « Ils ont dit que j'avais une dépression nerveuse. Ils m'ont envoyée à l'hôpital du comté. J'ai eu une thérapie. Ils appellent ça comme ça. Une thérapie. Comme si c'était moi la folle ! Un psychiatre qui coûte cher. Il m'a traitée comme une enfant. Un imbécile. Je suis restée là longtemps — jusqu'à ce que je réalise que tout ce que j'avais à faire, c'était prétendre que j'avais eu tort à propos de Roy. »

— A aucun moment vous n'avez eu tort.

Elle le regarda. « Il vous a dit pourquoi il avait tué Belinda ? »

— Oui.

— Quelle raison a-t-il donné ?

Colin, mal à l'aise, se tortilla sur son banc, car n'ayant pas de réponse à fournir à sa question, il ne voulait pas qu'elle s'aperçoive qu'il avait attiré son attention grâce à un tissu de mensonges. Il l'avait encouragée à parler en essayant de lui faire dire certaines choses qu'il voulait avoir sur la cassette. Elle en avait dit quelques-unes, mais pas la totalité. Il espérait garder sa confiance tant qu'il n'aurait pas obtenu tout ce dont il avait besoin.

Par chance, comme il hésitait, Mrs Borden répondit à sa place. « Par jalousie, n'est-ce pas ? Il était jaloux de ma petite fille, parce que après sa naissance, il a compris qu'il ne serait jamais vraiment l'un des nôtres. »

— Oui. C'est ce qu'il m'a dit, répliqua Colin, sans trop savoir ce qu'elle voulait dire par là.

— C'était une erreur. Nous n'aurions jamais dû l'adopter.

— Adopter ?

— Il ne vous l'avait pas dit ?

— Eh bien… non.

Il avait lâché le morceau. Elle allait se demander pourquoi Roy lui avait révélé tout le reste, chaque vilain petit secret, et pas ça. Puis elle réaliserait que Roy ne lui avait rien raconté à propos de Belinda Jane, qu'il mentait, et qu'il jouait à un jeu bizarre avec elle.

Mais elle le surprit. Trop impliquée dans ses souvenirs, et à ce point obnubilée par le fait que son fils avait reconnu le fratricide avec préméditation, elle n'eut pas la présence d'esprit de s'interroger sur les curieuses lacunes dans les informations de Colin.

— Nous désirions un enfant plus que tout au monde, expliqua-t-elle, le regard à nouveau tourné vers la mer. Un enfant à nous. Mais les docteurs disaient que nous ne pourrions jamais. A cause de moi. Il y avait… des choses qui n'allaient pas chez moi. Alex, mon mari, en était terriblement éprouvé. Terriblement. Il comptait tellement sur un enfant à lui. Mais les médecins disaient que ce n'était pas possible. Nous sommes allés en voir une demi-douzaine, et ils ont tous dit la même chose. Hors de question. A cause de moi. Alors je lui ai parlé de l'adoption. C'était encore ma faute. Entièrement ma faute. C'était la mauvaise solution. Nous ne savons même pas qui étaient les vrais parents de Roy… ou *ce qu'ils* étaient. Cela inquiète Alex. De quel genre de gens vient Roy ? Qu'est-ce qui n'allait pas chez eux Quelles tares et quelles maladies lui ont-ils transmises ? C'était une erreur terrible de le recueillir. Au bout de quelques mois, j'ai compris qu'il n'était pas fait pour nous. C'était un gentil bébé, mais Alex n'éprouvait pas de sympathie pour lui. Je voulais tellement qu'Alex ait son enfant, mais ce que lui désirait, c'était un enfant avec son propre sang dans ses veines. C'était très important pour lui. Vous ne vous imaginez pas à quel point. Alex dit qu'un enfant adopté est différent de votre chair. Il dit qu'on ne peut jamais se sentir aussi proche de lui que s'il était de votre propre sang. Il dit que c'est comme dresser une bête sauvage et dangereuse qu'on a tout petit, et le garder comme un animal familier ; vous ne savez jamais à quel moment il risque de vous attaquer, parce que au fond, ce n'est pas du tout ce que vous avez essayé d'en faire. Et donc voilà encore une autre chose que je n'aurais pas dû faire : laisser entrer chez nous l'enfant de quelqu'un d'autre. Un étranger. Et il s'est retourné contre nous. Je fais toujours les choses de travers. Alex ne peut pas compter sur moi. Tout ce qu'il voulait, c'était un enfant à lui.

En s'asseyant sur le banc pour guetter son passage, Colin s'était attendu à avoir des difficultés à la faire parler. Mais il avait joué la bonne carte. Elle ne cessait de discourir d'un ton monotone, intarissable, comme un vieil automate, un robot avec une histoire à raconter. Et il avait l'impression de se trouver face à une machine pressée par le temps ; sous le masque froid d'efficacité et de sérieux, de graves instabilités généraient une forte chaleur interne. Tout en l'écoutant, il entendait également le bruit du mécanisme qui se démontait, des ressorts qui cassaient et des tubes électroniques qui éclataient.

— Nous avions Roy depuis deux ans et demi, lorsque je me suis rendu compte que j'allais avoir un bébé. Les médecins s'étaient trompés sur mon cas. J'ai failli mourir en couches, et il n'y eut alors plus aucun doute qu'elle serait mon premier et mon dernier, mais je *l'avais*. Ils avaient tort. En dépit de tous leurs tests compliqués, de leurs consultations et de leurs honoraires exorbitants, tous sans exception s'étaient trompés. C'était un enfant miraculeux. Dieu nous avait toujours destinés à avoir l'impossible, l'enfant du miracle, cette bénédiction particulière, et j'étais trop impatiente pour attendre. Je n'avais pas eu suffisamment la foi. Loin s'en faut. Je me déteste pour cela. C'est moi qui ai incité Alex à adopter. Puis Belinda est arrivée, celle que nous étions *destinés* à avoir. Je n'avais pas la foi. Alors, juste au bout de cinq ans, elle nous fut enlevée. Roy nous l'a enlevée. L'enfant que nous n'avions jamais été destinés à avoir a enlevé celle que Dieu nous a envoyée. Vous comprenez ?

La fascination de Colin se transformait en embarras. Il n'avait plus besoin et ne désirait pas entendre chaque détail sordide. Il regarda autour de lui d'un air gêné pour voir si quelqu'un pouvait surprendre leur conversation, mais il n'y avait personne à proximité du banc.

Elle se détourna de la mer pour le regarder dans les yeux. « Pourquoi êtes-vous venu ici, jeune homme ? Pourquoi m'avez-vous révélé le secret de Roy ? »

Il haussa les épaules. « J'ai pensé que vous deviez savoir. »

— Attendiez-vous de moi que je lui fasse quelque chose ?

— N'allez-vous rien faire ?

— J'aimerais bien, répliqua-t-elle avec une méchanceté non dissimulée. Mais je ne peux pas. Si je commence à leur dire qu'il a tué ma petite fille, ça va être comme avant. Ils me renverront à l'hôpital du comté.

Oh ! C'était bien ce qu'il avait imaginé, avant même qu'il ne lui parle.

— Personne ne me croira jamais si ça concerne Roy, dit-elle. Et qui vous croira, vous ? Si j'ai bien compris, d'après votre mère, il y a un problème avec la drogue.

— Non, ce n'est pas vrai.

— Qui va nous croire tous les deux ?

— Personne, répondit-il.

— Il nous faut une preuve.

— Oui.

— Une preuve irréfutable.

— C'est exact.

— Quelque chose de tangible, dit-elle. Peut-être... Si vous pouviez l'amener à vous en reparler... Comment il l'a tuée volontairement... et avoir peut-être un magnétophone caché quelque part...

Colin tressaillit en l'entendant parler d'un magnétophone. « C'est une idée. »

— Il doit y avoir un moyen, dit-elle.

— Oui.

— Nous y réfléchirons tous les deux.

— Très bien.

— Et trouverons un moyen de le prendre au piège.

— D'accord.

— Et nous nous reverrons.

— Ah bon ?

— Ici, dit-elle. Demain.

— Mais...

— Ça a toujours été moi contre lui, dit-elle, se

penchant tout près de Colin. Il sentit son haleine contre son visage. Et put la renifler aussi : la chlorophylle. « Mais maintenant, vous êtes là. Deux personnes sont au courant, aujourd'hui. Ensemble, nous devrions pouvoir trouver un moyen de l'avoir. Je veux l'avoir. Je veux que tout le monde sache comment il a *prémédité* d'assassiner ma petite fille. Lorsqu'ils connaîtront la vérité, comment pourront-ils me demander de le garder dans ma maison ? Nous le renverrons de là où il vient. Les voisins ne parleront pas. Comment le pourraient-ils, une fois qu'ils sauront ce qu'il a fait ? Je serai débarrassée de lui. Je désire cela plus que tout. (Sa voix ne fut plus qu'un murmure de conspiratrice.) Vous serez mon allié, n'est-ce pas ? »

Il eut la pensée malsaine qu'elle allait lui faire subir le rituel des frères de sang.

— N'est-ce pas ? insista-t-elle.

— D'accord. (Mais il n'avait pas l'intention de la revoir ; elle était presque aussi effrayante que Roy.)

Elle posa la main sur sa joue, et il ébaucha un mouvement de recul avant de réaliser qu'il s'agissait d'un simple geste affectueux. Ses doigts étaient glacés.

— Vous êtes un bon garçon. C'est bien d'avoir fait ça ; d'être venu me voir, comme ça.

Il aurait voulu qu'elle retire sa main.

— J'ai toujours su la vérité, mais quel soulagement de ne plus être seule. Soyez là demain. A la même heure.

— Bien sûr, répliqua-t-il, uniquement pour se débarrasser d'elle.

Elle se leva brusquement et s'éloigna vers « Treasured Things ».

En la regardant partir, Colin pensa qu'elle était bien plus terrifiante que n'importe lequel des monstres qu'il avait redoutés durant son enfance et son adolescence. Christopher Lee, Peter Cushing, Boris Karloff, Bela Lugosi — aucun d'eux n'avait jamais incarné un personnage qui donnait autant la chair de poule que Helen Borden. Pire qu'un goule ou un vampire, doublement dangereuse car si bien déguisée. Elle paraissait plutôt ordinaire, grise même, quelconque à tous les égards, mais à l'intérieur, c'était une affreuse créature. Il sentait encore la pression de ses doigts glacials sur son visage.

Il retira le magnétophone de son coupe-vent et l'éteignit.

Incroyablement, il avait honte de lui pour certaines des choses qu'il avait dites sur Roy, et pour la manière dont il s'était empressé de jouer sur la haine qu'elle vouait à son fils. Roy était malade, effectivement ; et il était bel et bien un assassin ; mais pas depuis sa naissance ; ça c'était faux. Il n'était pas, comme avait dit Colin, « né mauvais ». Fondamentalement, il n'était pas moins humain que quiconque. Et n'avait pas assassiné sa petite sœur de sang-froid. A en juger par tous les témoignages que Colin avait lus, la mort de Belinda Jane avait été un accident. La maladie de Roy s'était développée à la suite de cette tragédie.

Déprimé, Colin quitta le banc et se dirigea vers le parking. Il détacha la chaîne de son vélo de l'abri.

Il ne désirait plus se venger de Roy. Il souhaitait simplement mettre fin à la violence. Et obtenir une preuve, afin que les autorités le croient et agissent. Il était las.

Bien qu'il fût inutile de leur dire, et qu'ils ne comprendraient jamais, Mr et Mrs Borden étaient des assassins, eux aussi. Ils avaient transformé Roy en mort-vivant.

# 39

COLIN appela Heather.

— As-tu parlé à la mère de Roy ? demanda-t-elle.

— Oui. Et l'entrevue a dépassé mes espérances.

— Raconte-moi.

— C'est trop compliqué par téléphone. Il faut que tu écoutes la cassette.

— Pourquoi ne pas l'apporter ici ? Mes parents sont partis pour la journée.

— J'arrive dans un quart d'heure.

— Ne passe pas par-devant. Roy risquerait d'être au cimetière juste en face ; on ne sait jamais. Prends l'allée et traverse l'arrière-cour.

Il s'assura de n'être pas suivi ; elle l'attendait dans le patio derrière la maison. Ils allèrent dans la cuisine, aux teintes gaies de jaune et blanc, s'assirent à la table et écoutèrent la conversation enregistrée entre Mrs Borden et lui.

— C'est horrible, dit Heather quand Colin éteignit finalement le magnétophone.

— Je sais.

— Pauvre Roy.

— Je comprends ce que tu veux dire, répondit Colin d'un ton chagrin.

— Je regrette un peu d'avoir dit sur lui ces vilaines choses. S'il est comme ça, ce n'est pas sa faute, n'est-ce pas ?

— Cela m'a touché aussi. Mais on ne peut pas se

laisser aller à le plaindre. Pas encore. Il faut nous souvenir qu'il est dangereux. Et garder à l'esprit qu'il me tuerait volontiers — et toi qu'il te violerait et te tuerait — s'il croyait pouvoir s'en sortir.

L'horloge de la cuisine avait un tic-tac sourd.

— Si on faisait écouter cette cassette à la police, cela pourrait les convaincre, suggéra Heather.

— De quoi ? Que Roy a été un enfant maltraité ? Sans doute au point de grandir en devenant tordu ? Oui. Peut-être bien que cela les en convaincrait, d'accord. Mais cela ne prouverait rien. Ni que Roy a assassiné ces deux garçons ni qu'il a essayé de faire dérailler un train l'autre nuit ou qu'il a failli me tuer. Il nous faut plus que cela. Nous devons aller jusqu'au bout de notre plan.

— Ce soir, dit-elle.

— Oui.

## 40

WEEZY rentra à cinq heures et demie, et ils prirent ensemble un dîner précoce. Elle avait rapporté à manger de chez le *deli* (1) : du jambon, des tranches de blanc de dinde, du fromage, de la salade de macaronis, de la salade de pommes de terre, des gros cornichons doux à l'aneth, et des morceaux de gâteau au fromage. Il y avait de la nourriture à profusion, mais ni l'un ni l'autre ne mangèrent vraiment ; elle faisait constamment attention à sa ligne, consciente de chaque gramme superflu, et Colin était simplement trop préoccupé par la nuit à venir pour avoir beaucoup d'appétit.

— Tu retournes à la galerie ? demanda-t-il.

— D'ici une heure, environ.

— Tu seras là à neuf heures ?

— Je crains que non. On ferme à neuf heures, on donne un coup de balai, on essuie les meubles, et on rouvre à dix heures.

— Pour quoi faire ?

— On organise le vernissage d'un nouvel artiste.

— A dix heures du soir ?

— C'est censé être une réception élégante, après dîner. Les invités auront le choix entre cognac et champagne. Ça te paraît sympa ?

— Je suppose.

(1) Deli : delicatessen : magasin de charcuterie fine, épicerie. Equivalent du traiteur français.

Elle barbouilla son assiette de moutarde, roula une tranche de jambon, la trempa dans la moutarde, et la grignota délicatement. « Tous nos meilleurs clients de la ville seront là. »

— Ça va durer jusqu'à quelle heure ?

— Jusqu'à minuit à peu près.

— Après ça, tu rentreras à la maison ?

— Je pense que oui.

Il goûta le gâteau au fromage.

— Noublie pas ton couvre-feu, dit-elle.

— Je ne l'oublierai pas.

— Tu seras rentré avant la nuit.

— Tu peux me faire confiance.

— J'espère bien. Dans ton intérêt, j'espère bien.

— Appelle pour vérifier, si tu veux.

— Je le ferai probablement.

Après s'être douchée et changée, elle s'en alla pour la soirée ; il entra dans sa chambre et prit le pistolet dans le tiroir de la coiffeuse. Il le mit dans une petite boîte en carton. Il y plaça également le magnétophone, deux torches, et une bouteille plastique de ketchup. Il sortit un torchon de l'armoire à linge et le déchira en deux dans le sens de la longueur. Il rangea les deux bandes de tissu avec le reste des objets. Il alla dans le garage chercher un rouleau de corde, accroché sur le mur depuis leur emménagement, et l'ajouta à son baluchon.

Il lui restait un peu de temps à tuer avant de se mettre en route pour la maison des Kingman. Il monta dans sa chambre et essaya de travailler sur l'un de ses monstres en modèle réduit. Il n'y arriva pas. Ses mains n'arrêtaient pas de trembler.

Une heure avant la tombée de la nuit, il ramassa la boîte contenant le pistolet, le magnétophone, et les autres objets. Il quitta la maison et attacha le paquet avec un tendeur sur le porte-bagages de sa bicyclette. Il emprunta un chemin détourné pour se rendre à la maison abandonnée des Kingman, au sommet de Hawk Drive, et fut certain de ne pas avoir été suivi.

Heather l'attendait juste sur le pas de la porte principale du manoir en ruine. Elle sortit de l'ombre en voyant arriver Colin. Vêtue d'un short bleu et d'un chemisier blanc à manches longues, elle était belle.

Il coucha la bicyclette sur le côté, à l'abri des regards dans les hautes herbes sèches, et entra à l'intérieur muni de sa boîte en carton.

La maison était toujours un endroit étrange, mais peut-être un peu plus encore au crépuscule. La lumière du soleil doré et oblique pénétrait à travers quelques fenêtres brisées aux volets manquants, lui donnant un aspect quelque peu sanglant. Des atomes de poussière tournoyaient paresseusement dans ses rayons pâlissants. Dans un coin, une immense toile d'araignée scintillait telle du cristal. Les ombres rampaient, telles des choses vivantes.

— Je suis affreuse, dit Heather sitôt qu'il l'eut rejointe à l'intérieur.

— Tu es superbe. Magnifique.

— Mon shampooing n'a pas marché. Mes cheveux sont tout raides.

— Tes cheveux sont beaux. Très beaux. On ne pourrait pas demander de plus jolis cheveux.

— Il ne va pas s'intéresser à moi, dit-elle d'un ton plein de conviction. Dès qu'il s'apercevra que c'est moi que tu as amenée ici, il tournera les talons et s'en ira.

— Ne sois pas bête. Tu es parfaite. Absolument parfaite.

— Tu le penses vraiment ?

— Vraiment. Il lui donna un long baiser, chaud et tendre. Ses lèvres étaient douces, frémissantes. « Allez, viens, dit-il gentiment. Il faut tendre le piège. » Il l'impliquait dans une situation extrêmement dangereuse, l'utilisant, la manipulant, pas vraiment différemment de la manière dont Roy l'avait manipulé, lui, et il se détestait de le faire. Mais il ne changea rien, même s'il en était encore temps.

Elle le suivit, et comme il commençait à gravir l'escalier vers le second étage, elle lui dit : « Pourquoi pas en bas ? »

Il s'arrêta, se retourna, et la regarda. « Les volets sont tombés ou ont été arrachés de presque toutes les fenêtres du premier. Si on organisait ça ici, les lumières seraient visibles de l'extérieur de la maison. On pourrait attirer quelqu'un. D'autres jeunes. Ils risqueraient de nous interrompre avant que nous ayons obtenu ce que nous voulons de Roy. Certaines des pièces du second ont encore leurs volets.

— Si les choses tournaient mal, ce serait plus facile de lui échapper si nous sommes au premier.

— Tout ira bien. D'ailleurs, nous avons le pistolet. Tu te souviens ? (Il tapota la boîte qu'il portait sous son bras droit.)

Il reprit son ascension et fut soulagé de l'entendre derrière lui.

Le palier du second était plongé dans les ténèbres, et la pièce qui l'intéressait était noire, à l'exception des fils du soleil de cette fin d'après-midi qui filtraient à travers les volets fermés. Il alluma l'une des torches.

Il avait choisi une grande chambre à coucher juste à gauche en haut de l'escalier. Un vieux papier peint jauni se détachait des murs et pendait en longues boucles le long du plafond, tels de vieux drapeaux oubliés lors d'une fête cent ans auparavant. La pièce, poussiéreuse, sentait vaguement le moisi, mais elle n'était pas envahie de décombres comme la plupart des autres chambres ; seules, quelques lattes çà et là, quelques morceaux de plâtre et deux bandes de papier peint jonchaient le sol le long du mur du fond.

Il tendit la torche à Heather et posa la boîte. Il prit la seconde lampe, l'alluma et l'appuya contre le mur, si bien que le rayon illumina le plafond, réfléchissant la lumière vers le bas.

— C'est un endroit hanté, dit Heather.

— Tu n'as pas à avoir peur.

Il sortit le magnétophone de la boîte et le posa par terre, près du mur face à la porte. Il ramassa quelques décombres et les disposa soigneusement par-dessus le petit appareil, laissant simplement dépasser la tête du micro, allant même jusqu'à le dissimuler dans la petite zone d'ombre du papier peint enchevêtré.

— Est-ce que ça a l'air naturel ? demanda-t-il.

— Oui, je trouve.

— Regarde-le attentivement.

Ce qu'elle fit. « C'est OK. Ça n'a pas l'air arrangé. »

— Tu ne vois pas du tout le magnéto ?

— Non.

Il reprit la seconde torche et balaya la pile de détritus, en quête du moindre éclair de métal ou de plastique, du reflet qui trahirait la supercherie.

— OK, dit-il enfin, satisfait de son travail. Je crois qu'il n'y verra que du feu. Il n'y regardera probablement même pas à deux fois.

— Et maintenant ?

— Il faut que tu aies l'air d'avoir été un peu malmenée. Roy n'en croira pas un traître mot si tu ne sembles pas t'être battue. (Il sortit la bouteille plastique de ketchup de la boîte.)

— C'est pour quoi faire ?

— Du sang.

— Tu es sérieux ?

— Je reconnais que c'est rebattu. Mais il faut que ce soit efficace.

Il pressa un peu de ketchup sur ses doigts, puis l'étala astucieusement sur sa tempe droite, y collant quelques cheveux d'or.

Elle grimaça. « Beurk ! »

Colin recula de deux pas et l'examina. « Bien, dit-il. Pour l'instant, ça brille un peu trop. Trop rouge. Mais quand ça aura un peu séché, ça devrait avoir l'air tout à fait plausible. »

— Si on s'était battus pour de bon, comme tu vas le lui dire, je serais sale et toute froissée.

— Exact.

Elle sortit à moitié son chemisier de son short. Elle se pencha, passa ses mains sur le plancher couvert de poussière, et fit de longues traînées noires sur ses vêtements.

Une fois debout, Colin l'observa d'un œil critique, cherchant la fausse note, essayant de la voir comme Roy la verrait. « Ouais. C'est mieux. Mais il manque peut-être encore une petite touche. »

— Laquelle ?

— Déchirer la manche de ton chemisier.

Elle fronça les sourcils. « C'est l'un de mes plus beaux. »

— Je te le paierai.

Elle secoua la tête. « Non, j'ai dit que je t'aiderai. Je vais jusqu'au bout. Vas-y. Déchire-la. »

Il tira sur le tissu d'un coup sec de part et d'autre de la couture de l'épaule droite, à une, deux, trois reprises. La piqûre finit par se défaire dans un vilain bruit, et la manche pendit sur son bras, à moitié arrachée.

— Ouais, approuva-t-il. Là, c'est bien ! Tu es très, très convaincante.

— Mais maintenant que je suis dans un état pareil, va-t-il avoir envie de faire quoi que ce soit avec moi ?

— C'est drôle... (Colin l'observa d'un air pensif.) Curieusement, tu es encore plus attirante qu'avant.

— Tu en es sûr ? Je veux dire, je suis toute sale. Et je n'étais pas si merveilleuse que ça quand j'étais propre.

— Tu es magnifique. Exactement ce qu'il fallait.

— Mais pour que ça marche, il faut qu'il veuille vraiment... euh... qu'il ait envie de me violer. Je veux dire, il n'en aura pas l'occasion. Mais il faut qu'il le *veuille.*

Une fois de plus, Colin fut pleinement conscient du danger qu'il lui faisait courir, et il s'en voulut.

— Il reste une petite chose à faire pour améliorer le tout, dit-elle.

Avant de comprendre ce qu'elle comptait faire, elle agrippa le devant de son chemisier et tira très fort. Les boutons sautèrent ; l'un d'eux heurta le menton de Colin. Le chemisier s'ouvrit jusqu'en bas, et, l'espace d'une seconde, il aperçut un sein petit, beau et frémissant, avec un mamelon sombre ; puis les deux moitiés du vêtement se remirent en place, et il ne put rien voir d'autre que le doux renflement de sa chair marquant la naissance de ses seins.

Il leva les yeux, et rencontra son regard.

Elle rougit violemment.

Pendant un long moment, aucun d'eux ne parla.

Il s'humecta les lèvres. Sa gorge se dessécha subitement.

Enfin, tremblante, elle lui dit : « Je ne sais pas. Peut-être que ça ne servira guère d'avoir mon chemisier entrouvert. Enfin, je... je n'ai pas grand-chose à montrer. »

— Parfait, dit-il d'une voix faible. La dernière touche est parfaite. (Il détourna son regard, ouvrit la boîte en carton et prit le rouleau de corde.)

— J'aimerais bien ne pas devoir être attachée.

— C'est la seule solution. Mais tu ne seras pas attachée pour de bon. Pas serrée. La corde sera simplement enroulée plusieurs fois autour de tes poignets, mais pas nouée. Tu pourras dégager tes mains en un éclair. Et là où il y aura des nœuds, tu pourras les faire glisser facilement. Je te montrerai comment. Tu pourras te libérer des liens en deux secondes si besoin est. Mais ce ne sera *pas* nécessaire. Il ne t'approchera pas. Il ne posera pas ses mains sur toi. Tout se passera bien. J'ai le pistolet.

Elle s'assit par terre, dos au mur. « Finissons-en. »

Le temps qu'il ait terminé de l'attacher, la nuit était tombée au-dehors, et on ne distinguait même plus les rais de lumière sur les bords ébréchés des vieux volets brisés en éclats.

— Il est temps d'aller téléphoner.

— Je vais détester être seule dans cet endroit.

— C'est l'affaire de quelques minutes.

— Peux-tu laisser les deux torches ? demanda-t-elle.

Il était ému par sa peur ; il savait ce que c'était. Mais il lui répondit : « Je peux pas. Il m'en faut une pour entrer et sortir de la maison sans me rompre le cou dans le noir. »

— J'aurais préféré que tu en emportes trois.

— Tu auras suffisamment de lumière avec une seule, dit-il, tout en sachant que ce serait un bien piètre confort dans cet endroit qui donnait la chair de poule.

— Reviens vite.

— Oui.

Il se leva et s'éloigna. Arrivé à la porte, il se retourna et la regarda. Elle parut si vulnérable qu'il put à peine le supporter. Il savait qu'il devait revenir, la détacher de ses liens et la renvoyer chez elle. Mais il lui fallait prendre

Roy au piège, obtenir la vérité sur la cassette, et c'était le moyen le plus simple d'y parvenir.

Il quitta la pièce, descendit l'escalier jusqu'au premier étage, puis sortit de la demeure par la porte principale.

Le plan allait marcher.

Il *fallait* qu'il marche.

Si les choses tournaient mal, la tête ensanglantée d'Heather et la sienne risquaient de finir sur le manteau de la cheminée de la maison des Kingman.

## 41

COLIN entra dans une cabine téléphonique à une station-service, à quatre blocs de la maison Kingman. Il composa le numéro des Borden.

Roy répondit. « Allô ? »

— C'est toi, frère de sang ?

Roy ne répondit pas.

— J'ai eu tort, reprit Colin.

Roy resta muet.

— Je téléphone pour te dire que j'ai eu tort.

— Tort sur quoi ?

— Sur tout. D'avoir brisé notre serment de frères de sang.

— Où veux-tu en venir ?

— Je voudrais qu'on redevienne amis.

— T'es un connard.

— Je suis sincère. Je veux vraiment qu'on redevienne amis, Roy.

— Ce n'est pas possible.

— Tu es plus malin que tous les autres, dit Colin. Plus malin, et plus fort. Tu as raison : c'est tous des pauvres types. Les adultes aussi. C'est facile de les manipuler. Je m'en rends compte, maintenant. Je ne suis pas l'un d'entre eux. Je ne l'ai jamais été. Je suis comme toi. Je veux être de ton côté.

Une fois de plus, Roy garda le silence.

— Pour te prouver que je suis avec toi, je vais faire ce

que tu voulais qu'on fasse. Je vais t'aider à tuer quelqu'un.

— Tuer quelqu'un ? Colin, tu as encore pris des pilules ? Tu racontes n'importe quoi.

— Tu crois qu'il y a quelqu'un qui écoute. Eh bien, ce n'est pas le cas. Mais si ça t'inquiète de parler au téléphone, alors parlons face à face.

— Quand ?

— Tout de suite.

— Où ?

— La maison Kingman.

— Pourquoi là-bas ?

— C'est ce qu'il y a de mieux.

— Je connais un meilleur endroit.

— Pas pour ce que nous allons faire. C'est intime, et c'est ce qu'il nous faut.

— Pour faire quoi ? De quoi parles-tu ?

— On va la baiser et après, on la tuera.

— Tu es devenu fou ? Qu'est-ce que c'est que ce discours ?

— Personne ne nous écoute, Roy.

— T'es dingue.

— Elle va te plaire.

— Tu dois être complètement défoncé.

— Elle est bien roulée.

— Qui ?

— La fille que j'ai pour nous.

— Toi, t'a dégotté une fille ?

— Elle ne sait pas ce qui va se passer.

— Qui est-ce ?

— Mon cadeau de réconciliation.

— Quelle fille ? Comment s'appelle-t-elle ?

— Viens, tu verras.

Roy ne répondit pas.

— Tu as peur de moi ? demanda Colin.

— Ça va pas la tête !

— Alors donne-moi une chance. Retrouvons-nous à la maison Kingman.

— Toi et tes petits copains camés, vous allez probablement m'attendre au tournant. Vous avez l'intention de tous me tomber dessus ?

Colin eut un rire aigre. « Tu es fort, Roy. Vraiment très fort. C'est pourquoi je veux être de ton côté. Personne n'est plus rusé que toi. »

— Il faut que t'arrêtes de bouffer des pilules. Colin, la drogue, ça tue. Tu vas te ruiner la santé.

— Alors viens m'en parler. Persuade-moi que je dois me désintoxiquer.

— J'ai un truc à faire pour mon père. Je peux pas y couper. Impossible de m'échapper d'ici avant au moins une heure.

— D'accord. Il est presque neuf heures et quart. Rendez-vous à la maison Kingman à dix heures et demie.

Colin raccrocha, ouvrit la porte de la cabine, et courut comme un dératé. Il gravit du plus vite qu'il put la pente abrupte de la colline, coudes au corps.

Il arriva au manoir, franchit les grilles et remonta l'allée. A l'intérieur, il grimpa les marches qui craquaient et entendit Heather l'appeler d'une voix hésitante avant de parvenir au deuxième.

Elle était toujours dans la première chambre sur la gauche, assise telle qu'il l'avait laissée, attachée, ravissante.

— Je craignais que ce ne soit quelqu'un d'autre, dit-elle.

— Ça va ?

— Une seule torche, ce n'était pas suffisant. Il fait trop sombre là-dedans.

— Désolé.

— Et je crois qu'il y a des rats. J'ai entendu des grattements dans les murs.

— On n'en a plus pour longtemps à rester ici. (Il se pencha sur la boîte en carton et en retira les deux longues bandes de torchon qu'il avait emportées de la maison.) Les choses vont aller vite, maintenant.

— Tu as parlé à Roy ?

— Oui.

— Il vient ?

— Il a dit qu'il avait des trucs à faire pour son père et ne pouvait pas sortir immédiatement. Pas avant dix heures et demie.

— Alors ce n'était pas nécessaire de m'attacher avant d'aller téléphoner.

— Si. Ne te détache pas. En ce moment, il est en route.

— Je croyais que t'avais dit dix heures et demie.

— Il mentait.

— Comment tu le sais ?

— Je le sais, c'est tout. Il va essayer d'arriver ici avant moi pour me tendre un piège. Il me croit aussi naïf qu'avant.

— Colin... J'ai peur.

— Tout ira bien.

— C'est vrai ?

— J'ai le pistolet.

— Et si tu dois t'en servir ?

— Je n'en aurai pas besoin.

— Il risque de t'y obliger.

— Alors je le ferai. Je m'en servirai s'il m'y force.

— Mais alors tu seras coupable...

— De légitime défense.

— Es-tu *capable* de t'en servir ?

— En légitime défense. Oui, bien sûr. Evidemment.

— Tu n'es pas un assassin.

— Je me contenterai de le blesser, dans ce cas. Maintenant, il faut qu'on se dépêche. Je dois te bâillonner. Il faut qu'il soit serré pour que ça ait l'air convaincant, mais dis-moi si c'est trop et si ça te gêne. (Il confectionna un bâillon avec les deux bouts de torchon, puis demanda :) « Ça va ? »

Elle proféra un son inintelligible.

— Secoue la tête — oui ou non. Est-ce que c'est trop serré ?

Elle secoua la tête : non.

Il voyait ses doutes grandir de seconde en seconde ; elle aurait voulu ne jamais entrer dans tout ça. Une peur véritable étincelait dans son regard, mais c'était bien ; on aurait dit qu'elle était réellement la victime impuissante qu'elle faisait semblant d'être. Roy, possédé par les instincts d'un animal rusé et vicieux, reconnaîtrait immédiatement sa terreur, et en serait convaincu.

Colin alla vers le magnétophone, souleva le détritus

qui le recouvrait, le mit en marche, remit soigneusement en place le camouflage, et regarda de nouveau Heather. « Je vais l'attendre en haut des marches. Ne t'inquiète pas. »

Il quitta la pièce, prit le pistolet, une torche et la boîte en carton qui ne contenait plus que la bouteille de ketchup. Il déposa la boîte et le ketchup dans une autre pièce, puis se rendit en haut de l'escalier et éteignit la torche.

La maison était plongée dans l'obscurité.

Il coinça l'arme sous sa ceinture, dans le creux de ses reins, là où Roy ne le verrait pas. Il voulait apparaître désarmé, sans défense, afin d'attirer Roy en haut.

Colin respirait bruyamment, haletant pratiquement, non pas parce qu'il était physiquement épuisé, mais parce qu'il avait peur. Il se concentra pour respirer doucement, mais ce ne fut pas facile.

En bas, il entendit un fracas.

Il retint son souffle, aux aguets.

Un autre bruit.

Roy était arrivé.

Colin regarda le cadran lumineux de sa montre. Exactement quinze minutes s'étaient écoulées depuis qu'il avait quitté la cabine téléphonique.

C'était précisément ce que Colin avait dit à Heather : Roy avait menti en disant qu'il ne pourrait pas être là avant dix heures et demie. Il avait simplement voulu s'assurer qu'il serait le premier au rendez-vous. Si un piège devait lui être tendu, il avait l'intention d'être là dans l'ombre, et de regarder faire.

Colin avait anticipé ce déroulement des opérations, et cela le rassura. Debout dans le corridor, il se mit à sourire.

Quelque chose remua sur le mur à côté de lui, et il fit un bond. Une souris. Rien de plus. Ce n'était pas Roy. Il pouvait toujours l'entendre en bas. Juste une souris. Un rat, peut-être. Au pire, un couple de rats. Pas de quoi s'inquiéter. Mais il savait qu'il devait se méfier d'un excès de confiance, car sinon, il ne serait rien d'autre qu'une nourriture pour ces rats d'ici la fin de la nuit.

Des pas.

Le faisceau d'une torche, protégé par une main.
La lumière se déplaça vers le pied de l'escalier.
Roy montait.
Soudain, Colin eut l'impression que le plan était puéril, stupide, naïf. Ça ne marcherait jamais. Jamais de la vie. Heather et lui allaient mourir.
Il déglutit péniblement et alluma sa propre torche, balayant le bas des marches. « Salut, Roy. »

# 42

ROY s'arrêta, la torche braquée sur Colin.

Ils restèrent un moment à se dévisager. Colin pouvait voir la haine dans les yeux de Roy, et se demanda si sa propre crainte était tout aussi visible.

— Tu es déjà là, dit Roy.

— La fille est là-haut.

— Il n'y a pas de fille.

— Viens voir.

— Qui est-elle ?

— Viens voir.

— Qu'est-ce que c'est que ce coup fourré ?

— Ce n'en est pas un. Je te l'ai dit au téléphone. Je veux être de ton côté. J'ai essayé d'être du *leur*. Ça n'a pas marché. Ils ne me croient pas. Ils se fichent bien de moi. Tous. Je les déteste. Tous autant qu'ils sont. Y compris ma mère. Tu avais raison à son sujet. C'est une belle salope. Tu t'étais pas trompé sur eux. Ils ne m'aideront jamais. Jamais. Ils ne sont pas du tout gentils avec moi. Et je ne veux plus avoir à te fuir. Je ne veux pas avoir à regarder derrière moi jusqu'à la fin de mes jours. Tu es le plus fort. Tôt ou tard, tu m'auras. Tu es un gagnant. Tu finis toujours par gagner. Maintenant, je m'en rends compte. J'en ai assez d'être un loser. C'est pourquoi je veux être de ton côté. Je veux gagner. Mais je leur revaudrai ça, à tous. Je ferai tout ce que tu veux, Roy. N'importe quoi.

— Alors comme ça, tu as une nana pour nous.

— Ouais.

— Comment tu l'as fait venir ici ?

— Je l'ai vue hier, répondit Colin, essayant d'avoir l'air excité, comme s'il n'avait pas soigneusement préparé chaque mot de ce qu'il s'apprêtait à raconter. J'étais sur mon vélo, je me baladais, comme ça, et je réfléchissais à une manière de me réconcilier avec toi. Je suis passé dans le coin, et je l'ai vue assise dans l'allée principale. Elle avait un carton à dessin. Elle s'intéresse à l'art. Elle esquissait le manoir. Je me suis arrêté pour lui parler, et j'ai appris qu'elle faisait des croquis de l'endroit depuis plusieurs jours. Elle a dit qu'elle allait revenir ce soir, afin de le dessiner dans les ombres du crépuscule. J'ai compris immédiatement qu'elle était ce que je cherchais. Si je te la donnais, je savais qu'on serait de nouveau amis. Elle est roulée comme une déesse, Roy. Vraiment super ! Je lui ai tendu un piège. Pour l'instant, elle est là-haut, dans l'une des chambres, attachée et bâillonnée.

— Comme ça ? demanda Roy.

— Hein ?

— Tu as tendu un piège, et à toi tout seul, tu l'as attachée et bâillonnée. C'était si facile ?

— Putain, non ! Pas facile du tout. J'ai dû la frapper. L'assommer. La faire un peu saigner. Mais je l'ai. Tu vas voir.

Roy le regarda fixement, réfléchissant, se demandant s'il allait partir ou rester. Ses yeux glacials luisaient dans la lumière froide et pâle.

— Alors tu viens ? Ou tu as peur de lui faire pour de bon ?

Roy grimpa lentement les marches.

Colin recula du haut de l'escalier jusqu'à la porte ouverte de la pièce où attendait Heather.

Roy s'avança dans le corridor du deuxième étage.

Seuls environ quatre mètres séparaient les deux garçons.

— C'est là, dit Colin.

Mais Roy resta appuyé contre le mur à l'autre bout, puis se dirigea vers la porte de la chambre face à celle où Colin voulait qu'il entre.

— Qu'est-ce que tu fais ?
— Je veux voir qui il y a d'autre.
— Personne. Je te l'ai dit.
— Je veux le voir par moi-même.
Gardant un œil sur Colin, Roy balaya sa torche dans la pièce de l'autre côté du couloir. Colin pensa à la boîte en carton qu'il avait laissée là, et son cœur se mit à battre à grands coups. Il savait que le stratagème serait découvert et le plan fichu si Roy apercevait la bouteille de ketchup. Mais le carton ne dut pas paraître déplacé parmi les autres détritus jonchant le sol de cette demeure pourrissante, car Roy n'y entra pas pour l'inspecter. Il continua dans le couloir pour s'assurer que le restant de l'étage était désert.
Colin attendit dans l'embrasure de la porte que Roy ait regardé dans toutes les autres pièces.
— Personne, dit Roy.
— Je suis loyal avec toi.
Roy s'approcha de lui.
Colin recula dans la chambre et alla rapidement vers Heather. Il se tint près d'elle.
On aurait cru qu'elle allait crier en dépit du bâillon dans sa bouche. Colin eut envie de sourire pour la rassurer, mais il n'osa pas ; Roy pouvait entrer et surprendre l'échange, réalisant alors qu'ils étaient d'intelligence.
Roy s'avança avec circonspection. Des ombres dansaient au bout du faisceau mouvant de sa lampe. En apercevant la jeune fille, il s'arrêta, surpris. Il n'en était éloigné que de cinq mètres, et bloquait l'unique issue ; c'était le moment de vérité. « Est-ce que c'est... Heather ? »
— Oui, répondit Colin, la langue pâteuse. Tu la connais ? Tu la trouves pas super ?
Roy l'observa avec un intérêt grandissant. Colin vit le regard du garçon s'attarder sur le galbe de ses mollets doux et lisses, puis sur ses genoux, et ses cuisses tendues. L'espace de quelques secondes, Roy sembla incapable de détacher ses yeux de ces belles jambes minces. Puis il examina finalement son chemisier en loques, et le renflement des seins partiellement visibles à travers le

tissu déchiré. Il regarda les liens, le bâillon dans sa bouche, et ses yeux apeurés grands ouverts. Il vit qu'elle avait réellement peur, et sa terreur lui fit plaisir. Il sourit et se tourna vers Colin. « Tu l'as fait. »

Colin comprit que le coup avait marché. Roy ne pouvait imaginer Colin et Heather tendant un piège à eux deux, sans le soutien des adultes. Dès que Roy s'était rendu compte qu'ils étaient seuls dans la demeure, que des renforts n'attendaient pas dans une autre pièce, il s'était laissé convaincre. Le Colin qu'il connaissait était bien trop poltron pour tenter quoi que ce soit de ce genre. Mais celui qu'il connaissait n'existait plus. Le nouveau Colin lui était étranger.

— Tu l'as fait, tu l'as vraiment fait ! répéta Roy.

— Ne te l'avais-je pas dit ?

— C'est du sang sur sa tête ?

— J'ai dû la frapper un peu fort. Elle est restée inconsciente quelques minutes.

— Seigneur !

— Tu me crois maintenant ?

— Tu veux vraiment la baiser ?

— Ouais.

— Et la tuer ensuite ?

— Ouais.

Heather protesta à travers son bâillon, d'une voix faible et inintelligible.

— Comment va-t-on la tuer ? demanda Roy.

— T'as ton canif sur toi ?

— Oui.

— Bon, dit Colin, j'ai le mien aussi.

— Tu veux... la poignarder ?

— Comme t'as fait pour le chat.

— Ça va prendre du temps, avec des canifs.

— Plus ça dure, meilleur c'est... non ?

Roy sourit. « Exact. »

— Alors on est de nouveau amis ?

— Ben oui.

— Frères de sang ?

— Eh bien... d'accord. Bien sûr. Tu t'es racheté pour ce que t'as fait.

— Tu n'essaieras plus de me tuer ?

— Je n'ai jamais fait de mal à un frère de sang.
— Tu as déjà essayé pourtant.
— Parce que tu ne te comportais plus comme un frère de sang.
— Tu ne me pousseras pas du haut d'un rocher comme pour Steve Rose ?
— Il n'était pas mon frère de sang.
— Tu ne m'aspergeras pas d'essence à briquet pour me faire brûler comme tu as fait à Phil Pacino ?
— Il n'était pas non plus mon frère de sang, répliqua Roy avec impatience.
— Tu as essayé de me brûler vif.
— Seulement quand j'ai cru que tu avais trahi notre serment. Tu ne voulais plus être mon frère de sang, donc tu étais une bonne proie. Mais maintenant que tu veux confirmer notre serment, tu ne crains plus rien. Je ne te ferai plus de mal. Plus jamais. En fait, c'est tout le contraire. Tu ne vois pas ? Tu es mon frère de sang. Je mourrais pour toi s'il le fallait.
— D'accord, répondit Colin.
— Mais ne t'avise plus de te retourner contre moi comme tu l'as fait. Je pense qu'on doit pouvoir donner une seconde chance à un frère de sang. Mais pas une troisième.
— Ne t'inquiète pas. A partir de maintenant, on sera ensemble. Rien que tous les deux.

Roy baissa de nouveau les yeux sur Heather et se passa la langue sur ses lèvres. Il mit sa main entre ses cuisses et se frotta à travers son jean. « On va bien s'amuser. Et cette petite garce n'en est que le commencement. Tu verras, Colin. Tu comprends maintenant. Tu comprends pourquoi c'est nous contre eux. On va se marrer comme des fous. Ça va être vraiment l'éclate ! »

Conscient du magnétophone, le cœur sur le point d'exploser comme Roy faisait un pas vers Heather, Colin dit : « Si tu veux, un de ces soirs, on retournera au cimetière de voitures pour balancer ce vieux camion sur le passage d'un train. »
— Non. On peut plus le faire. Maintenant que t'en as parlé à ta mère. On imaginera un autre truc. (Il fit un pas de plus vers Heather.) Viens. On va lui ôter son bâillon

de la bouche. J'ai quelque chose d'autre que je brûle de mettre entre ses jolies lèvres.

Colin arriva derrière lui et tira le pistolet de sa ceinture. « Ne la touche pas ! »

Roy ne se retourna même pas. Il avança vers Heather.

Colin hurla : « Je vais te faire sauter la tête, espèce de salopard ! »

Roy était abasourdi. Au début, il ne comprit pas, mais dès qu'il vit Heather écarter les cordes qui lui ligotaient les poignets, il réalisa que finalement il s'était fait avoir. Le sang se vida de son visage, il était blanc de rage.

— Tout ça a été enregistré. Je l'ai sur la bande. Maintenant je serai en mesure de trouver quelqu'un pour me croire.

Roy s'avança vers lui.

— Ne bouge pas ! dit Colin, le revolver pointé vers lui.

Roy s'arrêta.

Heather ôta son bâillon.

— Tout va bien ? lui demanda Colin.

— Ça ira mieux quand nous serons sortis de là.

S'adressant à Colin, Roy dit : « Espèce de petit salopard ! T'as pas le cran de descendre qui que ce soit. »

Brandissant le pistolet, Colin répliqua : « Un pas de plus, et tu vas te rendre compte que tu t'es trompé. »

Heather s'était immobilisée tandis qu'elle dénouait les liens de ses jambes.

Tout fut parfaitement silencieux l'espace de quelques secondes.

Puis Roy s'avança.

Colin braqua l'arme sur les pieds de Roy et tira une fois en guise d'avertissement.

Sauf que le coup ne partit pas.

Il réessaya.

Rien.

— Tu m'as dit que l'arme de ta mère n'était pas chargée. Tu te souviens ? (Le visage de Roy se tordit en un rictus de fureur grimaçante.)

Frénétiquement, désespérément, Colin pressa de nouveau la détente. Encore. *Encore !*

Toujours rien.

Il *savait* qu'il était chargé. Il avait vérifié. Merde, il avait vu les balles !

Puis il se souvint des crans de sûreté. Il avait oublié de les ôter.

Roy se jeta sur lui, et Heather hurla.

Avant d'avoir pu basculer les deux petits commutateurs sur l'arme, Colin tomba sous son adversaire, plus grand que lui, et ils roulèrent en tous sens sur l'épais tapis de poussière ; la tête de Colin cogna durement contre le plancher, Roy lui assena plusieurs coups sur le visage du revers de la main, le frappant une, deux, trois fois avec des poings tels des blocs de marbre, lui martelant les côtes puis l'estomac, lui coupant la respiration ; Colin essaya d'utiliser le revolver comme une massue, mais Roy lui agrippa le poignet et le lui tordit violemment pour s'emparer de l'arme, puis s'en servit comme Colin avait tenté de le faire, lui balança un coup, atteignant Colin à la tempe, à deux reprises. Puis l'obscurité jaillit, accueillante, chaude, veloutée, immensément attirante.

Colin réalisa qu'un ou deux coups supplémentaires lui feraient perdre conscience, ou bien le tueraient, et alors il ne serait plus d'aucune aide pour Heather. Il lui restait une seule chose à faire ; il se ramollit et fit le mort. Roy cessa de le battre, et s'assit sur lui, haletant. Puis, pour la bonne mesure, il lança violemment, une fois de plus, la crosse sur le crâne de Colin.

La douleur explosa dans son oreille gauche, puis irradia dans sa joue, l'arête de son nez, comme si des douzaines d'aiguilles acérées avaient été concassées sur son visage. Il s'évanouit.

## 43

IL ne resta pas longtemps sans connaissance. Quelques secondes tout au plus. Une vision d'Heather, plaquée de manière obscène sous Roy, traversa comme l'éclair les ténèbres dans lesquelles Colin dérivait, et cette affreuse image le propulsa hors de l'obscurité.

Heather hurla, mais son cri fut interrompu par le bruit d'une main la frappant au visage.

Les lunettes de Colin étaient tombées. Tout était flou. Il s'assit, s'attendant à ce que Roy bondisse sur lui, et tâta le plancher autour de lui. Il les trouva. La monture était tordue, mais les deux verres intacts. Il les chaussa, les recourbant pour parvenir à les ajuster.

Heather était par terre de l'autre côté de la pièce, allongée sur le dos, Roy assis à califourchon, ne pouvant donc pas voir Colin. Son chemisier était ouvert, sa poitrine nue. Roy essayait de lui baisser son short. Elle se débattit, et il la frappa de nouveau. Elle se mit à gémir.

Chancelant, souffrant terriblement, mais galvanisé par sa propre colère, Colin se précipita à l'autre bout de la pièce, empoigna Roy par les cheveux, et l'arracha à la jeune fille. Ils reculèrent en titubant, puis dégringolèrent sur le côté et se mirent à rouler.

Roy se redressa à demi et attrapa Heather comme elle courait vers la porte. Il la fit pivoter et la poussa vers le mur. Elle trébucha et tomba sur le magnétophone caché.

Colin était étendu sur quelque chose de dur aux arêtes

vives, et il était tellement étourdi qu'il mit un bon moment à réaliser qu'il s'agissait du revolver sous lui. Il le retira, se mit à genoux, chercha à tâtons les crans de sûreté, des étincelles de douleur devant les yeux, tandis que Roy revenait vers lui.

Roy, plein d'une joie vicieuse, éclata de rire. « Tu crois que j'ai peur d'un pistolet pas chargé ? Seigneur, quelle nouille ! Je vais t'arracher la tête, petit salopard débile. Et après je baiserai ton idiote de petite amie jusqu'à ce qu'elle saigne. »

— Espèce de sale enfoiré, hurla Colin, fou de rage, dans une fureur dont il ne se serait jamais cru capable. Il se releva en chancelant. « Stop. Reste là où tu es. Les crans de sûreté étaient mis. Je les ai ôtés. Tu m'entends ? L'arme est chargée. Et je vais m'en servir. Je le jure devant Dieu, je vais te faire éclater les boyaux partout sur le mur ! »

Roy se remit à rire. « Colin Jacobs, le tueur, le gros dur ! » Il continuait d'avancer, ricanant, confiant.

Colin le maudit et appuya sur la détente. Dans la pièce aux volets clos, le bruit fut assourdissant.

Roy tomba à la renverse, mais pas parce qu'il avait été touché. Il n'était que surpris. La balle l'avait manqué.

Colin pressa de nouveau sur la détente.

Le second coup le rata également, mais Roy hurla et leva les mains en l'air pour tenter de l'apaiser. « Non ! Attends ! Attends une minute ! Ne tire pas ! »

Colin avança sur lui, Roy s'appuya contre le mur, et Colin refit feu. Il ne pouvait plus s'arrêter. Il avait chaud, terriblement chaud, brûlait de colère, bouillonnant, bouillant dans une telle rage qu'il avait l'impression qu'il allait se mettre à fondre, à couler comme de la lave, son cœur cognant si fort que chaque battement ressemblait à l'éruption d'un volcan. N'ayant plus rien d'humain, devenu un simple animal, sauvage et féroce, il livrait un combat brutal et territorial contre un autre mâle, obligé d'attaquer jusqu'à le faire saigner, mu par une soif primitive, terrifiante mais irrépressible de dominer, de conquérir, de détruire.

La troisième balle rasa le bras droit de Roy, et la quatrième le toucha carrément à la jambe droite. Il s'effondra tandis qu'une tache de sang sombre apparut soudain sur sa manche et qu'une autre s'infiltra dans l'une des jambes de son jean. Et pour la première fois depuis que Colin le connaissait, Roy eut l'air — sur le visage, tout au moins — d'un enfant, de l'enfant qu'il était réellement. Sa figure fut contractée par une expression d'impuissance, de terreur pure.

Colin le domina et visa l'arête du nez de Roy. Une dernière fois, il fallait appuyer sur la détente. Mais au moment de franchir cette ultime étape vers une barbarie totale, il réalisa qu'il y avait plus que de la peur dans les yeux de Roy. Il y vit du désespoir, également. Ainsi qu'une expression pitoyable, perdue, de solitude profonde et permanente. Pire, il comprit qu'une partie de Roy l'implorait de tirer encore une fois ; une partie de ce pauvre salaud suppliait qu'on le tue.

Lentement, Colin baissa son arme. « Je vais aller te chercher du secours, Roy. Ils vont te soigner ta jambe. Et le reste, aussi. Ils t'aideront pour le reste. Des psychiatres. De bons docteurs, Roy. Grâce à eux, tu iras bien. Ce n'était pas ta faute pour Belinda. C'était un accident. Ils t'aideront à le comprendre. »

Roy se mit à pleurer. De ses deux mains, il enserra sa jambe brisée, sanglotant, gémissant, se lamentant, se balançant d'avant en arrière — soit parce que, le choc passé, sa blessure lui faisait mal... ou bien parce que Colin n'avait pas mis fin à ses souffrances.

Colin fut incapable de retenir ses propres larmes. « Oh mon Dieu, Roy, que t'ont-ils fait ? Que m'ont-ils fait ! Tout ce que nous nous sommes faits l'un à l'autre, chaque jour, depuis le début. C'est terrible. Pourquoi ? Pour l'amour du ciel, pourquoi ? (Il lança le pistolet de l'autre côté de la pièce ; il se fracassa contre le mur, et retomba par terre avec vacarme.) Ecoute, Roy, je viendrai te rendre visite, dit-il à travers ses larmes qui ne cessaient de couler. A l'hôpital. Et puis après, là où ils t'emmèneront. Je viendrai toujours. Je n'oublierai pas, Roy. Jamais. Je le promets. Je n'oublierai pas que nous sommes frères de sang. »

Roy ne semblait pas entendre. Il était perdu dans son propre chagrin.

Heather alla vers Colin et posa une main hésitante sur son visage meurtri.

Il remarqua qu'elle boitait. « Tu es blessée ? »

— Rien de grave. Je me suis tordu la cheville en tombant. Et toi ?

— Je survivrai.

— Ta figure est horrible. Tu es enflé là où il t'a frappé avec le pistolet, et c'est en train de devenir tout noir.

— Ça me fait mal, admit-il. Mais pour l'instant, il faut aller chercher une ambulance pour Roy, si on ne veut pas qu'il perde tout son sang. Il fouilla dans la poche de son jean et sortit quelques pièces. « Tiens. Prends ça. Il y a une cabine à la station-service en bas de la colline. Appelle l'hôpital et la police. »

— Il vaut mieux que tu y ailles. Je vais mettre une éternité avec cette mauvaise cheville.

— Ça ne t'ennuie pas de rester ici avec lui ?

— Il est inoffensif maintenant.

— Bon... d'accord.

— Mais reviens vite.

— Ne t'inquiète pas. Heather... je suis désolé.

— De quoi ?

— J'avais dit qu'il ne poserait pas les mains sur toi. Je n'ai pas tenu parole.

— Il ne m'a rien fait. Tu m'as protégée. Tu t'en es très bien sorti.

Ses yeux devinrent brillants de larmes. Ils se tinrent longtemps serrés.

— Tu es si jolie, dit-il.

— C'est vrai ?

— Ne te dis jamais que tu ne l'es pas. Ne pense plus jamais que tu es laide en quoi que ce soit. Plus jamais. Dis-leur tous d'aller au diable. Tu es jolie. Souviens-t'en. Promets-moi que tu t'en souviendras.

— D'accord.

— Promets-le-moi.

— Je te le promets.

Il partit appeler l'ambulance.

Dehors, la nuit était très sombre.

Tout en descendant la colline, en route vers la cabine téléphonique de la station-service, il se rendit compte qu'il ne pouvait plus entendre la voix des ténèbres. Il y avait des crapauds, des grillons et le grondement lointain d'un train. Mais ce murmure bas et sinistre qu'il avait toujours cru présent, le bruit de ce mécanisme surnaturel œuvrant à des besognes malfaisantes avait disparu. Il avança de quelques pas encore, et réalisa que la voix des ténèbres était maintenant en lui, et que, en fait, elle y avait toujours été. Elle se trouvait à l'intérieur de chacun, chuchotant avec malveillance, vingt-quatre heures sur vingt-quatre, et la tâche la plus importante dans la vie était de l'ignorer, de la faire taire, de refuser de l'écouter.

Il appela l'ambulance, puis la police.

*Achevé d'imprimer en novembre 1990*
*sur les presses de l'Imprimerie Bussière*
*à Saint-Amand (Cher)*

PRESSES POCKET - 8, rue Garancière - 75285 Paris
Tél. : 46-34-12-80

— N° d'imp. 3517. —
Dépôt légal : avril 1989.

*Imprimé en France*